Durango Duarte

Imprensa Amazonense

CHANTAGEM • POLITICAGEM • LAMA

Manaus
2015

EDITORA
DDC Comunicações LTDA-EPP

CAPA E PROJETO GRÁFICO
Anderson Merces

GRÁFICA
Grafisa

PESQUISA HISTÓRICA
Viviane Tavares
Marlucia Bentes
Martha Rocha

REVISÃO
Benayas Inácio Pereira

NORMATIZAÇÃO
Leiriane Sousa Leal

D 812m.   Duarte, Durango Martins.

        A Imprensa Amazonense: chantagem, politicagem e lama/ Durango
Martins Duarte. 1ª ed. Manaus: DDC Comunicações LTDA-EPP, 2015. 264 p.; il.

        ISBN: 978-85-69224-00-6

1. Brasil – Imprensa – Opinião Política – Manaus (Cidade).

                        CDD (342.085)
                        CDU 94.070(81)

2015
DDC Comunicações LTDA-EPP
Rua Professor Castelo Branco, Conjunto Jardim Yolanda, QD.2, n.º 06 – Parque 10 de Novembro
Cep: 69.055-090 – Manaus – AM
(92) 98411-8004
Tiragem: 1.000 exemplares

Quando um jornal escreve um artigo crítico e ácido contra qualquer pessoa ou governo é salutar se manter um certo grau de desconfiança.

O comportamento de subserviência e de bajulação aos poderosos sempre foi – e será – superior aos ideais de uma imprensa livre e independente.

A força do capital esmaga a verdade.

Durango Duarte

AGRADECIMENTOS

Agda Lima Brito, Aline Ribeiro de Oliveira, Alba Barbosa, Angeline Barroso de Araújo, Antônio Norberto Urtiga, Andreza Marques da Costa, Aroldo Furtado, Carlos Reinaldo Ribeiro da Costa, Elton Charles, Glória Sarmento Costa, Ian Carlos Gama Mota, Ingrid Nathália de Lima Pinho, Jaime Santana de Oliveira, José Maria Pedrosa Castelo Branco, Karla Andrezza Ramos de Paula, Kleber Paiva, Lilian Cristina M. Pereira, Lúcio Bezerra, Marcos Roberto Silva Lima, Miguel Jorge Mourão, Salete Maria Castro Gama, Sebastião Gomes da Silva, Tarin Michael Freitas e Silva e, em especial a Wilson Cruz Lira que muito me auxiliou na pesquisa deste projeto.

SUMÁRIO

APRESENTAÇÃO... **9**

PARTE 1: UM BREVE HISTÓRICO DA IMPRENSA EM MANAUS............ **11**

Cinco de Setembro (1851).. 13
A Imprensa Unida (1884).. 14
Jornal do Commercio (1904)... 15
O Jornal (1930) e Diário da Tarde (1937).. 16
A Tarde (1937).. 17
A Crítica (1949)... 18
A Gazeta (1949) e o Trabalhista (1964)... 18
A Notícia (1969).. 19
Jornais dos anos 80... 20
Jornal do Norte (1996)... 21
O Estado do Amazonas (2003).. 21
Correio Amazonense (2005)... 22
O Repórter (2008)... 22

PARTE 2: DIÁRIO OFICIAL X IMPRENSA DE MANAUS........................ **23**

PARTE 3: MOVIMENTO DA DISCÓRDIA BARÉ.............................. **47**
Fábio Lucena vs. Andrade Netto.. 49
Mário Frota vs. MDB – delação, fofoca e baixaria............................... 96

PARTE 4: A CRÍTICA X A NOTÍCIA...**139**
Transcrições de jornais de março de 1980.. 141
Transcrições de jornais de abril de 1980.. 230

ANEXO : (Capas dos Jornais citados no livro e outras imagens)............. **237**

REFERÊNCIAS BIBLIOGRÁFICAS..**255**

APRESENTAÇÃO

A luta de quem se dedica à produção literária no Amazonas é árdua, sem dúvida alguma. Ela é muito mais passional do que o contrário. Ao longo da minha existência, já desenvolvi vários projetos pessoais e profissionais nessa área, e todos tiveram relevância, segundo o tempo em que nasceram e a finalidade de cada um deles. E nessa minha aventura, já se foram sete livros publicados, entre autorais e não autorais.

Neste meu novo projeto, uma série especial intitulada "Imprensa Amazonense", trago a você alguns temas que movimentaram a cidade, ocorridos entre as décadas de 1950 e 1980, e que estiveram presentes praticamente em todos os dias na vida dos manauaras, porque foram publicados nos principais jornais impressos do Estado e também pela grande repercussão no radiojornalismo amazonense.

O livro que está em suas mãos, o primeiro desta série, possui o subtítulo "Chantagem, Politicagem e Lama" e começou, a priori, de uma simples ideia de transcrever a disputa entre o jornais *A Crítica* e *A Notícia* ocorrida em 1980.

Entretanto, conforme as pesquisas foram sendo aprofundadas, houve a necessidade de se falar sobre o quanto os embates políticos ocorrem por motivos de ordem financeira, pessoal e, claro, pelo controle do poder. Por isso, tive de retroceder três décadas para tentar encontrar os primeiros indícios dessa "guerra" entre esses dois periódicos.

Como estamos falando sobre empresas jornalísticas, o livro começa com uma síntese da síntese da história dos principais jornais impressos do Amazonas, a maioria já extintos e pouquíssimos em atividade até hoje. Logo em seguida, na primeira parte, vamos ao ano de 1958 saber sobre uma disputa política ocorrida entre o governador Plínio Coelho e uma boa parcela da nossa imprensa escrita, revelando-nos a lógica perversa das relações financeiras dos jornais com o erário.

A segunda parte, denominada "Movimento da Discórdia Baré" — um significado irônico e totalmente verdadeiro para a sigla do Movimento Democrático Brasileiro (MDB) —, é dividida em dois episódios recheados de intrigas políticas e baixarias explícitas, tudo via jornais. No primeiro, temos a cizânia entre o então vereador Fábio Lucena (MDB) e o proprietário do matutino *A Notícia*, Andrade Netto. Já o segundo episódio envolve uma série de personagens políticos do Amazonas na década de 1970, entre eles, Josué Filho, Carrel Benevides, Beth Azize, J. Aquino, Aloísio Oliveira e Mário Frota.

A terceira e última parte do livro, então, culmina com o duelo *A Crítica x A Notícia* e traz a transcrição de um episódio que começou com uma discordância entre grupos do (então, recém-fundado) Partido do Movimento Democrático Brasileiro (PMDB) no Amazonas. Depois, ganhou as páginas sensacionalistas dessas duas importantes folhas de Manaus, até extrapolar e transferir suas diferenças para os próprios donos de *A Crítica* e *A Notícia*. Uma briga que só terminou com a intervenção do ministro da Justiça. Registros jornalísticos impressionantes de momentos tensos e intensos da história da imprensa amazonense.

HOMENAGEM

Quando do início deste projeto, decidi que ele deveria homenagear alguém cuja história de vida aliasse militância política e jornalística. E aí, lembrei-me de uma lenda do jornalismo impresso do Amazonas. Estávamos na segunda metade dos anos 1980 quando o conheci na Universidade Federal, ele, professor do Departamento de Comunicação Social, e eu, seu aluno no curso de Comunicação Social, na habilitação em Jornalismo, o qual não concluí.

Em 2005, ele confiou a mim a "boneca" do livro "Por Trás das Rotativas" (um relato sobre os bastidores da imprensa no Amazonas), obra que ele dedicaria ao seu pai — que um dia presidiu o Sindicado dos Gráficos do Amazonas — a quem diz ser devedor de tudo o que sabe sobre os casos do jornalismo local. Hoje, passados dez anos, infelizmente o sonho ainda não foi materializado. E guardo-a comigo com zelo, orgulho e carinho... Quem sabe um dia.

Quero homenageá-lo em vida por tudo que ele representa, quer como professor universitário, quer como contador de histórias. Quer por sua luta por uma imprensa livre, democrática e transparente, um sentimento diametralmente oposto aos interesses dos proprietários de jornais, sempre cobertos pelo manto mercantilista.

Dedico esta obra ao amigo Deocleciano Bentes Gonçalves de Souza, o Deco.

UM BREVE HISTÓRICO DA IMPRENSA EM MANAUS

UM BREVE HISTÓRICO DA IMPRENSA EM MANAUS

A imprensa sempre esteve presente em todos os grandes episódios da vida moderna, principalmente para disseminar concepções, ideologias e informação. A história do jornalismo se confunde com a própria história do desenvolvimento capitalista. Hoje, os jornais se tornaram meros porta-vozes dos grupos dominantes e seus múltiplos interesses. Somente alguém muito ingênuo acreditaria na utópica existência de uma imprensa imparcial, independente e livre.

Entretanto, no passado, movimentos de resistência como a Cabanagem, que ocorreu na região Norte do País, utilizaram-se de jornais para alavancar suas lutas. Todos esses periódicos tiveram curta duração e grande parte não está mais disponível para consultas, ocultos em arquivos pessoais. Inclusive, aqui no Amazonas, alguns personagens muito conhecidos, detentores do título de "historiador", são verdadeiros reis da pilhagem dos acervos de nossas bibliotecas.

Qualquer acervo disponível, independentemente de sua linha editorial, é fundamental para compreender a sociedade em todos os seus aspectos. Por isso mesmo, este projeto não seria possível sem as páginas amareladas, e parcialmente destruídas, que foram produzidas pela nossa imprensa. E aqui, cabe um breve histórico dos jornais que já existiram e dos que ainda estão em atividade no Amazonas.

Cinco de Setembro

O jornal *Cinco de Setembro*, primeiro periódico impresso de Manaus, foi lançado em 3 de maio de 1851. Possuía o conceito áulico, linha que predominava no Brasil daquela época, quando se publicavam somente atos governamentais. Ressalte-se que, naquele tempo, como a maioria da população não falava o português, predominava o nheengatu, língua geral amazônica. Além disso, uma parcela significativa dos portugueses residentes na recém-criada província do Amazonas era composta por analfabetos.

Em 7 de janeiro de 1852, o *Cinco de Setembro* mudou seu nome para *Estrella do Amazonas*, e assim perdurou até 30 de junho de 1866. Era seu proprietário o tipógrafo Manoel da Silva Ramos, paraense que veio para cá a convite do seu conterrâneo João Baptista de Figueiredo Tenreiro Aranha, primeiro presidente da Província.

Em substituição ao *Estrella*, no dia 9 de julho de 1866 começou a circular o jornal *O Amazonas* que, um mês depois, passou a se chamar apenas *Amazonas*. Sete anos mais tarde, trocou novamente de nome para *Diário do Amazonas*. E em 1874, ele voltou a adotar, desta vez em definitivo, a denominação *Amazonas*. Assim como mudava de nome — cinco vezes em vinte e dois anos —, o jornal alternava sua orientação política, como todos os demais. Inicialmente, era órgão do Partido Conservador, depois se tornou Liberal. Após a Proclamação da República, passou a defender os interesses do Partido Democrata, do Republicano e, finalmente, do Republicano Federal.

A Imprensa Unida

Nos últimos anos do Império, os interesses múltiplos das oligarquias estaduais incentivaram o surgimento de novos jornais. As bandeiras de luta pela instalação do Regime Republicano e pelo fim da escravatura serviram de contraponto ao jornalismo "oficialesco".

Em 10 de julho de 1884, logo após a libertação definitiva do elemento servil no Amazonas, a imprensa, inflamada pelo patriotismo, congratulou-se e saudou a emancipação dos escravos na edição da folha *A Imprensa Unida*. Pela primeira vez, o jornalismo amazonense de todos os matizes — políticos, literários e comerciais — se uniu para um único fim social, deixando de lado suas ideologias políticas e religiosas. Participaram daquela edição especial os jornais: *Amazonas, Commercio do Amazonas, A Província do Amazonas, Jornal do Amazonas, O Norte do Brasil, Equador* e *O Artista*.

Quatro anos mais tarde, uma nova edição especial do *A Imprensa Unida* voltou a circular, desta vez, parabenizando a princesa Izabel pela assinatura da lei 3.353, de 13 de maio de 1888, que aboliu a escravidão em todo o Império. Nessa segunda edição, *A Imprensa Unida* contou também com a participação do jornal *Evolução*.

Com o advento da República, o cerceamento da liberdade de expressão e os inúmeros atos de violência marcaram os primeiros anos daquele novo ciclo da política brasileira. A maledicência e as intrigas entre os proprietários e articulistas pautavam os relacionamentos entre os jornais. Ou seja, o que observamos nas redações de hoje não é nenhuma novidade na cronologia da história da imprensa local.

O ápice da economia amazonense incentivou o surgimento de publicações independentes, de caráter mais acadêmico, intelectual e sindical. Os jornais

mais estruturados, com melhor qualidade de impressão e maior periodicidade, já possuíam uma carteira de anunciantes que viabilizava, em parte, suas sustentabilidades. Os grupos políticos deram o tom editorial e o restante dos recursos.

Jornal do Commercio

O *Jornal do Commercio*, o mais antigo de Manaus em atividade até hoje, foi fundado por Joaquim Rocha dos Santos em 2 de janeiro de 1904, ano em que circulavam na capital amazonense dezoito jornais. O slogan do *JC* nos primeiros anos era Constans, fidelis, fortis, cedo nulli (Constante, fiel, forte, eu me rendo a ninguém). A empresa mantinha correspondentes em Portugal e nas principais cidades do interior do Amazonas.

Rocha dos Santos veio a falecer em 9 de dezembro de 1905, e seus herdeiros assumiram o controle do matutino até 1906, quando Adolpho Lisboa comprou o jornal e nomeou Alcides Bahia como diretor (1906-1907). Em seguida, o cargo foi assumido por Henrique Rubim, e, logo depois, por Francisco Tavares da Cunha Melo.

Com a ajuda financeira do sogro – Cosme Ferreira –, que lhe emprestou o dinheiro para o negócio, Vicente Torres da Silva Reis (pai do historiador e ex-governador Arthur Cezar Ferreira Reis) se tornou o novo dono do *JC*, em abril de 1907. Em sua gestão, ele modernizou o parque gráfico do periódico, substituindo as máquinas tipográficas pelas linotipos alemãs (o *JC* foi o primeiro no Brasil e o terceiro na América do Sul a ter esse equipamento).

Vicente Reis dedicou-se ao *Jornal do Commercio* até 1943, quando o vendeu para os Diários Associados, conglomerado midiático pertencente ao paraibano Francisco de Assis Chateaubriand Bandeira de Mello. Para dirigir o jornal (e a Rádio Baré) em Manaus, Chateaubriand chamou um dos seus funcionários que residia no Rio de Janeiro e estava trabalhando na redação do *Diário da Noite*: Josué Cláudio de Souza (que criou a Rádio Difusora do Amazonas, em 1948).

Nas quatro décadas seguintes, o *Jornal do Commercio* foi dirigido por João Calmon (1943-1946), Frederico Barata (1947-1961), João Calmon novamente (1962-1966) e Epaminondas Barahuna (1959-1984), sendo que foi na administração deste último que o *JC* foi o pioneiro no Brasil a ter off-set, nos anos 1960.

Mesmo com a morte de Assis Chateaubriand em 1968, nenhuma empresa foi vendida. Até que em 4 de dezembro de 1984, o matutino foi adquirido pelo amazonense Guilherme Aluízio de Oliveira Silva – que também comprou a Rádio Baré –, e permanece sob seu comando até os dias atuais.

O Jornal e Diário da Tarde

Nas décadas de 1920 e 1930, a crise econômica, o altíssimo custo de produção e a censura mais "profissionalizada" retirou de circulação boa parte dos periódicos. Isso, porém, não impediu o surgimento de *O Jornal* e do *Diário da Tarde*, entre outros.

Em 30 de outubro de 1930, Henrique Archer Pinto, pregando independência e se autoproclamando "revolucionário" por ter nascido sob o signo pseudomoralizador da revolução getulista, colocou no mercado *O Jornal* que, a partir de 1942, passou a ostentar o subtítulo: "O matutino de maior circulação em todo o Estado do Amazonas".

Na década seguinte, as parcerias com as companhias aéreas brasileiras Panair do Brasil S.A. e Serviços Aéreos Cruzeiro do Sul Ltda. garantiram, em 1954, a circulação do matutino em todos os quadrantes do Amazonas e os então territórios federais do Acre, do Guaporé (Rondônia) e do Rio Branco (Roraima).

Deve-se a *O Jornal* a criação das provas pedestres "Henrique Archer Pinto" (30 de outubro de 1955), a ciclística "Agnaldo Archer Pinto" (27 de outubro de 1957) e a ciclística feminina "Amélia Archer Pinto Correa" (23 de outubro de 1960). Agnaldo, que havia sucedido o pai, Henrique, na direção do jornal, morreu em 1957.

O matutino, de característica familiar (como quase todos no Amazonas), passou então a ser dirigido por sua viúva, Maria de Lourdes Freitas Archer Pinto, e por seu cunhado, Aloysio Archer Pinto. Àquela altura, *O Jornal* ainda detinha a liderança do mercado local.

Em 1975, em razão de uma grave situação financeira, *O Jornal* anunciou em suas páginas: "Não sabemos se estaremos funcionando no ano entrante. Sabemos, porém, que a nossa obra não terá sido inútil, porque lançamos a boa semente de como, pela imprensa, se pode servir ao povo, servir ao Estado, servindo a pátria". O matutino deixou de circular e encerrou suas atividades em 14 de fevereiro de 1977. Sem os recursos generosos dos governos, a imprensa amazonense não existiria.

O *Diário da Tarde*, também da família Archer Pinto, circulou pela primeira vez em 5 de outubro de 1937. O jornal tinha como propósito defender o povo amazonense e seu lema era: "Um vespertino do povo e para o povo". Ao

completar dezoito anos de existência, o "Vespertino das Multidões" publicou uma nota em que exaltava a liderança que ocupava na imprensa vesperal, "conquistada pela permanente vigilância aos direitos dos humildes e de combate severo e cerrado aos desmandos e aos arbítrios de ditadores-mirins e mandões arrogantes". Em geral, essa atitude de "defender" o povo faz parte do cinismo da imprensa.

Em 1956, Phellipe Daou e Aloísio Archer Pinto, que dirigiam os dois periódicos, decidiram que os jornais iriam patrocinar uma ideia do secretário de redação Bianor Garcia: "promover um concurso de bois em praça pública para, no ano seguinte, transformá-lo em festival folclórico" (A Notícia, de 15 de abril de 1979, p.5). Nascia, então, o Festival Folclórico do Amazonas, que iniciou suas apresentações no dia 21 de junho de 1957, no estádio General Osório (hoje, estádio olímpico do Colégio Militar de Manaus, no Centro).

Bianor era o coordenador do evento, além de locutor e apresentador, e permaneceu à frente da organização do festival até 1963. Em 1979, já como editor-chefe de A Notícia, ele sugeriu à Empresa Amazonense de Turismo (Emantur) que o festival deveria ser realizado na Praça da Suframa, pois era uma área mais ampla e adequada. O "Festão do Povo", como é popularmente conhecido, já esteve em outros espaços como o Parque Amazonense, o Estádio da Colina, o Vivaldão e até a concentração e a ferradura do Sambódromo. A partir de 2005, o Festival Folclórico do Amazonas passou a acontecer em seu local atual: a arena do Centro Cultural dos Povos da Amazônia.

A Tarde

O jornal A Tarde, cujo lema era: "Um vespertino que será sempre o arauto das aspirações populares", foi fundado em 19 de fevereiro de 1937 pelo jornalista Aristophano Antony, membro de uma das famílias mais tradicionais de Manaus. Sua sede funcionava no prédio da Rua Henrique Martins, n. 65.

Em comemoração ao seu aniversário de um ano de existência, publicou uma importante edição especial com 64 páginas, fazendo um breve histórico dos municípios do Amazonas, juntamente com seus dados corográficos e com os aspectos do desenvolvimento econômico de cada um.

Por alguns anos, o A Tarde bateu de frente com os governos trabalhistas de Plínio Coelho e Gilberto Mestrinho, principalmente em períodos de campanhas eleitorais. Em 22 de junho de 1961, Antony vendeu seu jornal para Carlos

Sebastião Henrique Gonçalves, mas manteve uma coluna com destaque até 26 de agosto de 1961. No ano seguinte, o jornal fechou suas portas.

A Crítica

Pelas mãos de Umberto Calderaro Filho, em 9 de maio de 1946 o jornal *A Crítica* iniciou suas atividades, com o slogan "De mãos dadas com o povo". Secretariado por Áureo Melo, funcionava nas oficinas de *O Jornal*, à Avenida Eduardo Ribeiro, n. 556. Em uma primeira fase, publicou 129 edições, mas não possuía uma distribuição sequencial.

Somente a partir de 19 de abril de 1949 — data utilizada pelo jornal para comemorar sua fundação — é que o matutino passou a funcionar com periodicidade normal. Em 16 de novembro desse mesmo ano, o nome de M. J. Antunes aparece como secretário de redação no expediente do periódico. Nos primeiros anos dessa segunda fase, circulava a partir das 11h, e logo ficou conhecido por seus leitores como o "Onzeorino". Seu fundador, Umberto Calderaro, era famoso por trazer boas polêmicas e inúmeras brigas pessoais durante toda a sua existência à frente do jornal.

Em novembro de 1973, o jornal começou seu maior projeto de marketing, o Peladão. Umberto ampliou seus negócios com a Editora Calderaro, virou sócio majoritário da antiga TV Baré em 1981, que pertencia ao empresário Airton Pinheiro, e cinco anos depois a transformou em TV A Crítica. Na sequência, implantou rádios e mais uma televisão, entre outros negócios. O grupo Calderaro lançou em 25 de setembro de 2008 o *Manaus Hoje*, seguindo uma tendência do jornalismo popular, em formato *tabloide*.

A Gazeta e O Trabalhista

"A jornada que hoje encetamos ao entregar este diário vespertino ao povo amazonense, não nos iludimos, requer esforço e tenacidade, persistência e desprendimento, para atingir a meta almejada. Sabemo-la, por isso mesmo, eriçada de escolhas e pontilhada de decepções, mas não temos o propósito de recuar do roteiro que nós traçamos, sejam quais forem as vicissitudes a enfrentar". Assim começava o editorial da primeira edição vespertina do jornal *A Gazeta*, em 24 de janeiro de 1949, sob o comando dos senhores Avelino Pereira e Álvaro de Melo. A sede do jornal ficava à Rua Saldanha Marinho, n. 435.

Nos primeiros anos, o vespertino atuava fortemente na defesa política de Álvaro Maia. O então deputado estadual Artur Virgílio Filho assumiu como redator-chefe no início de dezembro de 1954. Logo em seguida, passou a comandar a empresa, entre fevereiro de 1955 e 4 de dezembro de 1958. Em 1963, *A Gazeta* tornou-se propriedade da empresa Difusão S/A, a mesma controladora do jornal *O Trabalhista*, de Plínio Ramos Coelho.

Em junho de 1962, às vésperas da eleição para governador, Plínio Coelho lançou a primeira edição de *O Trabalhista*, que iniciou suas atividades na Rua Luiz Antony e, posteriormente, transferiu-se para a Rua Saldanha Marinho n. 435/437, onde passou a produzir os dois jornais. Suas atividades se encerraram em 5 de setembro de 1964.

A Notícia

A imprensa amazonense ganhou mais um matutino no final dos anos 1960, o jornal A Notícia, cuja oficina e redação funcionavam em um prédio situado à Praça Tenreiro Aranha n.º 33, Centro. Na primeira edição, publicada no dia 16 de abril de 1969, distribuída gratuitamente à população de Manaus, seu fundador, o comendador polonês Félix Fink, assim proclamou: "Criei um jornal para que o humilhado pudesse ter o direito de se defender". Seu fundador não viveu o suficiente para acompanhar o desenvolvimento de sua obra, vindo a falecer em 30 de abril, poucos dias após o *A Notícia* ser lançado.

Seu primeiro diretor foi o então deputado estadual Manuel José de Andrade Netto, genro do comendador Fink. Sua trajetória política registra apoio ao golpe militar de 1964, como líder do governador Artur Reis. Em 1965, para ser candidato ao Senado, Andrade Netto se transferiu para o Movimento Democrático Brasileiro (MDB). Apesar da vitória na capital, o emedebista perdeu a disputa para os arenistas José Lindoso e José Esteves. Esse resultado é um dos mais escabrosos crimes eleitorais do Amazonas, o que comprova a máxima popular que diz que "a História se repete sempre".

Inconformado com a derrota, no dia 18 de março de 1971, Andrade publicou a polêmica manchete: "Empatada a partida: Revolução 1 x 1 Corrupção", a qual tentava impedir que o candidato eleito, José Esteves, fosse diplomado pelo Tribunal Regional Eleitoral do Amazonas.

Andrade Netto foi um dos mais polêmicos proprietários de jornal em Manaus, sempre envolvido em algumas disputas, em que demonstrava truculência e deselegância, quer com o público leitor, quer com seus desafetos. Segundo fontes extraoficiais, *A Notícia* foi líder de vendas por um determinado tempo.

Em 29 de janeiro de 1983, o jornal foi adquirido pelo grupo Coencil, do empresário José de Moura Teixeira Lopes. No mesmo ano, em 6 de setembro, Francisco Garcia Rodrigues e seu irmão José Anselmo compraram o *A Notícia*, e o matutino passou a integrar o grupo Garcia. Apesar de vendido por duas vezes, o periódico continuou com a mesma nomenclatura. Por fim, em 17 de junho de 1990, o jornal circulou sua última edição, sendo substituído pelo *Folha Popular*, da Editora Garcia, pertencente a Anselmo Garcia. Seis anos depois, saiu de circulação. A título de informação, em 1990, o empresário Francisco Garcia foi vice-governador na chapa vitoriosa de Gilberto Mestrinho.

Jornais dos anos 1980

Fundado pelo empresário Cassiano Cirilo Anunciação, o *Diário do Amazonas* começou a circular em 15 de março 1985. Desde as suas primeiras edições até a década de 1990, o jornal seguiu a linha policial e popularesca. Foi o primeiro da imprensa amazonense a ser totalmente colorido. Em 2005, o matutino filiou-se ao Instituto Verificador de Circulação (IVC), entidade que afere a tiragem dos jornais e até hoje continua sendo o único a usar esse tipo de auditoria. Em 2009, mudou para o formato *Berliner* (24,5 cm x 40 cm). Acompanhando a tendência do mercado nacional, em 15 de setembro de 2008 lançou um segundo jornal, o *Dez Minutos*, uma versão de baixo custo para atingir as populações de menor renda, na periferia da cidade.

Em 6 de setembro de 1987, o Amazonas Em Tempo, dos empresários Marcílio Reis de Avelar Junqueira e Hermengarda Junqueira, lançou um dos projetos mais elogiados pelos profissionais da imprensa escrita do Amazonas. Nos primeiros anos, sua simbologia de independência editorial acalentou, nos jovens repórteres e redatores, o sonho de trabalhar sem servir aos grupos dominantes. Pode-se afirmar, com certeza, que foi um veículo que empolgou uma geração de jornalistas.

O *Amazonas Em Tempo* funcionou de início na Avenida André Araújo, n. 23, no Aleixo. Atualmente presidido por Otávio Raman Neves e sob a direção executiva de João Bosco Araújo, está localizado à Rua Doutor Dalmir Câmara, n. 623, no bairro de São Jorge. Já não mantém a mesma linha editorial e empresarial de sua criação, desenvolvendo apenas o chamado jornalismo

"chapa branca", expediente comum nas redações contemporâneas. E, seguindo a mesma orientação de seus concorrentes diretos, em 7 de novembro de 2011 lançou o jornal *tabloide Agora*.

Dissica Valério Tomaz, ex-funcionário e ex-genro de Umberto Calderaro Filho, entrou no "jogo" de ocupação de espaços, no auge das cizânias e interesses da política amazonense, e lançou *O Povo do Amazonas*, no dia 13 de março de 1988. Nessa primeira edição, havia a seguinte manchete: "Zona Franca enfrenta a sua pior crise". Esse jornal tinha como vice-presidente Vandico Pereira Cardoso e como editor-geral Plínio Valério, irmão de Dissica. Encerrou as suas atividades no início da década de 1990.

Jornal do Norte

O Jornal do Norte entrou em funcionamento no dia 21 de janeiro de 1996 com a manchete "Manaus é campeã de mortes no trânsito". Tinha o melhor projeto gráfico e a melhor e mais bem remunerada equipe de profissionais em toda a história do jornalismo baré. Seu idealizador e principal dirigente era Paulo Girardi, que estava no auge de sua influência e poder financeiro e buscava ampliar horizontes no cenário político.

Girardi almejou, sem sucesso, ser vice de Gilberto Mestrinho em 1996 e suplente do "Boto" em 1998. Com menos de três anos de existência, o matutino "quebrou" de maneira tão espetacular quanto foi o seu surgimento. Sua sede funcionava na Rua Afonso Pena, n. 38, Praça 14 de Janeiro. Tinha um Conselho Editorial formado por Abrahim Aleme, Frederico Arruda, Luiz Fernando Mercadante, Marília Assef, Otílio Tino e Sinésio Talhari.

O Estado do Amazonas

Sob a presidência de Francisco Garcia Rodrigues Filho e suas filhas Clycia e Rebecca, surgiu o jornal *O Estado do Amazonas*, em 24 de outubro de 2003, dia do aniversário da cidade de Manaus, ostentando o subtítulo "Jornalismo de Verdade". O diretor de redação Sebastião Reis, o diretor comercial Paulo Castro e o diretor executivo Cláudio Barboza idealizaram o conceito do jornal. Seus exemplares foram rodados na Editora Garcia Ltda. Era considerado um jornal moderno e eclético, conhecido popularmente pelo nome "Estadão". Seus cadernos tinham os seguintes títulos: Zona Franca, Política, Esporte, Manaus, Tudo de Bom e Palco, este último, voltado a atividades culturais.

Tinha como principais colunistas Joaquim Marinho, Alex Deneriaz, Liduína Moura, Flaviano Limongi, Graciene Siqueira, Betsy Bell e Raimundo Holanda e era composto pelos articulistas Belmiro Vianez, Félix Valois, José Sarney, Dom Luciano Mendes e Antônio Ermínio. Suas edições saíram nas versões impressa e on-line. O fim das atividades do jornal *O Estado do Amazonas* ocorreu em 2007.

Correio Amazonense

O jornal *Correio Amazonense* iniciou sua circulação na cidade de Manaus em 5 de junho de 2005, e disponibilizou para os leitores as versões impressa e on-line. Esse veículo foi parte de um projeto político comandado por Amazonino Armando Mendes. O pool de empresas contava ainda com a rádio Novidade FM, de propriedade do filho de Amazonino, a Editora Novo Tempo, dirigida por Carlos Edson, que atuava como colaborador e articulador financeiro do projeto, e mais a figura do radialista Ronaldo Tiradentes, que emprestava seu nome como presidente do jornal e disponibilizava suas rádios para tecer severas críticas à administração do então governador Eduardo Braga.

Como parte do projeto político, Amazonino torrou alguns milhões de reais na campanha eleitoral para a sucessão de Eduardo. Com a sua derrota nas urnas, o jornal deixou de circular logo em seguida, em 28 de novembro de 2006. Paulo Castro era o diretor de redação e Rodrigo Araújo o diretor executivo.

O Repórter

Dos diversos jornais alternativos que surgiram nos últimos quarenta anos e saíram de circulação, seleciono um deles para representar todos os demais. Com o slogan "O Jornal de Opinião", *O Repórter* começou a circular em Manaus no dia 28 de fevereiro de 2008 e era distribuído semanalmente, aos sábados. Tinha em sua presidência a jornalista Joaquina Marinho da Gama e na direção de redação, José Maria Pedrosa Castelo Branco, ambos idealizadores do projeto.

O Repórter era no formato *standard*, com 24 páginas e quatro cadernos: Cidade, Política, Colunas e Artigos. Tinha como principais articulistas Félix Valois e Ademir Ramos. Sua circulação foi encerrada em 20 de setembro de 2010, um ano após o falecimento de Joaquina Marinho. Esse projeto foi mais uma tentativa de profissionais do ramo se estabelecerem no pesado jogo do jornalismo impresso.

DIÁRIO OFICIAL
X
IMPRENSA DE MANAUS

DIÁRIO OFICIAL X IMPRENSA DE MANAUS

O Partido Trabalhista Brasileiro (PTB), criado por Getúlio Vargas em 1945, sempre teve bom relacionamento com a imprensa local. As folhas "ofereciam" espaços publicitários para difusão dos atos partidários e mantinham parcerias nos mais diversos projetos e campanhas políticas. O pleito eleitoral de 1958 no Amazonas foi o estopim para o rompimento daquela "aliança". Os desdobramentos que se sucederam, deixaram para a posteridade um dos casos mais burlescos de que se tem notícia por estas plagas, tendo como personagens a imprensa amazonense, o governador Plínio Ramos Coelho e seu partido, o PTB.

O mandato de Plínio estava no fim quando, em setembro de 1958, passou a presidência do PTB regional para Gilberto Mestrinho, este, candidato à sua sucessão no governo do Estado. Os preparativos para o pleito daquele ano alteraram os ânimos de todos, pois era decisivo para os trabalhistas que seu presidente fosse eleito governador e essencial para a oposição derrotá-lo. Antes e depois da escolha do chefe do Executivo amazonense, os órgãos de propaganda política levantaram bandeiras em favor de suas legendas.

Liderado pelo PTB, o grupo político situacionista alegava que a oposição estava tentando postergar o encerramento do pleito, utilizando-se de manobras nada republicanas, articulações que tinham como maior defensor Aristophano Antony, que era da Frente Democrática Popular e dono do jornal *A Tarde*. Nesse período, o vespertino se intitulava "O Jornal da Oposição, contra o despotismo e contra a corrupção" e apoiava a candidatura de Paulo Pinto Nery, do Partido Social Progressista (PSP).

O jornal *A Tarde* publicava editoriais de esclarecimentos sobre a campanha eleitoral e denunciava possíveis fraudes verificadas durante as eleições, atacando o governador Plínio Coelho e o candidato Gilberto Mestrinho. Essas publicações irritavam o partido da situação. Foi então que, na noite do dia 29 de novembro, o cidadão Moacir Bessa, chefe da Seção de Obras Públicas da Prefeitura Municipal de Manaus e membro proeminente do PTB, supostamente embriagado e dirigindo um jipe oficial, passou em frente à casa de Aristophano Antony.

Nada demais, se o referido indivíduo não tivesse buzinado, gritado pelo nome de Aristophano e proferido termos impublicáveis. O ofendido e alguns parentes se armaram e saíram em busca de Moacir Bessa para abatê-lo — conforme declarações do próprio Antony —, mas não tiveram êxito. No dia seguinte, o *A Tarde* abriu reportagem com o título "Bandido e covarde", e nela afirmava que Bessa era elemento de influência no governo do Estado e também o "faz-tudo" de Gilberto Mestrinho.

O governo petebista, que optou por acoitar Moacir Bessa, criando um ambiente embaraçoso, não gostou nada da manchete. Então, governo e o PTB decidiram elaborar uma nota, respondendo à reportagem e aos comentários feitos em outros jornais.

A nota se solidarizava com o chefe da Seção de Obras Públicas e foi encaminhada como matéria paga a ser publicada em todos os jornais da cidade. Entretanto, em solidariedade a Aristophano Antony — que era presidente da Associação Amazonense de Imprensa —, a publicação foi rejeitada e nenhum jornal a divulgou.

Uma tentativa de conciliação partiu de Moacir Bessa, que encaminhou uma carta com pedido de desculpas, dirigida a um filho de Aristophano. O pedido foi acatado e, em 2 de dezembro, o *A Tarde* deu o incidente por encerrado. Ocorre que a negativa da publicação da nota governista não foi digerida e, em contraposição, Plínio e Mestrinho imprimiram a mesma nota, em forma de boletim, precedida de uma justificativa eivada de insultos, e a distribuiu à população para que esta tomasse conhecimento dos fatos, segundo sua versão.

Dois dias depois, os diretores dos principais jornais da cidade — Epaminondas Baraúna, do *Jornal do Commercio*; Aristophano Antony, do *A Tarde*; Umberto Calderaro Filho, do *A Crítica*; Augias Gadelha, do jornal *A Gazeta*, e Aloysio Archer Pinto, de *O Jornal* e do *Diário da Tarde* — ao tomarem conhecimento da circulação do boletim de responsabilidade do PTB, resolveram se unir e publicaram, em seus respectivos jornais, a nota intitulada "Legítima Defesa".
Leia na página ao lado

Era a terceira vez, na história do Amazonas, que a imprensa se unia em torno de um mesmo ideal, exceção feita a dois jornais católicos que se mantiveram em posição de neutralidade: *O Universal* e a *Folha da Tarde*. Assinale-se que a maioria desses jornais, antes, apoiavam o governo ou mantinham uma linha de imparcialidade.

Legitima Defesa

Os Diretores dos jornais de Manaus, tomando conhecimento de um boletim que foi distribuido, na cidade, de responsabilidade do Partido Trabalhista Brasileiro, que é dirigido pelo Governador PLINIO RAMOS COELHO, resolveram, de comum acordo e mais do que nunca unidos e solidários:

1.º) — Devolver, por lhes não atingir, os insultos e as ofensas contidas na pasquinada, os quais se ajustam, em perfeita medida, aos responsáveis pelo infame boletim;

2.º) — Romper relações com o P. T. B. e o Govêrno do Estado a êste responsabilizando, dêsde já, por qualquer agressão contra os jornais diários de Manaus e seus diretores e redatores.

3.º) — Revidar, á altura, quaisquer outras insinuações malevolas que atinjam aos dirigentes da imprensa amazonense;

4.º) — Dirigir-se aos altos Poderes da República, solicitando garantias para os jornais e os jornalistas dêste Estado.

(aa)
EPAMINONDAS BARAUNA — Diretor do Jornal do Comércio;
ALOYSIO ARCHER PINTO — Diretor de "O JORNAL" e "DIARIO DA TARDE".
ARISTOPHANO ANTONY — Diretor de "A Tarde".
UMBERTO CALDERARO FILHO — Diretor de "A Critica"
AUGIAS GADELHA — Diretor de "A Gazeta".

Incitado pela publicação, o governador Plínio Coelho, no mesmo 4 de dezembro, criou e assinou, em conjunto com o então secretário do Interior e Justiça, José Bernardo Cabral, o decreto 75, dando nova finalidade ao Diário Oficial do Estado. O intuito principal era utilizar as páginas do DOE para divulgar notícias não oficiais, abrindo espaço para matérias publicitárias de caráter particular ou de interesse público.

Convém lembrar que a Imprensa Oficial do Estado do Amazonas foi criada por meio da Lei 01, de 31 de agosto de 1892, ainda no governo do engenheiro Eduardo Gonçalves Ribeiro, e sua missão era e ainda é, exclusivamente, a divulgação oficial dos atos dos poderes Legislativo, Executivo e Judiciário.

Após radical mudança, no dia 5 de dezembro o governador estreou no DOE a coluna "Parte Noticiosa Não Oficial", onde passou a atacar a imprensa amazonense, em editoriais não assinados. A partir daí, passou a chamá-la de "sindicato da chantagem, cartel organizado, imprensa corrupta, sindicato da calúnia, monopólio da palavra escrita", entre outras expressões.

Diario Oficial

5/12/1958 - Nº 18.769, P.05

A REALIDADE DOS ACONTECIMENTOS

A história negra de um cartel organizado com o intuito de submeter a liberdade de um povo

No Amazonas, contrariamente ao que se verifica em todas as partes do mundo, é a própria imprensa que, através dos diretores de jornal, se organiza em camorra para garrotear a livre manifestação do pensamento

Tudo não passaria de um simples caso, por argumentar, de injúria, configurado em Lei, não fora o desfiguramento do mesmo pelo atingido, dilatando o seu volume para uma tentativa de assassinato, querendo se sobrepor à Lei, fazendo justiça pelas suas próprias mãos. Nosso companheiro Moacir Bessa passou num "jeep" em marcha pela casa de Aristhofano Antony e disse alguns desaforos, excitado como anda toda a gente pela conduta insólita da oposição, tentando procrastinar o pleito com toda a sorte de manobras escusas, da qual esse jornalista é o arauto.

Aristhofano não viu Moacir Bessa mas, atingido em sua vaidade de intangível, embora ataque toda a gente, vestiu-se e saiu em busca de Moacir Bessa para abatê-lo, segundo suas próprias declarações.

Mesmo assim, o assunto teria sido solucionado, definitivamente, visto nosso companheiro Moacir Bessa ter endereçado uma carta ao senhor Aristhofano Antony retratando-se dos seus impulsos e oferecendo amplas desculpas.

Nada obstante esse procedimento do nosso companheiro Moacir Bessa, o senhor Aristhofano Antony, que se julga o mais valente dos homens, saiu novamente em procura do nosso companheiro Moacir Bessa para matá-lo, como se lê no artigo assinado por esse cavalheiro no seu jornal.

Posteriormente, por interferência de terceiros a que não esteve ausente Sua Reverendíssima D. João de Souza Lima, cujos bons ofícios foram solicitados pela família do senhor Aristhofano, o assunto foi dado por encerrado.

Entretanto, contrariamente ao esperado, o senhor Aristhofano Antony fez publicar no seu jornal uma tremenda catilinária contra o nosso companheiro Moacir Bessa, envolvendo na mesma, de maneira degradante, o ilustre Governador Plínio Ramos Coelho e o candidato eleito, Professor Gilberto Mestrinho, que nada tinha com o que estava se passando.

Isto posto, usando de um natural e legítimo direito de defesa, a Executiva do Partido Trabalhista Brasileiro encaminhou aos jornais uma "NOTA", a qual não foi publicada, porque existia um CONVÊNIO SECRETO ENTRE OS DIRETORES DOS JORNAIS, SEGUNDO O QUAL NENHUM JORNAL ACEITARIA QUALQUER PUBLICAÇÃO CONTRA QUALQUER DELES!!

Diante desse atentado contra a liberdade de pensamento, contrário às leis vigentes, inclusive contra a própria Lei de Imprensa, a Executiva do Partido Trabalhista Brasileiro distribuiu boletins pela cidade repelindo a afronta e esclarecendo o povo.

Pelo exposto, o povo do Amazonas terá verificado a espécie de imprensa existente em nossa terra, que se arroga o direito de infamar e caluniar todo o mundo, como bem o entende, e tenta impedir os atingidos de se defenderem, organizando-se em cartel, em camorra, para estrangular os mais sagrados direitos dos cidadãos: a Liberdade de Pensamento!

Covardes como todo o prepotente, esses diretores do Sindicato da Calúnia foram pedir garantias às forças federais, telegrafaram às mais altas autoridades da República, poltronizados pelas próprias atitudes, receosos de que o povo, conhecedor do assunto e justiceiro, deliberasse impor os seus direitos, o da liberdade de se manifestar dentro da Lei, uma das mais belas conquistas da Humanidade.

Coisas do Augias CURUÇÁ...

De início, a Executiva do Partido Trabalhista Brasileiro não se apercebeu de uma figura por demais grotesca que assumiu a direção de um dos pasquins que circulam em nossa capital, ou seja "A Gazeta", já mais conhecida como "A Gaveta". Em verdade, é bem mais fácil enfrentar diretamente chantagistas que escrevem, a lidar com analfabetos que unicamente assinam o que para eles fazem. Identificar o "espírito santo de orelha" é uma tarefa difícil. Daí a razão de haver a Executiva do Partido Trabalhista Brasileiro omitido, na relação dos diretores de jornais, o nome de Augias Pinheiro Gadelha, apelidado de "Curuçá" por um fato que divulgaremos em outra oportunidade.

Este analfabeto, que bem melhor se situaria na classe dos meliantes primários, embora aquela classe corresse o risco de ser por ele enlameada, é um dos mais indignos vendilhões que se conhece. Após a primeira reunião da Associação Amazonense de Imprensa, abrigo dos integrantes do "Sindicato da Calúnia", Augias Curuçá Gadelha, às carreiras, veio hipotecar solidariedade ao governador Plínio Ramos Coelho e ao governador eleito do Estado, professor Gilberto Mestrinho de Medeiros Raposo, relatando todas as discussões travadas pelos seus colegas do Sindicato. Após isso, na última reunião da AAI,

encostado na parede pelos caça-níqueis Epaminondas Barahuna, Humberto Calderaro Filho, Aristhofano Antony e Aluísio Archer Pinto, resolveu mudar de opinião e continuar fazendo parte do ajuntamento de escroques que ora dominam a imprensa baré.

Este é um ligeiro perfl de Augias Curuçá Gadelha. O resto virá depois.

Em contrapartida, nesse mesmo dia a Associação Profissional dos Jornalistas do Estado do Amazonas, a Academia Amazonense de Letras e a Associação Amazonense de Imprensa se manifestaram solidariamente aos diretores dos jornais. E as declarações, acusações e ofensas se iniciaram nos dias seguintes.

O alvo inicial de Plínio Coelho foi Aristophano Antony, proprietário do jornal *A Tarde*, a quem acusou de ter cometido crime de peculato quando este trabalhava para a Prefeitura de Manaus. Em seguida, atacou os jornais *A Crítica* e *A Gazeta*, chamando de irresponsável o diretor do primeiro e de analfabeto o do segundo. Inclusive, ao nome deste último periódico, ele usou o trocadilho de "A Gaveta".

Mesmo assim, apesar dos muitos insultos, somente no dia 9 de dezembro, por meio de uma nota intitulada "Ao Povo do Amazonas e à Nação Brasileira", é que a imprensa decidiu dar resposta às ofensas oriundas da coluna apócrifa de Plínio Coelho, no DOE.

Essa nota foi amplamente propagada por todos os jornais envolvidos na briga. Nesse mesmo dia, o *A Crítica*, pela primeira vez, comprou a briga, que até então estava branda, ao publicar a matéria de capa "Repelindo Infâmias", o que deu início a contínuas trocas de ofensas.

9/12/1958 - Nº 2.964, P. 01

REPELINDO INFÂMIAS

No sagrado dever para com o povo da nossa terra, aqui estamos, hoje, para lhe prestar contas da nossa conduta e da nossa atitude ante o insólito atentado perpetrado pelo governador do Estado e a Executiva do seu partido a toda a imprensa amazonense da qual, com orgulho somos parcela.

Não o fizemos antes para que não pudéssemos ser acusados de precipitados ou de fomentadores de desordens.

Nunca, porém, por motivos outros que, para nós não existem.

Hoje, porém, aqui estamos serenos e conscientes da responsabilidade que temos para com o generoso povo amazonense.

A origem do incidente surgido entre o governador do Estado e a imprensa de Manaus, já é por demais conhecida de todos: um indivíduo qualquer do PTB ofendeu torpemente o jornalista Aristophano Antony em seu lar e recebeu por esse seu ato reprovável a solidariedade do governo e do PTB.

Há nessa solidariedade uma gritante contradição de propósitos ao se julgarem no dever de apoiar o companheiro ofensor e negar-nos o mesmo direito de solidariedade ao companheiro ofendido.

Pode ser lida a edição de A Crítica que tratou do lamentável incidente e nela não se encontrará qualquer alusão ofensiva ao governador ou ao PTB, limitando-se a noticiar o fato sem tecer considerações.

Enquanto isso a atitude altiva da imprensa amazonense vem sendo deturpada de forma a mais abjeta.

Em sua nova feição de "diário não oficial" vem o "Diário Oficial", diariamente, sem se quer respeitar os sentimentos religiosos do povo, atacando soezmente os jornalistas e deturpando a verdade dos fatos.

Querendo fugir à responsabilidade da agressão, o governador e seus sequazes, tentando ludibriar o povo afirmam que "antes que os boletins tivessem sido distribuídos", os diretores dos jornais publicaram a nota respondendo ao governo e ao PTB.

Isso não é verdade. Foi a leitura desses boletins infames que já haviam sido distribuídos pela cidade que nos forçou à Legítima Defesa. Fomos, portanto os agredidos e não os agressores como pretende fazer ver ao povo o governador.

Somente agora, ao fim do seu mandato é que o governador se lança contra a imprensa com quem sempre manteve cordial

contato para chamá-la de "Sindicato da Chantagem e da Calúnia" e rastejando a seus pés em vil bajulação.

A nós, porém não atinge a ofensa, pois nunca estivemos à sua mesa e sempre colaboramos com a sua administração sem outro interesse que não o do Estado.

Essa nossa conduta foi por diversas vezes proclamada pelo próprio governador elogiando o nosso órgão e a nossa conduta.

Agora, porém, que quer promover a propaganda do seu futuro jornal, usa dos bens do Estado, da demagogia e da coação moral para demolir a reputação dos seus conterrâneos, homens que deram o melhor de sua vida pelo Amazonas e pelo bem do povo.

Não se peja, porém, de assumir tal atitude para enganar o povo em benefício próprio.

Conosco, porém, o caso é diferente. Não desceremos ao terreno pessoal pelo respeito que nos merece o seu cargo de governador, cargo esse que ele se utiliza para assacar calúnias e injúrias contra nós que, se algum crime cometemos foi o de auxiliar sempre a sua administração e dotar o Amazonas de um órgão publicitário à altura do seu desenvolvimento e da civilização do seu povo.

O velho método da pasquinada já está superado. Venha o sr. Plínio Coelho com argumentos serenos e honestidade de propósito que nós o receberemos com a devida consideração.

Usar de um pretexto fútil como seja o da nossa solidariedade a um companheiro agredido por um seu correligionário, para nos atacar em nossa honra e dignidade, para promover a propaganda do seu futuro jornal, é desonestidade, é até vilania para com o próprio povo que o elegeu.

Chama-nos de "mamote de chantagista" por defendermos a política econômica do Banco de Crédito da Amazônia e a pessoa do seu presidente, dr. José da Silva Matos.

Só por isso. Não sabe, porém, ele que nos acusa que não estamos presos por quaisquer compromissos com a atual administração do BCA.

No decorrer deste ano que está terminando recebemos do Banco de Crédito da Amazônia por publicações feitas em nosso órgão, a importância de Cr$ 55.000,00 (cinquenta e cinco mil cruzeiros), como podem verificar os interessados na própria escrita do BCA.

Não solicitamos, tampouco, algum empréstimo. Não nos utilizamos de nossa amizade pessoal com o dr. José da Silva Matos em proveito próprio. Se pedido fizemos ao presidente do BCA foi para que não fosse protestado naquele estabelecimento de crédito a dívida de UM MILHÃO E OITOCENTOS MIL CRUZEIROS, da Rádio Rio Mar, esta mesma rádio que hoje abriga agressões insólitas e caluniosas contra nós.

Se pedido fizemos, ao presidente do BCA, foi por solicitação do sr. Gilberto Mestrinho para que o Banco desse o seu aval para a compra de navios frigoríficos, o que não foi atendido por falta de uma garantia certa.

Vir dizer que somos capazes de vender a alma ao demo, é uma tolice. É estultice do sr. Plínio Coelho que bem sabe que durante os quatro anos de seu governo nunca fomos à sua "augusta" presença para não descermos da nossa posição de independência.

O sr. Gilberto Mestrinho que bem nos conhece, sabe que preferimos um bom amigo, ao dinheiro.

Se fôssemos, de fato gananciosos teríamos aceitado as propostas do líder do PTB para fecharmos o nosso órgão à propaganda oposicionista a troco dos milhões do seu partido.

Esta é a verdade que o governador do Amazonas bem conhece, a nosso respeito, mas que não quer reconhecer interessado como está em fazer a propaganda do seu futuro jornal, à custa da honra e da dignidade dos responsáveis pelos velhos órgãos da imprensa baré.

Não baixaremos nunca ao linguajar insultuoso do "Diário Oficial", pelo respeito que nos merece o povo da nossa infeliz terra e a sociedade de Manaus.

Não há, porém nesta nossa atitude qualquer resquício de covardia ou temor.

A nossa serenidade demonstrada até aqui e que continuará sendo mantida, mesmo pela nossa própria formação moral é motivada pelo perfeito conhecimento dos desígnios diabólicos dos que pretendem ensanguentar o Estado, lançando o luto, a dor e a intranquilidade no seio do povo.

Não fora a consideração que nos merece esse mesmo povo e não tomaríamos conhecimento das torpes pasquinadas que, mercê de Deus, a nós não atingem.

Em contrapartida o Diário Oficial, do dia 15 de dezembro de 1958 publica na Parte Noticiosa Não Oficial a seguinte matéria:

Diario ⚜ Oficial

15/12/1958 - N.º 18.776, P.05

"PARTE NOTICIOSA NÃO OFICIAL"
VADE RETRO, CALDERARO!

Não falaremos hoje de Umberto Calderaro como filho de ladrão, receptador de furtos, presenteador de joias roubadas, algumas das quais foram retiradas de sobre a sua esposa numa festa do Rio Negro, nem das que foi obrigado a devolver na polícia. Vamos esquecer, por alguns momentos, o jornalista safado escroque e chantagista, fino em "golpes" e perito em "marmeladas". Vamos fazer uma pausa para dar uma satisfação ao povo, que merece um esclarecimento, para que o possa julgar em todas as suas escusas manobras, os truques de mimetismo, os seus negaceios, o desfiguramento dos fatos para encobrir a sua fuga do campo onde se deve pelejar com armas legais, sinceras, forjadas nas oficinas da Verdade Verdadeira.

O povo vai compreender facilmente conhecendo, como conhece, o desvergonhado trampolineiro, tão logo passemos a descascar o pulha, pondo a nu as suas ratonices.

De 1951 a 1958, A Crítica, decorrente de publicidade de interesse público e do governo, recebeu do Governo Trabalhista a quantia global de Cr$ 662.809,00 (Seiscentos e sessenta e dois mil e oitocentos e nove cruzeiros). Em igual período, no governo passado, abocanhou

Cr$ 1.794.972,00 (um milhão, setecentos e noventa e quatro mil e novecentos e setenta e dois cruzeiros), exclusive a quantia de Cr$ 148.400,00 (cento e quarenta e oito mil e quatrocentos cruzeiros) que o governo atual não pagou, embora lhe houvesse pago outra parcela, confessada por ele, de responsabilidade da passada administração, de Cr$ 373.320,00 (trezentos e setenta e três mil e trezentos e vinte cruzeiros).

Sobre isso, vale salientado o fato de que ao tempo do Desgoverno Álvaro Maia o Salário Mínimo era QUATRO VEZES MENOR do que o atual, o mesmo acontecendo com o vencimento do funcionalismo público, com os gêneros alimentícios e as utilidades, época em que o DÓLAR era menor que CINQUENTA cruzeiros, valendo dizer que, para termos o que recebeu o Chantagista Calderaro, ao tempo, em relação ao que obteve do Governo Trabalhista, teremos de multiplicar por QUATRO o quantum recebido, o que eleva a quantia em causa para a ordem de SETE MILHÕES, CENTO E SETENTA E NOVE MIL E OITOCENTOS E OITENTA E OITO CRUZEIROS. E porque não recebeu essa dinheirama, o Chantagista investe contra o governo.

Mente e remente vilãmente o chantagista Calderaro quando pretende ligar a ALIMENTAMAZON aos descontos verificados quando do pagamento das contas do Estado e da antiga CERA, heranças da massa falida a que ficou reduzido o Amazonas, quando o ilustre governador Plínio Coelho o recebeu. Não havia, nem se falava em ALIMENTAMAZON àquela época... Ainda desta feita a chantagem não logra efeito.

TODOS os descontos verificados dos entendimentos havidos para o pagamento dos credores, à guisa do usado no campo comercial, deram entrada nas Tesourarias mediante Guia de Recolhimento, contendo a sua APLICAÇÃO ESPECÍFICA, no caso "Motorização da Agricultura" e "Despesas com Assistência Social", uma via das quais se encontra em poder da Repartição competente.

As despesas resultantes das recomendações, ATÉ O ÚLTIMO TOSTÃO, contabilizadas e pagas, poderão ser examinadas por quem o desejar, e serão publicadas (ISSO É QUE DÓI...) no DIÁRIO OFICIAL DO ESTADO, para conhecimento do povo.

E Umberto Calderaro, o chantagista, sabe disso, pois têm em seu poder as PRIMEIRAS VIAS das Guias de Recolhimento dos Descontos

que lhe corresponderam. Dizia bem o mestre Rui, não adianta surgir um novo Aretino - depois de Gutemberg a chantagem escrita não causa mossa.

Peteia e repeteia ainda o escroque quando faz de sua baba peçonhenta veículo da infâmia e da injúria, pretendendo atirar sobre o cunhado do governador responsabilidade criminal no "estouro" da ALIMENTAMAZON, insinuando conclusões maldosas muito diferentes das APURADAS EM INQUÉRITO.

O apropriamento indébito constatado, como vez por outra está acontecendo em todas as organizações de todo o mundo, aqui e alhures, pois se os ladrões trouxessem letreiros na testa, o aretino Calderaro e seus comparsas andariam de canto chorado, foi devido à conduta criminosa de um funcionário, configurada no referido inquérito, sendo preso por isso mesmo em Recife, à solicitação da Polícia do Amazonas tendo ainda em seu poder alguns milhares de cruzeiros.

Por tudo isso, e por ter o tartufo guardado consigo, no bolsinho dos "coringas", as infâmias armazenadas para fazer chantagem, quando o seu DEVER DE IMPRENSA HONESTA, se fosse o caso, seria denunciar os fatos julgados passíveis de crítica, para conhecimento do povo, é que com toda a razão o chamamos de CHANTAGISTA, que outro epíteto não pode merecer tal procedimento.

Sem assinatura

Em resposta ao Diário Oficial, o jornal A Crítica publicou a matéria "Em posição de sentido" no dia seguinte:

16/12/1958 - N.º 2.970, P.01

EM POSIÇÃO DE SENTIDO

Nada nos demoverá a faltar ao compromisso de honra que assumimos com o povo e a sociedade amazonense, de não baixar, jamais, ao linguajar sujo e insultuoso do "Diário Oficial do Estado".

Nem indignidades, nem obscenidades, nem calúnias, nem infâmias nos farão faltar a esse compromisso.

Que a matilha ululante dos hidrófobos se lance contra os nossos calcanhares na vã tentativa de nos contaminar com a baba virulenta, que lhes escorre das fauces hiantes.

Contra ela estamos prevenidos com o azorrague da verdade à mão, para lhes fustigarmos os lombos escanzelados e obrigá-los a voltarem aos covis de onde procedem.

O "Diário Oficial do Estado", para vergonha do povo amazonense está transformando em nojento pasquim onde meia dúzia de semianalfabetos imorais forjam as armas envenenadas da mentira para atassalharem a honra e a dignidade alheias.

Intentam eles envolver-nos nas suas intrigas torpes, oriundas da insanidade mental que os domina já reconhecida pela grande maioria da opinião pública.

Na sua investida de ontem quiseram fazer ver ao povo, no cúmulo da indignidade de que se nutrem de que até a nossa santa companheira estaria envolvida em escândalo ocorrido na sede do Rio Negro Clube.

Deslavada mentira, infame calúnia que eles não podem comprovar, desde que essa pessoa que é parte de nossa vida, nunca, jamais em tempo algum frequentou festas daquela agremiação social. Isto basta para mostrar ao povo do Amazonas o estofo moral desses biltres que se utilizam dos bens do Estado para assacarem infâmias aos seus desafetos.

Quanto à frouxa desculpa com que quer o governador do Estado eximir-se da chantagem que nos aplicou de Cr$ 18.666,00, para o capital da falida "Alimentamazon" é mais uma prova da sua má fé!

Alega ele que, ao tempo, ainda não se falava em "Alimentamazon".

Nós não dissemos que se falasse, mas sim, que ele falou para nos extorquir a nossa parte.

Falou na celebre reunião para todos os credores do Estado.

Pode ser até que, a "Alimentamazon" tivesse brotado nessa hora da sua cachola tão fértil em trapaças e maldades.

Seja como for, ele conclamou os credores a doarem 5 dos seus créditos para a constituição do capital da "Alimentamazon".

Tentando embair a opinião pública quer fazer crer que a nossa doação de Cr$ 148.400,00, como "cota de sacrifício" não foi espontânea e que nos pagou a importância de Cr$ 373.320,00.

Outra mentira. A importância de Cr$ 148.400,00, refere-se a 40% de desconto - "cota de sacrifício" do total de nosso crédito de Cr$ 373.320,00.

A importância líquida que recebemos foi, portanto de Cr$ 224.920,00 e nada mais.

Esse crédito não era ilícito, tanto prova que o governador mandou pagá-lo.

Não se recorda mais o governador que hoje ataca desabridamente toda a imprensa de Manaus, da nota oficial que mandou publicar em todos os jornais a 26 de janeiro de 1956, reconhecendo que a essa imprensa, devia a sua eleição ao elevado cargo de governador.

Querendo apresentar-se como virtuoso, alega que na sua administração A CRÍTICA recebeu menos da metade do que recebera na administração passada.

Está certo, e isso nos enche de orgulho, pois comprova que nunca estivemos jungidos ao seu "carro triunfal".

O que recebemos foi honestamente ganho na nossa missão de divulgação de atos do governo.

Desonestos teríamos sido se tivéssemos aceitado as suas propostas para aderirmos à sua propaganda política a troco de alguns milhões de cruzeiros.

Sabíamos, porém, de onde provinha esse dinheiro e preferimos não aceitá-lo a trair o povo da nossa terra, a nossa própria consciência e perder a nossa independência moral.

Alardeando honestidade glorifica-se governador a ele próprio por motivo da chegada de duas lanchas adquiridas pelo Estado, para transporte de leite a que ele chama de "belíssimos navios".

Não esclarece, porém, devidamente como se realizou a transação da aquisição dessas lanchas; se houve concorrência pública; como foi feita a operação com o Banco de Crédito Real de Minas

Gerais (não tem agência em Manaus) e a quanto montou essa operação.

Há divergências quanto ao preço de aquisição nas próprias declarações oficiais.

Senão vejamos: o governador abriu um crédito de Cr$ 19.185.813,00, conforme Decreto n.º 73 de 28 de novembro de 1958, publicado no "Diário Oficial" do Estado n.º 18.766 de 2 de dezembro de 1958 e, nesse mesmo decreto especifica ser o crédito para atender ao pagamento de cinco (5) promissórias de Cr$ 3.000.000,00 cada uma e mais outra de Cr$ 2.685.813,00.

As somas não conferem. Há, como se vê, uma diferença de Cr$ 1.500.813,00 (HUM MILHÃO, QUINHENTOS MIL E OITOCENTOS E TREZE CRUZEIROS).

Quanto custaram, no final, essas duas lanchas frigoríficas?

Não haverá "Chantagem" nisso?

Na verdade não esperamos que o governador elucide o povo, por nosso intermédio sobre essa confusa transação.

Quando muito, voltará com obscenidades, insultos e infâmias, deixando de explicar o caso, como fez com as nossas perguntas referentes ao escandaloso "affaire" da "Alimentamazon".

Dominado pela ideia fixa (sintoma anômalo em psiquiatria) de nos vilipendiar, caluniar e difamar, o governador está pesando o senso da proporção e, o que é pior, o respeito a si próprio e ao cargo que exerce.

Desde o início da nossa "Legítima Defesa da Honra" declaramos que não deixaríamos de respeitar esse cargo que ele próprio não respeita.

Não esqueceremos, jamais a nossa qualidade de amazonense para nos lançarmos à triste tarefa de rebaixar a nossa estremecida terra, o nosso infeliz povo à categoria de "terra de ninguém" onde meia dúzia de mentecaptos julgam-se no direito de atentar contra a honra, contra a dignidade, contra a tranquilidade e o patrimônio do povo.

Pelo contrário. Aqui estamos e aqui estaremos enquanto Deus o permitir na primeira linha de defesa da nossa terra e das suas tradições.

Não importa o escabujar dos insanos, sabedores que somos de que essas crises são passageiras.

Passada a crise aguda da doença, voltam eles a tranquilidade aparente, embora os distúrbios psíquicos continuem latentes.

Não nos deixaremos, porém, iludir com essa calma aparente.

Continuaremos de sobreaviso para evitar que nova crise venha provocar consequências mais desastrosas ainda.

O governador que tanto gosta de citar o grande Rui Barbosa, deve conhecer, sem dúvida este trecho de um discurso da "Águia de Haia": "Tudo poderão os governos arbitrários. Mas não tem fôro para degradar a honra, e converter em proditores da Pátria cidadãos sem mancha".

Se não conhece, medite então nessas palavras do insigne brasileiro, e deixe de querer enxovalhar uma coletividade inteira, cujo único erro que cometeu foi acreditar na sua falsa humildade, na sua pérfi da demagogia e guindá-lo a alturas a que ele, evidentemente não estava preparado para galgar.

No dia 20 de janeiro de 1959, o jornal *A Crítica* sofreu um atentado a bomba de dinamite que destruiu parcialmente o jornal e quase atingiu o seu proprietário, Umberto Calderaro Filho, que, no dia seguinte, fugiu para o Rio de Janeiro com esposa e filha. O jornalista foi recebido no Palácio das Laranjeiras pelo presidente da República, Juscelino Kubitscheck, que prometeu tomar providência. Rumores indicavam o envolvimento do PTB com o atentado, porém, nada foi comprovado.

Redação do Jornal A Crítica após o atentado à bomba

A "Parte Noticiosa" do DOE, do dia 22 daquele mês, chama o atentado de farsa, porque não interessaria aos governistas tumultuarem, quebrarem a paz e a tranquilidade reinante, pois a subversão da ordem pública só interessaria aos derrotados. No dia seguinte, o jornal *O Globo* publica a seguinte Nota Oficial:

O GLOBO

23/01/1959 - N.º 10.038, P.10

PRÓS E CONTRA
NOTA OFICIAL

O governo do Estado do Amazonas, tendo em vista que a imprensa amazonense não divulga suas "notas oficiais", vem por intermédio dos jornais do Rio, através de sua Representação aqui sediada, e com a qual manteve, hoje, conversação pelo telefone interestadual, esclarecer o seguinte:

a) Que reina absoluta calma em todo o Estado, não tendo, portanto, procedência as notícias divulgadas nesta capital, de que o governo atentara contra o jornal A Crítica, atirando bombas contra o mesmo, no sentido de impedir sua circulação;

b) Que, a respeito da explosão que se verificou, na redação daquele jornal, o governo não tem dúvida alguma em afirmar que a mesma foi efetivada pelo próprio diretor de A Crítica, com o objetivo de armar efeito em todo o país contra o atual Executivo Estadual, visando, inclusive, agitações à véspera da posse do candidato vitorioso no pleito de 3 de outubro último, a quem combateu tenazmente durante a campanha eleitoral;

c) Que a afirmativa do governo em responsabilizar o próprio diretor de A Crítica pela explosão verificada prende-se ao fato de o mesmo não ter apresentado nenhuma queixa à Polícia Civil, para a devida apuração das causas ou identificação dos responsáveis pela explosão da bomba, tendo inclusive se negado, a princípio, a depor no competente inquérito aberto pelas autoridades policiais, só o fazendo após insistentes convites da chefia de Polícia;

d) Que, para a tranquilidade de toda família brasileira, a divulgação da "bomba de dinamite" não passou de um simples foguete de festas juninas, posto que as máquinas e instalações complementares do jornal em apreço nada sofreram, tendo o mesmo circulado no dia da ocorrência;

e) Que o senhor presidente da República, por intermédio de seus ministros da Guerra e da Justiça, pode e deve mandar apurar por pessoa de absoluta dignidade, equidistante da política do Amazonas, não enredada de qualquer forma nas suas lutas, o que de verdade existiu e existe nas notícias para aqui trazidas por adversários dos senhores Plínio Coelho e Gilberto Mestrinho e pela imprensa de Manaus, ora em luta aberta contra os mesmos, não lhes publicando sequer os nomes.

GOVERNO DO ESTADO DO AMAZONAS
Roberto Cohen
Representante

Cinco dias depois, o jornal *A Crítica* responde à Nota Oficial transcrita a seguir:

28/01/1959 - N.º 3.002, P.01

RESPOSTA A UM DESCONHECIDO

Desiludido de não poder mais empulhar o povo amazonense que há quatro tristes anos mistifica, o governo passou agora a utilizar jornais do Sul na tentativa de amortecer o impacto que seus atos idiotas e criminosos está causando na opinião pública do país. Assinado pelo ilustre desconhecido Roberto Cohen, um dos novos-ricos do trabalhismo amazonense se publicou no O Globo, do Rio de Janeiro, no passado dia 23 deste mês uma "Nota Oficial" que lhe foi ditada pelo amo e protetor através do telefone como ele mesmo confessa. Não nos preocuparia a citada nota se o seu subscritor cuja enxúndia só é conhecida pelas repartições pagadoras de verbas do Amazonas levando longe a sua subserviência não se envergonhasse de em afirmações mentirosas e gastando dinheiro do Estado tenta ridicularizar um fato que toda Manaus repudiou pela selvageria de que se revestiu. Para que o Roberto Cohen, um dos sabujos enriquecidos nas transações imorais deste governo aprenda a não duvidar da sinceridade dos outros, vamos lhe responder item por item as cavilosas mentiras que o seu "Fuhrer" que ditou.

a) Não reina calma no Amazonas. Um jornalista cuja coragem e idealismo (o que o sr. Cohen nunca teve) não lhe permitiu dobrar-se nem ao ouro (que o sr. Roberto preza muito) nem aos arreganhos de soba governamental teve que ausentar-se com sua família, doente com a roupa do corpo, porque sua vida vinha correndo perigo há muito tempo, juntamente com o jornal que ele conseguiu fundar e manter as duras penas. Há muito tempo que não há calma no Amazonas, principalmente para os que não mamam não tetas do Estado a troco da fidelidade sabuja. Que o digam os adversários do governo, os desprotegidos da sorte que caem nas más graças da situação.

b) Que o governo declare que o próprio diretor de A CRÍTICA quem jogou a bomba no seu jornal, deste governo jamais se poderia esperar outra coisa. Há muito tempo que ele é irresponsável no que diz e no que faz. O governo sabe quem mandou o pobre miserável atirar a bomba. Às dezesseis horas já se imprimiam no Diário Oficial os boletins acusando ao diretor de A CRÍTICA de assassino de seu patrimônio. A bomba foi jogada às vinte horas, portanto só o governo sabia o que iria acontecer. A não ser que ele também seja adivinho além de escamoteador.

c) Quanto à alegação de que não foi apresentada queixa à polícia é outra falsidade da nota.

O inquérito foi instaurado se bem que "para fazer constar" desde que a autoridade que o presidiu negou-se a ouvir testemunhas idôneas, sem ligação com o jornal e que viram o lançador da bomba e quando ele fugiu rumo à Avenida Epaminondas.

Quanto ao dizer que foi uma "bomba junina" é outra deslavada mentira que a própria perícia policial, sob a chefia do dr. Hodson de Magalhães Cordeiro pode comprovar desde que se positivou ter sido a bomba aqui lançada, de dinamite.

A polícia que a politicalha transformou num órgão inoperante e de coação aos inimigos da Situação depois de anular todas as suas tradições de bem servir ao público do Estado é incapaz de descobrir os cadáveres desconhecidos que constantemente estão aparecendo, engrossando o rol dos crimes misteriosos que ela não descobre porque não pode ou porque não quer. Depois com as atitudes políticas de certos membros seus quem vai ter confiança nela? Porque detiveram ora e meia, incomunicáveis o secretário e um redator nosso, um deles quase vítima da explosão?

d) "Deus ajuda aos bons", disse uma mulher do povo quando na redação de A CRÍTICA viu os escombros e sob que nosso diretor escapara ileso do atentado. Só por mercê divina não houve mortes, pois que segundos antes estavam o diretor e redatores em conferência no local. Para tranquilidade de toda a família brasileira foi sair com vida o jornalista Umberto Calderaro. O assassino frio e covarde de jornalistas que combatem os maus governantes sempre foi um ato renegado por todo o povo brasileiro não obstante a vontade dos que vivem incomodados com a sua vigilância. Se as instalações do jornal nada sofreram devemos à justiça de nossa causa e ao pavor que no último instante fez tremer a mão infame. Ou então porque as ordens que recebeu visavam ao homem indefeso que fez do seu jornal a trincheira da liberdade de imprensa. Não que fosse a bomba "um simples foguete de festa junina" como apregoa o sr. Cohen. Estrago maior que o que nos causou a bomba assassina só a permanência do sr. Cohen na representação do Amazonas recebendo polpudas comissões por toda a verba destinada ao Estado.

e) Infelizes dos amos do sr. Cohen se o Governo Federal mandasse apurar não só este atentado mas todos os perpetrados contra a dignidade do cidadão e do Estado nestes dias conturbados que o Amazonas vive há quatro anos. Ele bem sabe que o Exmo. sr. presidente da República e as altas autoridades federais já tem a ficha completa da personalidade moral de cada um de seus comparsas. Que suas arbitrariedades já são do conhecimento da opinião esclarecida do país e que neste momento todos os seus atos são observados, para o devido julgamento do futuro.

O último DOE a publicar notas ofensivas na "Parte Noticiosa Não Oficial", ainda sob a administração do governador Plínio Ramos Coelho, data de 30 de janeiro de 1959. O dia 23 de fevereiro daquele ano marcou, em definitivo, o fim das publicações. O Estado, a esta época, já estava sob a gestão do novo chefe do Executivo, o recém-eleito Gilberto Mestrinho de Medeiros Raposo.

MOVIMENTO DA DISCÓRDIA BARÉ

Na história da política amazonense, muitas outras querelas expostas ao público aconteceram, após os fatos ocorridos em 1958. O capítulo a seguir, denominado "Movimento da Discórdia Baré" — título extraído do próprio comportamento dos membros do MDB no dia a dia e na imprensa local —, será dividido em dois episódios, sendo o primeiro o duelo entre Fábio Lucena e Andrade Netto, e o outro, a troca de farpas entre Aloísio Oliveira e Mário Frota.

FÁBIO LUCENA vs. ANDRADE NETTO

Este episódio teve início na primeira metade da década de 1970 e envolveu o ex-deputado estadual Manuel José de Andrade Netto e o vereador Fábio Pereira de Lucena Bittencourt, ambos membros do Movimento Democrático Brasileiro (MDB). O rompimento dessa "amizade política" levou a público, através dos jornais *A Crítica* e *A Notícia*, uma verdadeira "lavagem de roupa suja", levando à tona histórias íntimas e pessoais de cada um desses personagens, contadas ao público leitor com palavras do mais baixo calão.

Fábio Lucena iniciou sua carreira jornalística através do jornal *A Crítica*, no ano de 1967. Dois anos depois, aceitou o convite do diretor do jornal *A Notícia*, Andrade Netto, para ocupar o cargo de editorialista, onde permaneceu até fins de 1971. Em 1972 voltou para o *A Crítica*, onde ficou até 1973, ano em que iniciou sua carreira política como o vereador mais votado da cidade de Manaus.

Entre os anos de 73 e 74, retornou pela segunda vez ao jornal *A Notícia*. Em 1975, regressou, definitivamente, para o *A Crítica*, lá permanecendo até sua derradeira hora. Em meio à ditadura militar, Lucena utilizou-se das duas profissões, político e jornalista, para expressar suas opiniões contrárias ao militarismo no Amazonas.

Vamos ao começo... Em 18 de abril de 1974, o então vereador Fábio Lucena foi à tribuna da Câmara Municipal de Manaus a fim de parabenizar o jornal *A Crítica* pela passagem dos 25 anos desse matutino, que seriam comemorados no dia seguinte. Em seu discurso, o líder do MDB na Câmara Municipal de Manaus rasgou elogios ao periódico onde já havia trabalhado como redator-editorialista:

"Há 25 anos (...) aparecia nas ruas de Manaus um modestíssimo jornal com quatro toscas páginas, composto à mão, sumamente pobre de recursos, mas que já se prenunciava, ao nascer, uma esperança, pois reunia a equipe valorosa da época, que, ao lado de Umberto

Calderaro, se dispunha a realizar, custasse o que custasse, um jornal que espelhasse a grandeza do nosso Estado e do nosso povo" (A Crítica, de 19 de abril de 1974).

Tudo seria normal, a não ser pelo fato de que, nessa época, Fábio era jornalista de *A Notícia*, cujo proprietário era o sr. Andrade Netto, que recebeu como uma afronta aquele pronunciamento lisonjeiro em favor do seu principal concorrente. Tal saia justa fez com que Lucena fosse demitido e voltasse para a redação de *A Crítica*. E a partir daí, ambos travariam uma batalha, com ofensas de parte a parte, expressas publicamente em seus artigos publicados nos dois jornais.

O primeiro registro que encontramos nos jornais sobre o início dessa contenda está em *A Crítica*, de 5 de janeiro de 1975, quando Fábio Lucena, agora compondo as hostes de Calderaro, escreveu o artigo "Império de Velhacos", em que defendia sua empresa jornalística de algum ataque de Andrade Netto.

"Calam-se as bocas de cachorros, e não de Homens e, em particular, do diretor de A CRÍTICA, em cuja família as mulheres são mulheres e os homens são Homens. Se, em 25 anos de existência deste jornal, nem mesmo governos prepotentes do passado conseguiram silenciar-nos, não será desta vez que peralvilhos e janotas, todos profissionais do jornalismo insidioso, virão calar-nos.

(...)

"Um outro jornal, que se caracteriza pelo despudor público, e que há muito não o vende em hasta de leilão porque a moeda para arrematá-lo é impublicável, lançou-se à contestação, em seção própria de suas páginas que de longo tempo vêm abrigando a cizânia, o insulto e a provocação.

(...)

"E por tudo isto - e porque ninguém fecha a boca do diretor deste jornal -, lembramos que o Titanic, que se considerava igualmente poderoso, e arrogante, partiu-se ao choque com o primeiro 'iceberg' que lhe surgiu em alto mar" (A Crítica, de 5 de janeiro de 1975, p.01).

No dia seguinte, em novo texto intitulado "O Chefe da Velhacaria", as ofensas de Fábio foram mais diretas ao diretor de *A Notícia*, chamando-lhe de:

"Traidor, covarde, mesquinho, desonesto, vilão, porco, hiena, coiote, cnidário (para que ele não vá ao dicionário, cnidário é um animal que usa o mesmo orifício para comer e expelir os dejetos fecais), celenterado (sinônimo de cnidário), velhaco, hipócrita, fariseu, chantagista, brejeiro, fi nório, patife, pérfi do etc. (...) Na baba de um epiléptico há mais dignidade que no caráter do Andrade Netto. Um leproso é mais sadio que ele. Qualquer desonrado tem mais honra que ele. O coração de uma pulga é maior que o dele. Os imundos não chegam nem aos pés da imundície dele, imundície com a qual vive amancebado, já que a mancebia com a traição e com a velhacaria, não lhe basta no seu permanente coito com a intriga" (A Crítica, de 6 de janeiro de 1975, p.01).

É válido lembrar que, nesse mesmo artigo, falou-se sobre como o dono de *A Notícia* conseguiu montar o jornal graças a uma herança. Há também uma espécie de biografia sombria de Andrade Netto. Seu contra-ataque veio na edição do dia 7 de janeiro seguinte, porém, de uma forma mais atenuada, ou, como ele mesmo classificou, "com altivez e elegância":

A NOTÍCIA

7/01/1975 - Nº 1.928, P.01

A RESPOSTA

"E guardo no evangelho em que me oculto o dom sublime de alvidar o insulto". (Álvaro Maia)

O matutino "A Crítica", em suas duas últimas edições, primeira página, sob a inspiração direta e responsabilidade pessoal de seu diretor, sr. Umberto Calderaro Filho, fez publicar matéria em termos que até mesmo as páginas policiais se recusam a abrigar, e que lembraram época em que a falta de argumentos, a ausência de razão, deslocava os debates públicos para o terreno do insulto pessoal, destituído de oportunidade e grandeza, mas prenhe de ódios, recalques e desespero.

Este jornal, nos seus pouco mais de cinco anos de existência, tem conseguido acusar e defender-se sempre no terreno plano do problema ou da pessoa sem precisar descer ao lodo, sem carecer abrir o "baú velho" das recordações para desenterrar mortos ou histórias familiares relacionadas com as pessoas a quem acusa ou das quais se defende, partindo do princípio de que um pai e uma mãe não devem ser responsabilizados pelos monstros que legaram ao mundo, e que deste sofreram as deformações que os fizeram como agora são, pois foram paridos, presumivelmente, em função do amor, num lar quase sempre honesto e decente.

Por isso o meu espanto ao constatar que o sr. Umberto Calderaro Filho, para explicar – nunca provar – as mentiras o seu jornal criou em torno de uma criança nascida em Itacoatiara, foi obrigado a encomendar um artigo insultuoso e injusto, muito abaixo do nível de cultura de nosso povo e da nossa cidade, mas absolutamente coerente com as deformações que o seu caráter sofreu, ao curso dos anos, desde que nasceu no lar pobre, mas honrado do velho italiano Umberto Calderaro, que do outro mundo há de estar sofrendo o monstro que deu a esta cidade e a esta civilização que lhe ofereceu abrigo e que ele fez sua por desejo próprio e soube honrar com seu trabalho humilde, mas decente, nas oficinas ou nos balcões de uma sapataria.

Eu entenderia que o sr. Calderaro Filho procurasse travar uma briga em torno da minha pessoa como político, como jornalista ou como empresário, pois minha vida, sob esses ângulos, pertence muito mais à cidade e ao povo do que a mim próprio, pelas posições públicas que tenho assumido e pelos cargos que tenho exercido, aos quais nunca cheguei guiado por favores ou como resultante de campanhas publicitárias com preço fixo.

Ambos nascemos pobres, até que em casas vizinhas na Rua Lobo d' Almada; crescemos juntos e juntos comemos as macarronadas da velha Maria, que é até minha madrinha, e juntos bebemos os vinho domingueiros do velho Umberto, que tantas vezes me deu conselhos como se substituísse meu pai, a quem perdi aos oito anos; ambos, desde meninos, sonhamos fazer jornal, participamos

de jornais estudantis redacionados nos porões de uma velha casa da Rua Monsenhor Coutinho e então os nossos ideais de bom servir, de não fazer jornalismo marrom pareciam iguais, pois nunca nos ocorreu que qualquer de nós acabasse por realizar jornal dirigido no sentido de crescer à custa de campanhas fabricadas, e fabricadas para obter favores pelo silêncio, vantagens pela omissão e produzir insultos pela recusa de benesses; ele, o Calderaro, chegou ao jornalismo pelas mãos de um protetor, cuja proteção nunca deixa de esquecer, e fez um jornal que começou como o sonhado pelos meninos, pequeno em tamanho mas grande em independência, órgão que no nascedouro produziu a única campanha que fez gratuitamente contra um governo, pois desse dia em diante passou a alugar a pena pela colheita de favores, sempre no sistema de aplaudir·nos três e meio primeiros anos e a agredir no fim da festa, como presentemente faz com o atual governo; eu, sem protetor, segui a carreira bancária, POR CONCURSO, onde cheguei, sempre promovido POR MERECIMENTO, a gerente de agência de classe especial, e de onde saí para exercer mandato político, militando em partido de oposição; e a jornal cheguei muitos anos depois de já possuir uma mansão em Adrianópolis, em cuja mesa o sr. Calderaro sempre comparecia para pedir favores ou para fazer intrigas, e de cujo ingresso foi proibido após num dia ter-me hipotecado solidariedade contra o poderoso da ocasião e no dia imediato ter mandado emissários pleitear que não alardeasse essa solidariedade para não cair no desapreço do homem contra quem se havia solidarizado; e a jornal cheguei, diz o artigo encomendado pelo sr. Calderaro, por herança, e esta é a única verdade de seu amontoado pornográfico, mas herança legítima, passada em cartório com escritura e tudo, impostos pagos e origem reconhecida pelo imposto de renda, limpa na forma e no conteúdo, com um patrimônio que não foi feito na base da chantagem, da venda de opinião, do rastejo aos pés de quem governa, ou erguido como "A Crítica" numa antiga garagem da Prefeitura Municipal de Manaus, quem sabe como preço de silêncio, de omissão; e jornal estou fazendo nestes quase seis anos sem saquear bancos oficiais, sem depender do erário público para saldar contas, sem calotear e sem precisar intimidar os caloteados com notícias fabricadas, sem carecer da mentira para sobreviver.

Bendita herança que deu à cidade um jornal que não se precisa vender, que pode ser contra um governo desde o primeiro dia e que tem a decência defender os caídos ou em queda sem lhes extorquir favores, como aconteceu com o governo passado, como está acontecendo com o atual e como acontecerá com o próximo e com os vindouros. Bendita herança que me permite responder ao insulto sem precisar abrir um "baú velho" e de lá retirar histórias que poderiam não sensibilizar o monstro, mas que chocariam a cidade e arrastariam ao lodo sua velha mãe, sua irmã e sabe lá quantos mais de seus familiares.

Graças a Deus eu hoje consegui, mas uma vez, defender-me sem usar a lama. Mas saiba sr. Calderaro que até mesmo eu me surpreendo com esta minha resposta. Sim, porque não nego que tenha tido o desejo, no primeiro instante, de furar o tumor por inteiro; de fazer fl uir a podridão de seu caráter, aliás de seu interior, porque caráter ele não possui há muito; de contar a história da nova "A Crítica", a que foi feita na garagem que fora construída com os dinheiros públicos e cuja máquina impressora foi resultante de um empréstimo que o Banco da Amazônia lhe concedeu após uma sórdida campanha que o sr. Calderaro moveu contra a diretoria daquela organização creditícia; de explicar ao povo que o sr. Calderaro está contra o atual governo não é por patriotismo, mas porque deixou de fazer os papéis impressos do Estado na sua gráfi ca; de anunciar à cidade que a "bravura" atual é porque o governo não lhe está facilitando novos empréstimos para reformular os que nunca pagou; e – por que não acrescentar se realmente desejei, no primeiro instante, fazer? – de narrar as misérias familiares do sr. Calderaro com os detalhes ricos que possuo porque colhidos nos desabafos que o próprio sr. Calderaro fazia na minha própria casa ou na de minha mãe, em cujo ombro procurava consolo nas horas mais amargas.

Sua única "acusação" legítima é a de que sou herdeiro. E sou mesmo. Brevemente, quando o sr. Calderaro estiver sob a terra

fazendo companhia aos vermes, um herdeiro estará no comando do "A Crítica".

Creio que cumpri meu dever, defendendo-me com altivez e elegância. E não precisarei voltar ao assunto por maiores e mais graves que possam vir a ser os insultos e as infâmias anunciadas. Afinal, quando nada, A NOTÍCIA tem a obrigação de lembrar à cidade que não vivemos naquela época de triste memória em que se denegria por denegrir, sem o menor respeito à honra alheia e ao público.

Que Deus ilumine o sr. Calderaro o conduza a um caminho mais sadio, mais limpo do que o alcançado nas duas últimas edições de seu jornal.

Andrade Netto

Essa edição trouxe ainda o colunista Mário Antônio, da seção "Caderno de Notas", dizendo que enquanto *AN* brigava com o governador João Walter por melhorias para o Estado, o jornal *A Crítica* perseguia o chefe do Executivo porque, com a modernização da Imprensa Oficial, os contratos com a Gráfica Calderaro foram suspensos.

Como numa luta de boxe com a guarda baixa, *AC* reagiria no dia seguinte, em seu editorial "Trabalho e Honra", respondendo item por item a todas as acusações feitas por Netto:

8/01/1975 - N.º 8.518, P.01

TRABALHO E HONRA

Antes era o lobo feroz, que a todos insultava e desrespeitava. Hoje é o "cordeiro". Foi, pelo menos, o que se viu na "resposta" do diretor de "a notícia" às verdades que daqui lhe foram endereçadas, depois de não mais termos podido tolerar, da parte de lá, além do insulto, a ofensa, a provocação e o vilipêndio.

Assim, verá o povo que não apenas os lobos promovem a insídia; também os "cordeiros" podem fazê-lo. Vamos por etapas:

a) "andrade netto" diz que não precisa descer ao lodo, quando seu "jornal" é um tratado de intrigas, fuxicos, desrespeitos à dignidade de pessoas honradas, maldades permanentemente instiladas, como aquela da famosa fotografia do caminhão montado sobre um "fusca", com a legenda de primeira página: "Trepada covarde"...;

b) Diz que chegou à condição de empresário sem precisar de favores, mas reconhece ser, de fato, um herdeiro...;

c) Diz que somente no nascedouro este jornal promoveu gratuitamente campanha contra o governo e que daí por diante começou a "alugar a pena". Mentira! Combatemos não somente o governo Leopoldo Neves, em nosso nascedouro, e passamos 10 (dez) anos combatendo o governo trabalhista, que chegou, inclusive, a proibir que o comércio local anunciasse em A CRÍTICA, com pouquíssimas exceções. E continuaremos a apoiar os governos que sirvam ao Amazonas, e a combater aos que lhe dessirvam;

d) Diz que "A CRÍTICA" foi construída numa antiga garagem da Prefeitura de Manaus, que "fora construída com dinheiro público", "quem sabe como preço do silêncio". Outra mentira! O terreno, que era de fato depósito, foi comprado por nossa empresa, ao preço de Cr$ 130.710,00 ao padrão monetário da época, conforme Escritura n°. 8071, livro 3-G, fl . 103, do Tabelião Rocha Barros. A transação foi devidamente autorizada pela Lei Municipal n°. 434, publicada no Diário Oficial do Estado, n°. 17.040, de 7 de janeiro de 1953;

e) Diz que se defende sem usar lama, esquecido de que pediu a cabeça de um senador eleito e que fora impugnado pelo Ministério Público, antes de ser julgado pelo Tribunal competente (onde foi absolvido), para tomar-lhe o lugar no Senado, lugar que o povo lhe negara pelo voto;

f) A campanha contra o Banco da Borracha, e não contra o Banco da Amazônia, a que se refere o "andrade", data de 1951, quando este jornal tinha apenas dois anos de existência e já combatera o governo Leopoldo Neves. Substituído o presidente pelo sr. Gabriel Hermes Filho, este concedeu a A CRÍTICA, legalmente, um empréstimo de 200 mil réis, com o qual compramos a rotoplana, e que foi devidamente pago;

g) Diz que "o sr. Calderaro está contra o governo do Estado, não por patriotismo, mas porque o governo deixou de fazer os papéis impressos do Estado em sua gráfica". Dupla mentira! Em primeiro lugar, o governo estadual é quem está contra este jornal, pois, enquanto jamais silenciamos em todos os momentos em que a Zona Franca tem estado em perigo, o governador silenciou duas vezes: em julho e em dezembro de 1974. E, como já o havíamos combatido quando o superintendente da Sudam, em 1967, por haver tramado contra a Zona Franca, voltamos a combatê-lo no momento em que entendemos haver ele se colocado contra os interesses do nosso Estado, deixando de reagir publicamente. A outra mentira é a seguinte: há mais de três anos que a Gráfica Umberto Calderaro NÃO PRESTA QUALQUER SERVIÇO AO GOVERNO. E o que o Estado nos paga legalmente por publicações de "notas oficiais" de seu interesse, nós lhe devolvemos, em triplo, com o recolhimento do ICM aos cofres públicos;

h) Diz mais que a bravura de A CRÍTICA é porque "o governo não lhe está facilitando novos empréstimos". Perguntamos-lhe: qual o "empréstimo" que o governo nos concedeu? E qual o empréstimo - como alegou levianamente em sua "resposta" - que nunca pagamos? Os empréstimos que fazemos são operações normais com duplicatas mercantis na rede bancária, ou de notas promissórias amparadas em lei, o que, aliás, acontece com todo o comércio e a indústria.

Outra insídia, como se vê!;

i) Diz que gostaria de narrar "as misérias familiares do sr. Calderaro, que arrastariam ao lado sua velha mãe, sua irmã e sabe lá quantos mais de seus familiares". (Pasmem Calderaro é filho único!).

Pois bem: que narre as tais "misérias", mas se dispuser, de fato, do poder de primeiro ataque, que consiste em atacar o adversário sem correr o risco de ser destruído na represália! A decisão está em suas mãos...

Nunca fomos registrados na "Coordenadoria de Material e Manutenção da Secretaria de Administração do Estado", o que comprova que não precisamos, para sobreviver, de favores oficiais. Se, há uns três anos, o governo nos pediu que confeccionássemos os modelos de guias de recolhimento de impostos, foi porque nossa empresa era a única, à época, que reunia requisitos técnicos para confeccioná-las em condições de serem adaptadas pelas demais indústrias gráficas locais.

E há mais: A CRÍTICA é o único jornal amazonense, e um dos poucos do Brasil, que pertence à Sociedade Interamericana de Imprensa, onde só entram jornais que tenham comprovado requisito de amor à liberdade de imprensa, conduta moral e honorabilidades inatacáveis. Nosso atual equipamento foi adquirido no exterior dentre os mais modernos do mundo, e com financiamento de agentes financeiros externos que não nos exigiram aval, porque o nosso cadastro, confeccionado pelos principais bancos brasileiros, foi suficiente para atestar, lá fora, a idoneidade moral e financeira desta empresa.

E somos trabalho – quase 26 anos de trabalho – e não herança. A diferença, portanto, é fundamental!

OBSERVAÇÃO: O nosso artigo de hoje não era necessariamente este!

OBSERVAÇÃO nº. 2: Se o "andrade netto nunca precisou de empréstimo (salvo o último com o que vendeu ao governo o seu apoio), os motivos ele os deu ontem, em sua "resposta", dizendo ser verdadeiro que gerencia uma herança, enquanto o diretor deste jornal comanda uma empresa que foi construída em longos anos de trabalho, sacrifício e provações, como, por exemplo, a da bomba mandada lançar em nossas oficinas, ocorrência criminosa que completará 15 anos no próximo dia 20, mas que jamais arrefeceu o nosso ânimo de luta.

A CRÍTICA é isto: TRABALHO E HONRA!

Em outra página dessa edição, no artigo "Velhaco e Venal", *AC* fala sobre um financiamento solicitado por Andrade Netto ao governador João Walter, no valor de Cr$ 6.900.000,00 (seis milhões e novecentos mil cruzeiros), que serviria para pagar o apoio desse matutino à administração estadual. Há ainda um trecho em que, claramente, afirma-se que o proprietário de *A Notícia* estaria dando em cima da esposa do então prefeito Frank Lima:

"Eis o verme, a pústula, o sânie, a purulência como cérebro e o pus como desonra - eis o 'andrade Netto '. Eis o verme antropomórfico

que se diz amigo do prefeito Frank Lima, que se sabe não ter belos olhos. Belos olhos os tem outra pessoa - a esposa do prefeito. E o velhaco 'andrade Netto', na redação de 'a notícia', não faz segredo de que seu grande objetivo é 'conquistar a esposa do prefeito'. Enganou-se, todavia, o poltrão e velhaco, porque a esposa do prefeito é mulher honrada e digna e seus olhos só fitam os olhos de seu marido, de quem tem filhos e aos quais, com certeza, saberá transmitir a própria honradez. Não é ela uma dessas messalinas que o velhaco abocanha através de cafetinas, e com elas desfila pela via pública para que pensem que ele é mesmo super-macho, como se o 'Pelé', aquele homossexual que dá ponto na Praça da Saudade, não estivesse permanentemente cercado de meretrizes, à espera da comissão que lhe rende o proxenetismo. Vê-se que os cachorros são mais dignos que o 'Andrade Netto'. Os vermes saprófitos e saprófilos têm mais dignidade do que esse velhaco, falaz, maroto, canalha, abutre que devorou a própria honra, velhacório que usa a vinalia como diadema e a sordidez como anel de grau" (A Crítica, de 7 de janeiro de 1975, p.01).

O texto finaliza, falando que Félix Fink havia sido expulso do Peru como "indesejável" e que o mesmo fazia contrabando de cocaína no Amazonas, "a mesma cocaína cujos rendimentos de ontem são hoje o principal sustentáculo do Andrade Netto".

Avancemos para o mês de fevereiro daquele ano, em que os ânimos ficariam ainda mais acirrados. Na noite de sábado, dia 15, ao final do seu expediente na redação de *A Crítica*, Fábio Lucena saiu em direção a sua residência. Em seguida, por volta das 20h, foi para a esquina da Rua Aprígio com Beco da Indústria, onde iria tomar uma injeção. Depois, no caminho de retorno para sua casa, encontrou-se com o jornalista Raimundo Albuquerque Filho, com o sr. Santos Cogo e com o comerciante Nogueira, na calçada da mercearia do português José Augusto, situada na esquina do Beco da Indústria com a Rua Wilkens de Mattos, e parou para uma conversa com eles, sentados a uma mesa.

Como estava de costas para a rua, não percebeu a aproximação de dois homens. A poucos passos do vereador, um deles sacou uma arma e desferiu-lhe uma coronhada. Em razão dos golpes que levara, Lucena caiu da cadeira em que estava e levou mais uma coronhada, sendo, em seguida, alvejado com um tiro à queima-roupa, que passou de raspão em sua cabeça. Seus amigos ainda quiseram reagir, mas foram contidos pelos agressores que, de arma em punho, disseram que matariam quem se mexesse.

Os pistoleiros fugiram em um fusca azul, de placa AM-5402, que os aguardava de porta aberta e motor ligado, nas esquinas das ruas Wilkens de Mattos e Alexandre Amorim. Fábio Lucena foi para sua residência e de lá saiu para o Pronto-Socorro São José, onde foi considerado sem perigo de morte às 23h.

Segundo o jornal *A Crítica*, de 16 de fevereiro de 1975, tratava-se de um crime encomendado por vingança, manifestada em telefonemas misteriosos que o líder o MDB havia recebido durante toda a semana. No dia 17 seguinte, descobriu-se que o fusca azul utilizado para a fuga dos homicidas havia sido alugado dois dias antes pelo gerente da Distribuidora de Medicamentos Fink, o alagoano Durval Dourado de Souza Carvalho. O veículo pertencia à Locadora Lídice e seria devolvido pelo locador no dia 19 de fevereiro.

Em seu depoimento à polícia, numa tentativa de retardar as investigações e ocultar possíveis mandantes do crime, Durval Dourado afirmou ter sido o responsável pelo disparo que atingiu o vereador, e que foi ele próprio quem contratou os dois homens que, supostamente, o haviam ajudado na empreitada sinistra. Segundo o gerente da drogaria, o motivo era se vingar de Fábio em razão de uma discussão que ambos tiveram meses atrás:

"Tudo começou em janeiro, quando eu vinha do São Jorge na camioneta ZC-5228, que fica à minha disposição devido ao cargo que exerço, de gerente da firma 'Fink Medicamentos'. Quando entrei na João Coelho, perto de um posto de gasolina, tive que me desviar de um carro que estava estacionado e 'abri' um pouco para a esquerda, quando ouvi buzinadas atrás do meu carro. (...) Não liguei e fui em frente. Defronte ao Colégio Preciosíssimo Sangue, fui 'fechado' por outro carro e, do banco dos passageiros, desceu um homem dizendo 'seu filho da...', veja o que você faz' e passou a me insultar.", diz o alagoano. O ameaçador era o vereador Fábio Lucena. Quando eles entraram no carro, "eu os segui para descobrir onde ele ia ficar, pois queria que me pedisse desculpas e comecei a planejar uma maneira de me vingar". (...) "sábado à noite, na Praça da Matriz convidei dois homens para fazerem um serviço comigo e um deles foi na direção do carro. Quando chegamos onde aconteceu o fato, o

vereador estava bebendo com mais três homens." (...) "Quando Fábio Lucena me viu, se jogou no chão. Dei um tiro e fugi. Não dei coronhada em ninguém, pois ele estava debaixo da mesa quando cheguei perto, pois ele já me vira", continua Durval Dourado, que desde a tarde de domingo está preso no xadrez dois do 4º Distrito Policial. (...) Depois de atirar (ainda segundo Durval), ele e seus acompanhantes vieram embora e um dos contratados ficou na Av. Castelo Branco, sendo que o outro desceu na ponte de Educandos. "Aí fui para casa, onde deixei o 'fusca' indo em seguida jantar no restaurante 'Rip', usando a camioneta ZC-5228" (A Notícia, de 18 de fevereiro de 1975).

No entanto, os testemunhos das três pessoas que presenciaram a tentativa de assassinato (Herison Nogueira Gomes, Santos Cogo e Raimundo Albuquerque) foram unânimes em dizer que Durval não era nenhum dos dois homens que atentaram contra a vida de Lucena (A Crítica, 18 de fevereiro de 1975, p.08). Nesse mesmo dia 18, por meio do artigo "A Mão de Deus e a Mão Assassina", Fábio Lucena disse que, se havia alguém com motivo para matá-lo, este era Andrade Netto.

18/02/1975 - Nº 8558.

A MÃO DE DEUS E A MÃO ASSASSINA

O mandante do criminoso Dorval Dourado e de mais dois pistoleiros ainda não identificados jamais imaginou pudesse eu escapar da cilada assassina. Mas as mãos de Deus desviaram do meu corpo as balas que me teriam levado ao cemitério.

Se é que há motivo para matar alguém, assim de modo premeditado e covarde, nenhum haveria para que o criminoso Dorval Dourado, gerente da "Importadora Fink", planejasse assassinar-me. Não me lembro sequer de tê-lo visto algum dia. Dourado é um pau-mandado. E o interessante, em tudo isso, é que está ligado às "Organizações Fink".

O chefe dessa organização, Jean Dupuis, é um francês de nascimento e capadócio de coração. Acredito que ele tivesse tido vontade de apressar a morte do falecido Félix Fink, a fim de antecipar o abocanhamento da herança. Mas não creio que o tenha feito. Se motivo há para matar-me – repito –, um outro homem, ligado à memória de Fink e fruto também de sua herança, este o teria de sobra: chama-se Andrade Netto, dono do jornal "A Notícia".

Andrade Netto vilipendiou-me a dignidade e a honra em várias oportunidades, em seu pasquim feito de sânie e esterco. Minha mãe, em certa oportunidade, foi levada ao "Pronto-Socorro" porque Andrade Netto publicou em seu pasquim a mentira de que eu teria tido um ataque de bílis em minha tribuna na Câmara Municipal. Um irmão meu morrera havia pouco tempo, vítima de uma doença no fígado. Minha mãe ligou uma com outra coisa e teve um desmaio. Em todas as minhas brigas com o prefeito Frank Lima, Andrade Netto sempre tomava o partido do prefeito. Só me tratava com deboche, naquela seção "Mini-Notícias", pintando-me imagem ridícula. Na confusão do terreno (aquele que o Frank quis dar de presente a um particular e só não concretizou a doação porque eu não permiti), Andrade Netto publicou em seu jornal: "FÁBIO LUCENA É MENTIROSO E SEM PALAVRA". Fiz-lhe uma carta. Ele não publicou. E eu estava coberto de razão. Ele sabia que eu não tinha jornal, que não podia brigar com ele de igual para igual. Por isso, covarde que é, usou e abusou do direito de não ter direito de atacar a um indefeso.

No princípio de janeiro, o diretor deste jornal, Umberto Calderaro Filho, depois de haver suportado alguns anos de provocações de Andrade Netto, resolveu enfrentá-lo e mostrar que sua valentia era apenas uma capa de covardia. Dentre os redatores de A CRÍTICA, fui incumbido de participar da redação das matérias, sob a supervisão direta do diretor.

E Andrade Netto sabe disso. A partir de janeiro, não lhe era mais possível atacar-me através de seu pasquim – porque, se o fizesse, um dos dois, ou eu ou ele, sairia desmoralizado perante a opinião pública. E, na briga com A CRÍTICA, ele já estava mais que desmoralizado.

Chamo a atenção do povo e das autoridades para o seguinte aspecto da questão: é público e notório que, em razão de minhas atividades públicas, fiz muitos inimigos – a maioria de velhacos, com exceção do governador do Estado e de poucos outros. Esses inimigos, se desejassem matar-me, não iriam à "Drogaria Fink" contratar os serviços, não de um servente da firma, mas do próprio gerente da seção de Importação de medicamentos. Meus senhores, vejam bem: os indícios são veementes. Andrade Netto é um vaidoso cuja vaidade foi transformada num tonel de sujice. Aspirava a candidatar-se ao governo do Estado, pelo MDB, em 1978. Hoje, quase ninguém do MDB quer conversa com ele. E como querê-la, se ele a quase todos ofendeu, difamou, caluniou, humilhou, pensando que era o único homem desta terra?

Assim, ele jamais me perdoaria. Por isso admito a hipótese de Andrade Netto só ter um caminho para "recuperar-se" e para restaurar sua vaidade danificada: mandando matar-me.

Se foste tu, Andrade Netto, quem cometeu essa vilania de matar-me, por que não vieste tu mesmo? És homem ou és hiena, que espera o adversário dormir para atacá-lo. És homem ou rato? Se as mãos que abençoam teus filhos mandaram empunhar revólveres para tirar-me a vida, deixando os meus filhos na orfandade, como poderás, doravante, abençoar a teus próprios filhos?

Presto te uma homenagem, bandido e hipócrita Andrade Netto: eu jamais desejaria teus filhos na orfandade. Eu morreria mesmo para defendê-los, da forma com que morro para defender os meus. Não te quero morto, quero-te vivo, porque a maior das penas, segundo Roberto Lyra, não é a da morte – é a da vida. E enquanto viveres, terás pela frente. O assassino Dourado teima, mentirosamente, que é ele o cérebro do atentado. Sê digno pelo menos uma vez em tua vida, Andrade Netto, e conta a verdade. A verdade que, embora possa não vir nunca à tona, haverá de te torturar pelo resto da tua vida.

P.S. – Advirto aos advogados Huachem Muneyme e Gebes Medeiros, patronos do criminoso Dorval Dourado, de que não tolerarei, nem eu nem meu advogado Francisco Queiroz, qualquer chicana neste processo. Espero que defendam a causa espúria que abraçaram sem se tornarem também espúrios.

Fábio Lucena

O revide veio no dia 19 seguinte, no texto intitulado "Cabra de Peia".

A NOTÍCIA

19/02/1975, Nº 1.964, P.01

CABRA DE PEIA

Firmei-me no propósito de não ir a lama para defender-me e muitas ofensas tenho sofrido - só Deus sabe quantas - para conservar-me fiel a esse princípio, menos por medo de sentir o mau cheiro da podridão do que pelo desejo de não fazer a cidade submeter-se a ela.

Mas, convenhamos, como lidar com Fábio Lucena qualquer, que faz da lama um repasto permanente sem descer às sarjetas onde ele habita moralmente todos os instantes e fisicamente muitas vezes usa como leito, nos seus fins de bebedeiras?

Fábio Lucena no dia de ontem não se conteve mais. Não lhe bastou o anonimato de que se tem servido, SEMPRE para agredir-me. Veio a público para legitimar ofensas anteriormente feitas sob a responsabilidade de terceiros, e aproveitou, na cegueira do seu ódio, para insinuar, e até mesmo declarar, que sou, ou posso ter sido, mandante de um atentado por ele sofrido na noite do último sábado.

Quem me conhece - e todos me conhecem bem nesta cidade - sabe que não sou dos que mandam fazer, mas faz, e que se quisesse sujar minhas mãos na cara desmoralizada de um leproso moral não usaria o ódio de um pobre cidadão, com quase sessenta anos, que por ele diz ter sido ofendido na via pública, num dos seus conhecidos arroubos de valentia e constantes propósitos de agressão.

Eu teria batido no vagabundo sem precisar de tocaias, de capangas, de tiros. Ponham-nos aos dois no meio da rua, sem armas e sem capangas, e todos verão que não se precisa de muito para fazê-lo transformar a tão decantada valentia em míseras súplicas

de desculpas, rastejos que os que o conhecem de perto sabem que ele consegue praticar com igual maestria, como insulta um velho na rua (...) e artigos, estes de preferência sob o anonimato.

Não lhe quero responder. Não lhe vou responder. Mas isto não me impede de dizer a cidade quem é o tipo que me considera seu inimigo, como se um verme tivesse gabarito para ter inimigos, porque para se ter inimigos é preciso pelo menos ter vértebras.

É o tipo, para só apanhar os últimos dez anos de sua carreira sinistra, que foi preso nos primeiros dias da Revolução, e no cárcere, dizem os que com ele foram recolhidos, DEDUROU seus próprios companheiros, no desejo de melhorar sua própria situação, renegando princípios dos quais se preconizava defensor das famigeradas CGT.

Desde ai, passou a querer vestir a pele de cordeiro, aqui e acolá fazendo elogios a generais e autoridades revolucionárias, mas sempre criando problemas aos jornais onde trabalha, por colocar nos textos, sempre da responsabilidade do diretor, fraseado guardado de seus discursos in flamados, quando pretendia para o Brasil aquela famosa república sindicalista que o Exército conseguiu sufocar, e sufocou com o meu apoio público e ostensivo, declarado em pleno governo Goulart, como deputado à Assembleia Legislativa do Estado.

Agredindo sempre, qualquer que seja a pessoa, pois parece alimentar-se da agressão e do escândalo, começou a apanhar nas ruas muito cedo e fez manchetes policiais por ser surrado por um cidadão do interior, que não querendo manchar suas próprias mãos bateu-lhe com fl o elétrico, fl o que esse cidadão guarda como relíquia e que chama carinhosamente de "xuxu beleza". Pois bem, para dar mostra de seu mau caráter, na última campanha política tentou de todas as formas fazer as pazes com aquele cidadão, o sr. Augusto Lacerda Filho, que não se prestou a sem-vergonhice pretendida e até prometeu redobrar a surra se houvesse insistência da parte do interessado na pacifl cação.

Foi posto fora do jornal onde hoje trabalha e fl cou aguardando um abrigo. Veio para cá trazido sem que eu o conhecesse quando A NOTÍCIA foi aberta, e aqui montou seu esquema de agressão, nem sempre contido por mim e outros companheiros.

Aqui chegando, ele que agora agride o nome FINK com o ódio que devota aos nascidos judeus, sensibilizou a mim e minha família, escrevendo longo artigo de elogios ao meu sogro, por ocasião de seu falecimento. O safado até se ofereceu para fazer um discurso no cemitério de onde saiu lacrimejando para entregar-se a uma enorme bebedeira, que ele justifi cou como resultado de sua profunda tristeza, pois naquela época ele ainda procurava explicar seus porres. Agora ele vive bêbado sem qualquer razão por mero vício.

Deu-nos, entre outros aborrecimentos, dois processos por infringência à Lei de Segurança Nacional, QUE EU RESPONDI pessoalmente, com o verme escondido para não se comprometer, pois tinha pavor que num julgamento desse fosse lembrada sua prisão nos primeiros dias da Revolução. Aqui falava mal de seu atual patrão sem a menor reserva, a quem se referia usando palavrões ou adjetivos impublicáveis, sempre querendo levar-me a uma briga que não aceitei, mas que ele acabou fazendo no outro jornal. Aqui ele elaborou um famoso suelto contra um diretor de uma emissora de rádio, externando a podridão de seus ódios. Finalmente, considerado irrecuperável para o serviço de A NOTÍCIA foi posto na rua por ter DELATADO um segredo interno, tentando comprometer um companheiro de trabalho, o colunista Mário Antônio, que começava a lhe fazer sombra como editorialista, aliado ao fato de ser descendente (o Mário Antônio) de judeus.

E foi rastejar aos pés do outro proprietário de jornal, até convencê-lo de o readmitir. Tratou de usar o novo jornal para os seus propósitos, e até conseguiu armar sua candidatura à vereança. Como candidato, deliciou o público na TV com seus ataques e sua famosa "valentia". Mas, às vésperas da eleição, certa manhã encontrei-o à porta de A NOTÍCIA indagando-me se eu o receberia como correligionário, pois integramos o mesmo partido político. Já na minha sala rastejou pedindo-me apoio, implorando-me que fosse à TV, o que acabei fazendo para ajudar o partido, cujo reconhecimento posterior foi externado em ofício que guardo com muita honra.

Eleito, reuniu os seus colegas também eleitos na minha sala, onde fez calorosos agradecimentos na presença de todos,

e até acrescentou que o meu comparecimento à TV havia ajudado substancialmente sua candidatura e sua vitória. E logo cobrou o preço, querendo levar-me a recomendar sua indicação à liderança da bancada, com o que não concordei na mesma ocasião, na frente de todos, pois expliquei que ele não me parecia com equilíbrio emocional para o cargo naquele instante. Todos os vereadores estiveram na reunião, menos o sr. Rui Adriano, que se encontrava enfermo.

Zangou-se com isto e começou a alimentar seus ódios. Acabou tornando-se líder de qualquer maneira, e, na Câmara, continuou a agredir e dar espetáculo. No episódio do Imposto Predial das COHAB-Am pintou e bordou, deitou e rolou, mas na Justiça Militar, onde presentemente responde a processo está negando tudo, pois é muito de seu sistema o recuo e a retratação. No caso do "Chapeuzinho Vermelho" anunciou que renunciaria se não provasse o que acabou não provando, como igualmente não renunciou e ainda quis publicar uma carta no meu jornal, onde não provava nada, mas tão somente repisava as mesmas mentiras e fazia ofensas pessoais ao prefeito. Vale lembrar que não se defendeu no caso "Chapeuzinho Vermelho" da tribuna da Câmara que era o lugar próprio, porque lá lhe seria cobrada a renúncia.

Dentro do MDB, armou uma briga entre todos, briga que ocupou o noticiário dos jornais, em notas agressivas assinadas por diversos companheiros, mas de sua inspiração. No final, reconciliou-se e, para melhor fazê-lo, culpou-me pelo fato.

Recentemente investiu contra o senador Evandro Carrera, e até cassou-lhe o título de padrinho de um de seus filhos, anunciando, no episódio que foi retratado pelos jornais, que o padrinho passaria a ser Yasser Arafat, um cidadão que responde por vários atentados terroristas praticados em Israel, a terra dos judeus, e que tem sua orientação dirigida internacionalmente por Moscou. Mas já beijou o anel do senador Evandro e até o declarou seu "guia espiritual".

Antes, em outro episódio, pediu a cabeça do então vereador José Costa de Aquino, atual deputado, porque este cantara numa boite. Depois voltou atrás, quando o vereador Aquino respondeu-lhe informando que dessa boite o Fábio saíra carregado de bêbado. Ele estava em Aracaju, num Congresso de vereadores, representando a Câmara de Manaus. Bela representação.

Sempre que pode fala em família, mas vive agredindo a família dos outros, sem respeitar limites éticos nem responsabilidades pessoais. Caracteriza-se perfeitamente a hipocrisia, como são hipócritas suas citações constantes a Deus, um Deus que ele não respeita e nem tem, mas que usa como enfeite no que fala e escreve.

Bêbado contumaz, é figura obrigatória dos botecos, onde habitualmente apanha na cara, quando se torna inconveniente. É no álcool que se inspira para ser valente, onde busca o maléfico brilho de suas orações e de seus artigos. No álcool encontra a tranquilidade que na sobriedade não tem, porque nesta, necessariamente, é obrigado a sentir o forte cheiro de toda a podridão que exala.

Um tipo deste é que se julga o condutor da cidade. E como tal prefere pairar acima do bem e do mal, condena e perdoa, agride e se acovarda diz e se desmente, promete e não cumpre morde e se humilha. Um trapo de sarjeta, um monte de esterco, uma porcaria que não vale uma agressão, um desclassificado que não merece um tapa, uma pena de aluguel sem escrúpulos, um político ambicioso e desleal.

Por tudo isto é que isto não é uma resposta. Eu não posso sair das minhas tamancas para discutir com um vagabundo qualquer.

Mas eu devia uma explicação à cidade.

Não pense esse alcoólatra que vai transformar isto numa polêmica, porque eu não tenho tempo para isto e nem sei discutir com um tipo dessa ordem.

A cidade perdoe-me por lhe ter entregue hoje uma edição de A NOTÍCIA que não é digna, pelo tema deste artigo, dos foros de civilização e decência da nossa sociedade. Mas pretendo não haja outros, e tudo farei para não precisar descer à lama.

Saiba o POVO que não mandei agredir ninguém. Não sou mandante de coisa alguma. Tenho dignidade bastante para assumir meus próprios atos e sei, como sei, que o Fábio não é de bala, mas cabra da peia. Um monte de fezes, apenas.

Andrade Netto

Em "Senda do crime e da mentira", publicado em *AC* também no dia 19 de fevereiro, Lucena evidencia as contradições no depoimento de Durval:

"Nunca tive carro e jamais dirigi qualquer veículo motorizado em minha vida, pois simplesmente não sei dirigir. O bandido mente e vai continuar mentindo. Primeiramente disse que eu ia dirigindo, quando com ele 'discuti'. Agora, afirma que eu estava no carro como passageiro. (...) Mente esse sicário ao confessar que atirou. Não vi quem atirou, pois o tiro foi dado pelas costas, após a coronhada. Mas as testemunhas viram: não foi o Durval Dourado. E a polícia sabe que ele mente. Ele não foi pago apenas para contratar os pistoleiros que deveriam matar-me: foi pago também para mentir." (A Crítica, de 19 de fevereiro de 1975, p.01)

No outro dia, *AC* republicou a matéria "Vingança política a causa do baleamento de Fábio Lucena", veiculada no jornal *A Província do Pará*, de Belém. No texto, uma síntese da guerra política que estava por detrás da tentativa de assassinato sofrida pelo líder do MDB na Câmara Municipal de Manaus:

"As suposições e especulações que o povo está fazendo sobre o atentado são as seguintes: Fábio Lucena, em artigos publicados no jornal 'A Crítica', onde, como editorialista desempenha suas atividades profissionais, criticou e denunciou o jornalista Andrade Netto, então candidato em potencial à prefeitura de Manaus, chamando o de velhaco, vil, trapaceiro e imoral. Esses artigos e denúncias teriam tido participação decisiva no vetamento pelos órgãos de segurança do País do nome do jornalista Andrade Netto para a prefeitura de Manaus. Adversário político ferrenho do vereador, o jornalista A. Netto tentava, após ser preterido para a prefeitura, retomar a liderança política dentro do MDB, o que vinha se tornando impossível diante do prestígio político do vereador, demonstrado nas últimas eleições quando, depois de ter a sua candidatura a deputado federal impugnada, apoiou o candidato José Mário Frota, três dias antes do pleito, elegendo-o um dos deputados mais votados, com 27 mil votos. Partindo de onde partiu o autor do atentado, funcionário de uma organização da qual um dos diretores é parente (esposa) do jornalista Andrade

Netto, as especulações que políticos e policiais fazem em torno do mandante do crime levam a uma só pessoa: o próprio jornalista Andrade, que não escondia até sábado, segundo o vereador, vingar-se 'politicamente' de Fábio Lucena, a quem ajudou com seu apoio político nas eleições municipais de 72, quando Fábio foi o vereador mais votado em toda a história política do Amazonas" (A Crítica, de 20 de fevereiro de 1975).

"Não fui eu quem atirei em Fábio Lucena, sim, um outro elemento que desconheço" (A Crítica, 22 de fevereiro de 1975, p.09). Com essa frase, colhida em novo interrogatório realizado na manhã do dia 21, mais uma vez Durval Dourado se contradisse diante da polícia. E falou mais: que andava à procura de Fábio Lucena não para assassiná-lo, mas para "falar com o vereador, a fim de propor ao mesmo que servisse de intermediário, facilitando o gerente a vender medicamentos à Prefeitura Municipal de Manaus". A situação foi tão estranha, que os advogados do acusado (Gebes Medeiros e Huachimo Muneymne) surpreenderam o delegado Rafael Romano, não assinando o termo de interrogatório. E ainda disseram que, a partir daquele momento, Durval não iria mais declarar nada à polícia, somente para a Justiça.

O mês de fevereiro terminaria com o vereador Fábio Lucena traçando o passo a passo do que ocorrera antes do dia 15 fatídico, quando sofrera a tentativa de assassinato. No artigo "Os caminhos do crime", publicado em *AC* no dia 23 de fevereiro de 1975, o líder do MDB descreve fatos importantes que demostravam toda a trama para a sua morte, envolvendo os personagens Durval Dourado e o francês Jean Dupuis:

23/02/1975 - Nº 8.563, P.01

OS CAMINHOS DO CRIME

Vou descrever para os leitores de A Crítica os caminhos do crime de 15 de fevereiro, aquele sábado sinistro em que a mão de Deus me salvou da morte. Os leitores haverão de concluir, por si próprios,

pelos nomes daqueles que percorreram esses caminhos, na condição de mandantes do crime, lado a lado com os que o executaram.

No dia 11 de janeiro deste ano, quatro dias após encerrada a briga entre A CRÍTICA e outro jornal da cidade, o indivíduo Durval Dourado, gerente da seção de medicamentos da "Drogaria Fink" compareceu à locadora Lídice e locou o carro ZF-2646, cor azul. Era um sábado. A locação estendia-se até o dia 13.

O criminoso Durval e dois pistoleiros caçaram-me pela cidade durante esses três dias. A caçada foi inútil.

Na manhã do dia 13 de janeiro, a locadora Lídice foi avisada de que o carro havia sido deixado em determinado local. O subgerente da firma, Cláudio Duarte Manhães, foi apanhá-lo no estacionamento da Praça Tenreiro Aranha em frente ao jornal "A Notícia". Isto foi o que Cláudio declarou a polícia.

No dia 13 de fevereiro, o criminoso Durval locou um outro carro, de chapa n° 2676. O criminoso Durval estava dirigindo uma caminhonete "Pick-Up", no ato da locação. Assim, o mecânico da locadora, Pedro Anselmo Bezerra, foi solicitado pelo gerente da Fink a conduzir o carro até a Avenida Joaquim Nabuco, onde o estacionou nas proximidades do Edifício Nóvoa. Durval, que o seguia de perto, na "Pick-Up", parou ao lado e ficou com as chaves.

Isto também se lê no depoimento de Pedro Anselmo. Observem: no Edifício Nóvoa reside o francês Jean Dupuis, concunhado do dono do jornal "A Notícia" e sócio deste na Drogaria Fink.

Jean Dupuis, em seu depoimento à polícia afirmou que, entre 18h30 e 19h do mesmo dia 13 de fevereiro, estivera na casa de Durval, mas disse que lá fora com o fim de ver umas "cadelinhas", que estão sendo criadas por Durval. À noite desse dia, o bandido Durval e mais dois indivíduos saíram à minha cata. Mas, no percurso, a correia do gerador do veículo quebrou. Não puderam prosseguir. Misteriosamente, o carro com a correia quebrada foi encontrado, na manhã do dia seguinte (dia 14) pelo subgerente da locadora, ao lado do Edifício Nóvoa.

No mesmo dia 14 Durval alugou o Fusca azul de placa AM-5402, no qual os dois pistoleiros foram conduzidos para matar-me.

Jean Dupuis declarou à polícia que naquele sábado, dia 15, convidara Durval a seu gabinete, na drogaria Fink, por volta das

15h, para discutirem sobre o "acerto de comissões" a que Durval teria direito, relativas ao período de setembro/dezembro/74. O criminoso permaneceu no gabinete de Jean Dupuis até as 17h, conforme o confirmam os depoimentos de Maristela e Roberto, funcionários da Drogaria, que viram, pela janela de vidro, os dois Dupuis e Durval, conversando demoradamente.

Às 19h30, Dupuis saiu da Drogaria. Maristela havia sido convidada por Durval para um jantar. Mais ou menos por volta das 20h deu-se o crime. Às 4 da madrugada, Jean Dupuis saiu de seu apartamento, no Edifício Nóvoa, e dirigiu-se ao seu sítio, nas proximidades do Tarumã. Isto porque Jean Dupuis já fora avisado de que, àquela hora, o gerente da Fink, Durval Dourado, já estava preso e de que a polícia também estava caçando outros funcionários da drogaria de sua propriedade (em sociedade com o dono de "A Notícia", que, à mesma hora, estava em Itacoatiara, para onde viajara duas horas antes do crime).

O criminoso Durval Dourado tinha ordens para me executar naquele dia. Se eu não tivesse sido encontrado no local em que se deu o crime, os pistoleiros teriam batido à porta de minha residência. Como estava acostumado a atender a todos, a qualquer hora do dia ou da noite, ao abrir a porta teria recebido um ou vários tiros no peito.

Estão assim descritos os caminhos do crime. O leitor pode observar todos os lados da verdade e todos os lados da mentira. Pode tirar suas conclusões a respeito de tudo, porque tudo está mais do que claro. Tudo tão claro que de pouco valem as mentiras do porco bípede Durval Dourado!

PS – Devo um esclarecimento a respeito da nota "PS-2", que saiu ao pé de meu artigo de 5ª feira. Dois anos depois de que pedi demissão de "A Notícia" (em 1971), voltei a assinar artigos naquele jornal. Escrevi de 24 de dezembro/73 a meados de abril/74, sem ganhar um tostão, porque escrevia simplesmente por amor à arte. O jubileu de A CRÍTICA ocorreu a 19 de abril de 1974. Fiz o discurso referido na 5ª feira. Usei mal as palavras "me demitiu", talvez porque, quando estava preparando aquele artigo, na tarde da 4ª feira, ainda estivesse sob os efeitos das coronhadas que me deixaram tonto por vários dias. Em represália a meu discurso, o

dono daquele jornal simplesmente não permitiu que eu voltasse a escrever. Não houve demissão porque não mantinha qualquer vínculo empregatício com ele. Esse fato, como se vê, não tem qualquer relação com os acontecidos havia dois anos, quando me disse, do lado de lá, que "fui expulso", o que rechacei de modo irrespondível.

Fábio Lucena

E o último registro do ano de 1975, em jornal impresso, a respeito desse episódio deu-se em *A Crítica*, de 2 de outubro, com a publicação de matéria sobre um assalto ocorrido nas proximidades do então Aeroporto Ajuricaba — hoje, Aeroporto Ponta Pelada. Nela, a vítima, o motorista de táxi Flávio Augusto dos Santos, consegue escapar da ação criminosa de quatro assaltantes, que o amordaçaram e o amarraram de cabeça para baixo, em um tronco de uma árvore, levando seu veículo de placa ZA-0718.

E qual a ligação desse assalto com a vida de Fábio Lucena? Resposta: ao mesmo tempo em que aprisionavam o taxista, os "assaltantes" começaram a revelar os próximos passos da sua agenda de bandidagem, igual como faziam os vilões dos antigos desenhos animados de super-heróis, que "entregavam o jogo"das suas futuras ações criminosas, enquanto o mocinho estava em apuros:

"Em ato contínuo, os delinquentes arrastaram o motorista para o mato, enquanto dois permaneceram no interior do carro, dizendo que iriam ao bairro de Educandos, comprar corda para amarrá-lo. Num espaço de aproximadamente 20 minutos, os delinquentes despiram o motorista, anunciando que iriam praticar um novo assalto, que renderia 50 mil cruzeiros. Os ladrões ainda disseram que o jornalista Fábio Lucena tinha as horas da vida contadas, pois tão logo executassem o assalto iriam matar o político em sua própria casa" (A Crítica, de 2 de outubro de 1975, p.09).

No dia 19 de junho de 1980 Durval Dourado foi inocentado pelo Tribunal do Júri Popular por 4 votos a 3. O julgamento foi presidido pela juíza Maria das Graças Prestes Figueiredo, tendo como representante do Ministério Público, o promotor Lupercino de Sá Nogueira. Em seu depoimento Durval insistiu em não revelar os nomes dos outros envolvidos no crime.

Em 1977 a cizânia entre Fábio Lucena e Andrade Netto perdurava. O dono de *A Notícia* agora tinha a coluna Pinga-Fogo para disparar contra o líder do MDB (ou, como costumava se referir a Fábio em suas notas, o "vereador ébrio", o "vereador cachacista"). Em 25 de novembro, Pinga-Fogo publica o início de um dos casos mais inusitados da política baré.

A NOTÍCIA

25/11/1977 - Nº 2.155, P.12

COLUNA PINGA-FOGO

A Câmara Municipal ficou ontem cheia de populares que ali foram saber se o vereador do MDB, eterno ébrio, toparia ou não toparia o desafio que o jornalista Andrade Netto lhe lançou, ontem, através desta coluna, para um desforço pessoal, em dia, lugar e hora previamente marcados pelo aludido vereador cachacista do MDB, dentro até da conveniência deste. Andrade, por antecipação, revelou logo os nomes de suas duas testemunhas: Augusto Lacerda Filho (o "Gutinho") e Stênio Neves.

Esse vereador ébrio do MDB há mais de dois anos vem arrotando valentia em sua tribuna, ofendendo Andrade Netto e sua família. E sempre com ameaças de dar pancada, de matar, de atirar, de brigar, de esfolar, de morder.

Quem ouvia aquilo frequentemente – especialmente os quem não conhecem esse vereador cachacista – julgava realmente que ele fosse macho, que ele fosse valente, que ele fosse capaz de topar uma parada. Andrade Netto, no seu trabalho, já nem se importava mais com aquelas valentias todas. Havia até algumas pessoas que pensavam que realmente Andrade tinha algum receio.

Na última terça feira, porém, o vereador cachacista do MDB voltou a ofender e voltou a teatralizar, babando cachaça (ele mesmo confessou depois que tinha vindo de um aniversário certamente regado a Cocal). E danou-se a dizer que ia matar, ia atirar, ia esmurrar, ia triturar, ia estraçalhar. Terminou

74

mandando recado (gravado pelo nosso repórter à sua frente, na bancada da imprensa) para Andrade Netto que ia fazer tudo aquilo, onde o encontrasse, como se Andrade Netto fosse visto, também, em rodadas de botequins de quinta classe, onde o vereador ébrio do MDB tem cadeira cativa.

Andrade Netto resolveu, então, "pagar pra ver". E lançou o desafio. O vereador cachacista do MDB não queria isso? Não era isso que ele vinha ameaçando há tanto tempo? Então Andrade Netto fez-lhe a vontade. Topou a parada. E mandou ontem através desta coluna o desafio: os dois terão de se encontrar em qualquer lugar (indicado pelo próprio vereador cachacista), em hora, dia e testemunhas desarmadas. Então todo mundo correu para a Câmara, ontem, para ouvir a resposta do vereador cachacista do MDB. Claro que todos foram certos de que ele, que era o desafiante há mais de dois anos, iria aceitar o desafio para uma luta aberta, a tapa e a murros, sem a covardia do revólver. Teria que aceitar aquilo que estava pedindo há dois anos.

As galerias ficaram quase superlotadas. Algumas "macacas de auditório" torciam antes: "Você vai ver. Ele vai topar a parada. Ele é franzino e amarelo assim como você está vendo, mas é macho. Pode ficar certo de que ele vai aceitar o desafio do Andrade". Os mais ponderados chegaram acreditar nisso. Mas, quando o vereador cachacista pegou o microfone, foi aquela decepção. Tremia como vara verde. Não se sabe se era de medo ou "delirium tremens", doença que já o acompanha até dormindo.

O vereador cachacista do MDB falou em tudo, menos no desafio. Falou, berrou, gritou, arreganhou os dentes, sapateou, sacolejou, queria engolir o microfone, mas sobre o desafio, nada! E a galeria esperando. Como sempre, a valentia pelo meio: "Eu mato, eu brigo, eu sou macho, eu sou homem, eu não sou covarde", et, etc. E a galeria esperando que ele aceitasse o desafio de Andrade Netto. Mas, nada. Voltou a ofender outras pessoas, às quais também - ele e a própria família dele sabem disso - não podia, nem pode ofender. De "Gutinho", que lhe deu uma "surra", também por ter sido ofendido (por sinal ontem fez dez anos essa surra), o vereador cachacista veio com a velha história de que "meu pai, antes de morrer, pediu-me que o perdoasse". E a galeria esperando. Alguns diziam que ele, ao terminar o discurso, iria aceitar o desafio. E esperaram. E esperaram.

Terminou o discurso, a valentia (da boca pra fora) sem aceitar desafio nem coisa alguma. Ao contrário: quando largou o microfone foi também, sendo carregado para um gabinete com ar refrigerado, onde quase desmaiava. Havia gente abanando, gente enxugando-lhe a testa, gente desabotoando-lhe o paletó. Pediram um copo d'água, bem gelado.

O contínuo ouviu mal e já vinha com uma vela acesa pelo corredor, quando um eleitor, que procurava se inteirar do que estava acontecendo dentro do gabinete, disse: "Ele ainda nem apanhou e já está morrendo?". Foi aquela gargalhada. Depois de alguns minutos, o vereador cachacista se recuperou. E saiu. Lá fora, como visse ainda muita gente, voltou a dar outra de "valente". Chamou o nosso repórter, puxou de um revólver e mandou outro recado: "Diz ao teu patrão, o Andrade Netto, que onde o encontrar vou descarregar nele este revólver".

Um popular, que entrava atrasado, isto é, sem ter assistido o discurso, e sem saber de coisa alguma, perguntou ao próprio: "Vereador, já escolheu o local de samba de tapa com o Andrade Netto? Diga onde é que eu quero reservar lugar". Foi pior. O vereador cachacista do MDB teve outra crise de tremedeira geral, mas quando ia caindo, levaram-no. A cadeira cativa estava vazia, esperando por ele. Mesmo assim, Andrade continua esperando a resposta.

A vereadora Otalina Aleixo também andou querendo dar o "showzinho". Quem a ouviu falar ficou sabendo que ela confunde as coisas. Um recado para Otalina: este jornal lhe admira e lhe venera porque Otalina teve a santa missão de parir mais de dez filhos, felizmente todos honrados, mas ela precisa aprender a ler. O vereador cachacista do MDB a que nos referimos é outro, bem diferente daquele que é ex-vereador, muito familiar, que também ainda é cachacista. Não é preciso querer entender. Está na cara. O vereador cachacista do MDB, Otalina, está a seu lado todos os dias na tribuna, largando aquele "bafo".

Redator Biônico

Se já não bastasse a briga por meio das penas e das tintas dos noticiosos, agora, o desafio seria pelas vias de fato. Netto chamou Lucena para um duelo em praça pública, sem armas, apenas "a tapa e a murros". Em resposta, o político disse que aceitava, mas queria um duelo à bala. O local e a data também já estavam escolhidos por Fábio: às 8h do dia 26 de novembro, na Praça São Sebastião.

26/11/1977 - Nº 9.624, P.11

FÁBIO ACEITA DESAFIO: DUELO NA SÃO SEBASTIÃO

O vereador Fábio Lucena, aceitou, ontem, o desafio que lhe fez o sr. Andrade Netto, no sentido de que a rixa pessoal existente entre os dois seja tirada em local e hora que seria marcado pelo vereador. Diante disso, Lucena, disse: - "Se Andrade Netto for o pai de seus filhos, que compareça amanhã - hoje -, às 8h, na Praça da Igreja São Sebastião, pois lá estarei para enfrentá-lo do jeito que ele vier".

O pronunciamento de Fábio Lucena foi dos mais violentos que já se viu na Câmara Municipal durante toda a sua história, segundo os funcionários mais antigos que lá existe. O oposicionista demonstrava muito ódio ao ponto de dizer que se ele se defrontar com o Andrade Netto em qualquer parte da cidade, "juro pela vida dos meus seis filhos que um de nós dois morrerá, não o faço em nome de Deus, porque seria uma profanação, mas se for necessário o faço em nome do satanás".

ÓDIO, MUITO ÓDIO

Lucena iniciou seu pronunciamento narrando o episódio de Ben-Hur, quando este se encontrava prisioneiro no porão de uma galé romana, onde lá se encontrava por quase quatro anos. Normalmente o remador não ultrapassava os quatro meses e,

Ben-Hur já estava há quatro anos. Soube-se que o ódio era o que mantinha Ben-Hur vivo durante todo aquele tempo.

"Nesse momento, estou imbuído do mesmo ódio de Ben-Hur e por isso é que me mantenho vivo, com ódio daqueles que me odeiam" - disse Fábio Lucena, ao afirmar que seu ódio é contra o "bandido Andrade Netto, dono do jornal "A Notícia", esse mesmo bandido que em 1960 vendeu sua primeira noiva". "O primeiro ato tornou-se célebre o velhaco Andrade Netto, pois vendeu sua primeira noiva em troca da gerência do Banco da Amazônia" - disse Lucena, para acrescentar: - "Mas, não é só isso, eu dizia que me fiz saber odiar, me fiz saber ser odiado, eu que não tenho tradição e nem fortuna, mas que tenho apenas nome e que em defesa deste nome eu irei até o último calabouço da morte, pois estou sendo agredido diariamente por não ter fortuna nem (...) e, não possuo nada mais do que esta tribuna para levar ao povo o lamento que não é meu, mas do próprio povo oprimido".

"O Andrade Netto, frascário e vigarista, não foi demitido da liderança Arthur Reis, não foi expulso do Palácio Rio Negro porque, como ele diz, que ele inventou, tinha um lance com a fílha do ex-governador Arthur Reis" - disse Lucena, para acrescentar: - "Não senhor presidente, para um romance com a fílha do ex-governador em primeiro lugar, era necessário ser homem, condição que falta ao bandido Andrade Netto, pois se ele teve romance, foi com o genro do ex-governador sr. Antônio José Devries.

TERRÍVEL MALDIÇÃO

Prosseguindo Fábio Lucena disse: - "Ai de ti Jerusalém, de ti não restará pedra sobre pedra, barro sobre barro. Sim, senhor presidente, esta terrível maldição lançou o fílho de Deus à Cidade Santa. Ai de ti Andrade Netto, ou ai de mim, senhor presidente, enquanto um dos dois viverem. Porque enquanto eu viver ou enquanto viver o esterconeiro do jornal A Notícia existir, saiba ele que eu também existirei para combatê-lo, para enfrentá-lo, onde quer que ele se encontre".

"Eu quero estabelecer a diferença fundamental entre mim e o porco que dirige o jornal A Notícia. A diferença fundamental é que não vivo, nunca vivi e jamais viverei a custa de mulher. Não, senhor presidente, eu prefiro morrer, do que me entregar a esse costume pertinaz e condenável" - disse Lucena, para afirmar: -"Ai de ti Jerusalém ou ai de mim. Eu Fábio Lucena se cruzar na rua desse ou de outro mundo com o frascário Andrade Netto ai de mim, senhor presidente, porque se isso acontecer, eu quero ver mortos os meus seis filhos, quero vê-los mortos se isso acontecer se um de nós, eu ou ele o bandido Andrade Netto, não cair morto no meio da rua. É o juramento que faço. Não posso fazê-lo em nome de Deus, que seja uma profanação, eu o faço em nome do satanás".

PASQUIM DO VELHACO

Mas sou Fábio Lucena afirmou: - "O pasquim desse velhaco, desse patife e poltrão, chamado Andrade Netto, vem de me agredir. Esse pasquim sórdido e nojento que é A Notícia, me enxovalha, tenta dizer à opinião pública que estou com medo ou trêmulo. De fato, ontem, eu tive um ataque de tremor, tive-o de fato, porque pela manhã eu tive que ir ao Pronto-Socorro prestar assistência à minha mãe, em face das ofensas assacadas contra mim pelo poltrão e velhaco Andrade Netto".

"Mas, que me perdoe minha mãe, de hoje em diante, esse jornaleco não entra em casa de família e que só entra em minha casa porque na minha vizinhança mora uma prostituta me perdoe a minha mãe que é vizinha de uma prostituta, esse jornal, não mais entrará na casa da minha mãe, e, ela não mais tomará conhecimento das assacadilhas que o frascário e bandido Andrade Netto vêm assacando contra mim" - disse Lucena.

"Ora, senhor presidente, tremer, quem tremer, é preferível correr a tremer" - salientou Lucena, para acrescentar: - "Esse bandido que não poupou ofensa a nenhum homem do MDB, esse bandido que trocou a noiva pela gerência do Banco da Amazônia. A primeira noiva, porque a esposa dele é uma senhora honesta e intocável. É uma espécie de Virgem Maria que se casou com Barrabás. Mas que isso, senhor presidente, uma espécie de Isabel, que não se casou com um Zacarias surdo ou mudo, mas que se casou com o escravo de Herodes capaz do mais abominável crime. O frascário e patife Andrade Netto, juntamente com o gordinho sinistro, aquele barrilzinho de fel, juntamente com aquele homem que é exatamente igual ao próprio tamanho, porque não poderia caber tanta hipocrisia num homem que tivesse uma estatura superior ao Bianor Garcia e, não é à toa que hipocrisia rima com Bianor Garcia".

DUELO À BALA

Ao concluir Fábio disse: – "O frascário pede que eu marque o local para enfrentá-lo. Eu descobri onde ele reza, onde finge rezar. Ele reza na Igreja de São Sebastião. Se ele for homem, se ele for pai dos filhos dele, ele estará às 8h da manhã, amanhã – hoje –, na Igreja de São Sebastião, para me enfrentar à bala ou de qualquer jeito, perante os pés e o testemunho de Nosso Senhor Jesus Cristo".

Fábio Lucena foi ao local marcado, porém, Andrade Netto não compareceu na praça naquela manhã. O jornal *A Crítica* tratou de enfatizar a presença de seu articulista no ponto de encontro da peleja:

"Cumprindo o que havia prometido, o vereador Fábio Lucena esperou as oito badaladas do relógio da torre da Igreja de São Sebastião para abandonar a praça onde esperava Andrade Netto para o duelo à bala. E a refrega acabou não acontecendo. Lucena desabafou para os que estavam presentes: 'Deus, a imprensa e o povo são testemunhas que não sou covarde, (...) o poltrão Andrade Netto'. O vereador chegou a dar tempo de tolerância para o comparecimento do adversário" (A Crítica, de 27 de novembro de 1977, p.01).

Por sua vez, também naquele mesmo dia 27, a coluna Pinga-fogo, de *A Notícia*, satirizou a ida de Lucena ao embate, contando uma história em que o líder do MDB era chamado, entre outras coisas, de "palhaço bêbado, ressaqueado, barbado, fedorento":

A NOTÍCIA

27/11/1977 - Nº 1.979

COLUNA PINGA-FOGO

Hoje, sou obrigado a ser crítico cinematográfico. Muito contra a vontade, é claro, especialmente quando a gente tem que abordar o que não presta. Ou quando o "mocinho" é uma besta ou um palhaço. Pior ainda quando ele sabe disso e não se manca.

TÍTULO DO FILME: "A Alvorada do palhaço embigodado".
Cinema: "Cine São Sebastião".
Artista: O cachacista do MDB.
"Extras": Ninguém.
Cotação: É melhor ouvir Waldick Soriano, com dor de dente.

Vai começar o filme. São 6h da manhã. O cachacista, que é o artista, um misto de Cantinflas e Boca Larga, levanta-se. Escova os dentes. Antes, uma talagada de "tatuzinho" pra levantar a moral. Engole um pedaço de pudim de Cocal e sai. Com revólver à cintura. Dentro do elevador, uma pergunta de um vizinho: "Você já acorda batucando na parede?". Resposta: "Não, eu estou tremendo mesmo". E sai caminhando na direção da Praça São Sebastião. Sério, pálido, suando frio, o fígado batendo mais que liquidificador, passadas largas. Puxou o lenço do bolso. Discretamente jogou fora: ainda era papel higiênico. Um turista, que descia as escadas do Teatro Amazonas, cochichou no ouvido a esposa: "O quê? Pedro de Lara aqui em Manaus?".

Às 7h30, o palhaço embriagado estava no meio da Praça São Sebastião. Duas pessoas, no banco comentavam: "Esse não é o vereador cachacista do MDB? Ou está perdido ou ainda está bêbado. Já viu quantas voltas ele deu em torno daquele monumento? Coitado. Daqui a pouco, se não cuidarem dele, coitado, vai morder qualquer um que aparecer por aqui".

Os que passavam por este, na volta do mercado ou da missa, estranhavam. "Nunca pensei que esse rapaz ficasse assim. Viu meu bem, o que acontece com os viciados na cachaça?", dizia uma senhora ao marido. De repente começaram a aparecer os primeiros espectadores. Uns dez, no máximo. Lá pelas calçadas, o povo transitava ignorando a palhaçada. Mas, o palhaço bêbado, ressaqueado, barbado, fedorento, continuava a rodar o monumento no meio da Praça São Sebastião. Esperava o quê? O duelo é à tapa e não à bala. Quando o sino da igreja badalou 8h em ponto, ele fez pose: olhou para o relógio, e gritou: "Ele não vem!". "Ele não vem!". O vendedor de cachorro quente, ao lado, que também não sabia de coisa alguma, falou ao companheiro: "Coitado, o sujeito com fome faz cada coisa! Leva lá esse cachorro quente pra ele, coitado".

Quando já ia saindo, gritou: "Cadê o meu fotógrafo? Olha cara prepara agora o "banho" de fotografia. Bate primeiro esta aqui. Eu fico assim, com a mão na cintura, como se estivesse esperando por ele. Agora bate outra. Esta aqui: eu fico olhando o relógio. Bate a terceira para que eu apareça com raiva. Bate eu andando várias vezes pela praça. Bate algumas pessoas que estejam por aqui para dar ideia de multidão". E assim por diante.

O fotógrafo fez tudo. Depois, perguntou: "Eu bato também essa poça aí aos seus pés?". "Essa não, seu burro, não tá vendo que vai aparecer a minha roupa molhada?"

"Agora bate a foto aparecendo a minha caminhada para fora da praça. Dá bem a ideia de que eu fui embora porque ele não veio para o duelo à bala". Aí o fotógrafo, preguntou: "Mas, o duelo não é a tapa?". "Não fala nisso, bestalhão". E foi-se direto para o "Caldeiras", onde já havia uma garrafa de cana o esperando. Ficou sozinho. Encheu a cara. Nem os seus tradicionais amigos o esperavam ou o acompanharam.

Uma velhinha, que ficou na praça, sentada, comentou com o vendedor de pipoca: "Neste mundo acontece cada coisa. Você viu isso? Tem gente pra tudo neste mundo".

Redator Biônico

O incrível duelo — à bala ou aos tabefes — entre Fábio Lucena e Andrade Netto também foi reverberado pelo jornal *Estado de São Paulo*:

"Adiado o duelo em Manaus: Como nos romances de capa e espada, o vereador Fábio Lucena, do MDB, e o jornalista Andrade Netto, diretor do A Notícia, de Manaus, decidiram eliminar suas divergências por meio de um duelo em praça pública. Às 7h50 da manhã de ontem, Lucena já estava na Praça São Sebastião, no centro da cidade, com um revólver Taurus calibre 38 à cintura. Uma pequena multidão - constituída sobretudo de jornalistas, alguns de rádio e televisão - aguardava com ele a chegada do adversário, sob a discreta vigilância de uma rádio patrulha.

"Mas para desencanto geral, Andrade Netto não compareceu: 'Não possuo instintos assassinos', explicou, mais tarde, acrescentando que desafiara o vereador para um duelo 'homem a homem'. E às 8h, Lucena deixou a arena, não sem antes conceder entrevistas contundentes, acusando o inimigo de 'covarde, escroque e crápula', para lançar novo desafio: 'Onde eu o encontrar, morro eu ou ele.'

"A inimizade entre os dois vem desde 1974, quando Lucena trabalhava em A Notícia como redator político. Incompatibilizado com o diretor, pediu demissão e passou a escrever no jornal concorrente, A Crítica, atacando o comportamento político de Andrade Netto, que também é filiado ao MDB e em 78 deverá ser candidato ao Senado, concorrendo com Lucena" (Estado de São Paulo, de 27 de novembro de 1977, p.08).

Em 1979, novos ingredientes fariam com que Lucena e Netto mais uma vez rasgassem as feridas das diferenças entre ambos. O vereador denunciou, nas páginas de *A Crítica*, a empresa Raymond Indústria e Comércio S/A — dirigida por Carlos Alberto De'Carli — pela prática de fraude contra o Governo Federal. Em resposta, a fábrica passou a utilizar A Notícia para contra-atacar Fábio.

Sob o título de "Perfil da Matilha", publicado em 12 de novembro daquele ano, o artigo de Lucena chama os funcionários de *A Notícia* de "infelizes mercenários" e Carlos Alberto De'Carli de "siciliano mafioso".

12/11/1979 - Nº. 10.324, P. 03

PERFIL DA MATILHA

Lico, o que matou Creonte, para apoderar-se do trono, dizia: "Ao feliz se manda morrer, ao miserável viver; porque há igual pena em condenar o feliz à morte, e sentenciar o miserável à vida".

Sentenciados estão à vida os miseráveis, todos, do jornal "A Notícia". Infelizes mercenários do grupo "Raymond/Fazendas Unidas", precisam de viver vida longa para sentirem na alma de lacaios as implacáveis fendas do azorrague da verdade. Foram comprados pelo dinheiro sujo que o grupo econômico arrancou do Banco do Brasil e demais Bancos de Manaus e do resto do país (mais de 600 milhões de cruzeiros) para ferirem pais, mães, esposas, filhos e filhas de quem quer que ouse colocar contra os estipendiadores da vilania feral. Carlos De'Carli, o siciliano mafioso que conseguiu, em um só mês, ter mais títulos protestados do que o mais inescrupuloso dos empresários logrou tê-los no século, está pagando regiamente (depois do régio pagamento a duas televisões) a escória do jornal "A Notícia" para que derrame, sobre mim, toda a babugem em que vive borriçada a camarilha infiel ao decoro, mas de extraordinária fidelidade à indecência, que, diariamente, por aquele pasquixo (mistura de pasquim com lixo), executa o bailado de eunucos alugados.

Bastou que eu denunciasse a fonte espúria do dinheiro que lhes alimenta a cólera para que todos se eriçassem e, para lembrar Augusto dos Anjos, como "brancas bacantes bêbadas o beijam" (ao De'Carli), concentrassem sobre mim a artilharia da cólera. Imaginavam que o correr de seus badalos me fizesse, pelo menos, parar para pensar em ter medo. Não sabiam que, descendente dos ualcás, só tenho medo de ter medo. Provocaram até à baciada. Pois bem: enfrento-os a eles, ao jornal deles, ao

patrão de todos eles e a todo dinheiro que o barrão arrancou na praça de Manaus. (mais de seiscentos milhões de cruzeiros) para alugar bacorinhos!

Concentre-me eu, em exercício de legítimo direito, no enfoque de um problema, na defesa de uma causa, quer pela Tribuna da Câmara, quer pela Tribuna de A CRÍTICA; concentre-me, certo ou errado, pois ninguém é dono da verdade (em sucessivas eleições, todavia, o povo tem-me julgado e absolvido), e logo os cascavéis, lá do outro lado, chocalham agressões rasteiras e gratuitas! No "território livre" em que todos publicam suas obras, logo um fulano, um beltrano, um sicrano, do mais público anonimato e notório desconhecimento, lança-me impropérios. Não se vê, nesta cidade, um só intelectual, um homem letrado, de altos voos literários, dos muitos que aqui os há, fustigar meu trabalho parlamentar ou jornalístico. Os conselhos que recebo, e que conselhos! São muitos. Quando minha caneta escorrega na regência verbal, na correta grafia das palavras, na observância das regras sintáticas, os mestres do idioma, com os quais tenho salutar convivência, logo me corrigem. Os porcos da linguagem, todavia, bem como as aves de voo rasteiro como os grasnadores de todo o gênero, esses se elegeram o meu zollo. É meu dever, portanto, rechaçá-los!

Já que me forçam, disse Rui, rasgarei diante de vós o santuário dos segredos d'alma. "As coisas santas nem sempre se profanam quando se expõem. A defesa tem a sua religião, e há na defesa momentos em que aquele, que apela para a justiça, está na presença de Deus".

Apelo, pois, para a justiça do povo e coloque-me em presença de Deus: Que crime cometi? Informei que o grupo econômico teve aprovado, pelo governo, um projeto para produção de álcool no valor de 219 milhões de cruzeiros! Denunciei que o mesmo grupo, com um atestado de idoneidade que lhe passou o então gerente do Banco do Brasil (data do atestado: 11.07.77), arrancou dos demais bancos, só em Manaus, 400 milhões de cruzeiros e malbaratou esse dinheiro! Pedi ao governo providências a respeito de o que rotulei de "fraude contra Nação". Publiquei, sobre o assunto, carta aberta ao presidente da República! Pedi a gregos e troianos a apuração de minhas denúncias! Foi esse o crime cometido. E a consequência, qual foi?

Milhares de cruzeiros foram usados para comprar televisões. Durante uma semana inteira, uma calunga, em dois vídeos, agrediu-me à farta. Ao longo da calungagem agressiva, só a mentira tremulou. Que dizer contra um homem que, processado por enquadramento na Lei de Segurança Nacional, teve a vida toda vasculhada pelos órgãos de segurança do regime, e que, julgado, foi absolvido por dois tribunais militares? Que dizer? Só mentira! Só calúnia! Só difamação! Só injuria!

No maravilhoso sermão da "Primeira sexta-feira da quaresma", diz o padre Antônio Vieira: "Todos os bens, ou sejam da natureza, ou da fortuna, ou da graça, são benefícios de Deus; e a ninguém concedeu Deus esses benefícios sem a pensão de ter inimigos. Mofi no e miserável aquele que não os teve. Ter inimigos parece um gênero de desgraça; mas não os ter é indício certo de outra muito maior". (Os Sermões, vol. II. p. 318, edições Lello & Irmão, Portugal).

Todos os bens que possuo são o da minha vida honrada; esta graça me não concederia Deus "sem a pensão de ter inimigos". Um desses inimigos, vereador, afi rmou na Câmara que eu estou respondendo a 14 (quatorze) processos criminais; outro, pelo pasquixo, elevou o numero para 20 (vinte). É, de fato, um gênero de desgraça ter esses inimigos a propalarem semelhantes mentiras; mas, não os ter, seria desgraça muito maior. Existem os processos, mas não chegam a tanto. Admitamos que chegassem 10, 20, 40! Pergunto: os processos não estão no Poder Judiciário? Estão! O Judiciário já se pronunciou? Não! Qual o porquê desses processos? Respondo: tudo consequência da minha vida parlamentar e jornalista, na qual não poupo os marginais de todo gênero, camisados ou não, e não perdoo, nem nunca perdoarei, os inimigos do povo. Não é isto sufi ciente para ter crença no Poder Judiciário? É, é mais do que sufi ciente!

"Há desgraças tão honradas" – ensina Vieira no citado sermão –, "que tê-las, ou padecê-las, é ventura: não as ter nem as padecer, é desgraça. Não ter inimigos, tem-se por felicidade; mas é uma tal felicidade, que é melhor a desgraça de os ter, que a ventura de os não ter".

Eu prefi ro a desgraça honrada de ter tais inimigos, que a felicidade desonrada de os não ter: pois não são somente meus: são do povo que represento e que me elegeu senador!

São inimigos das famílias honradas que eles enlameiam, todos os dias, com as elvas em que tintaram a própria amoralidade. Maus caracteres que se viciaram com estranha bebida: o fel da desonra, agora patrocinado pelo dinheiro que o De'Carli arrancou do Banco do Brasil, dos bancos particulares e da Nação! Com dinheiro sujo e jornal sujo, pensam poder destruir-me. Pois bem: deitada sobre o dinheiro sujo do De'Carli, a matilha de "A Notícia" está hoje de perfi l perante o povo. Vejamos, com o prosseguir destes artigos, quem, no fi m, será destruído!

Fábio Lucena

No dia seguinte, Andrade Netto publica Nota "Ao Público", dizendo que não iria responder às novas ofensas recebidas porque não queria atrapalhar o processo que movia contra Fábio Lucena. Do outro lado, no mesmo dia 13, Lucena continuava sua saga contra De'Carli e Andrade, trazendo ao público o texto "O Chefe da Matilha".

13/11/1979 - Nº 10.324

O CHEFE DA MATILHA

A matilha do jornal "A Notícia" não está agindo só. Os lobos são animais que adquiriram convivência social e obedecem a orientação de um chefe: o de uivo mais agudo e baba mais pegajosa. O chefe da alcateia é o Manuel José de Andrade Netto, dono do pasquixo, o arqui-inimigo de quem não aceito nem rendição incondicional.

Já pedi mil vezes a esse patife que não publique meu nome na indústria de lixo social que é o jornal dele. Pedi da tribuna da

Câmara, pedi até na presença de um juiz de direito, numa sala de audiências do Tribunal. Mas o velhaco não se emenda!

Desta vez, o bandoleiro do jornalismo marrom amazonense não se contentou com mandar seus xerimbabos agredirem só a mim: tentaram atingir meu lar, minha mãe, e não o conseguiram porque eu e os meus estamos vacinados contra mordeduras desses cães bípedes que enxovalham a sociedade.

Doutor em banditismo, notadamente em chantagem, desescrupulizado, desavergonhado, cínico, avacalhado, vende o jornal que possui a quem quer que lá apareça com o metal vil cujo tilintar ele, Andrade Netto, não consegue ouvir porque há muito se converteu em funâmbulo de cordas de ouro – ouro que obteve, diz ele, através do trabalho, com o que não concorda, pelo menos, o Batará, que o acusou publicamente de mandar extorquir dinheiro ao ex-dono da empresa "Ana Cássia"!

A antiga ala da corte do governador Arthur Reis, de onde foi expulso como igualmente expulso foi da ARENA (e do MDB teve de retirar-se para não sofrer igual sanção), trânsfuga da antiga UDN, fingia fazer oposição em Manaus para filtrar informações para o ministro da Justiça, Armando Falcão, para o anterior, Alfredo Buzaid, e para o atual, Petrônio Portela, de quem se diz amigo. Em 1969, o coronel Roberto Oliveira, chefe do SNI em Manaus, admitiu o Andrade nos quadros daquele Serviço de Informações do Governo, ao qual até hoje ele presta relevantes serviços.

Em 1976, ele mandou um deputado estadual atacar, da tribuna da Assembleia, a honra do deputado federal Mário Frota, provocando, entre os dois parlamentares, uma troca de ofensas de baixo nível, para a seguir fazer descer sobre Frota a pior campanha de desgaste coletivo da triste história do seu asqueroso jornal. Levado Frota a julgamento pelo Diretório Regional do MDB, lá estava o diretoriano Andrade Netto como um dos juízes: ia julgar, ou seja, condenar o homem que não parava de açoitar e de quem não cessava de pedir a cabeça. Nem Pilatos foi mais vil e vilão!

Amante do anonimato, substituiu a coluna "mini-notícias" pelo "redator biônico" nas quais, durante anos, me atacava sordidamente. Houve um tempo em que minhas filhinhas chegaram em casa chorando porque seus colegas de colégio não paravam

de comentar os escritos desairosos, e mentirosos, que ele e seu pasquixo publicavam a meu respeito. Tendo-se a situação tornado insuportável, tive de desfiá-lo para um duelo à bala, contrariando todos os meus princípios; mas quando a honra está sob a mira da cafajestagem, como naquele caso, o jeito é pôr de lado os princípios.

Compareci, devidamente armado ao local marcado: ele não foi. Só tem coragem protegido pela capangagem lá dentro de "A Notícia".

Na noite de 15 de fevereiro de 1975 fui vítima de um atentado à bala. O motorista que conduziu os pistoleiros era empregado do salafrário Andrade Netto. Todos os indícios do atentado o apontavam como mandante do crime, juntamente com o cunhado francês Jean Dupuis. Acusei-os então de me haverem mandado matar. O pérfido e insidioso Andrade jamais havia ido a Itacoatiara, pela estrada. No dia do crime, bem cedo, ele forjou o álibi, indo à velha Serpa. A propósito do francês, círculos judeus comentam que Andrade e o cunhado, genros do milionário Félix Fink, passaram uma semana indo ao túmulo de Fink, às escondidas, para terem a certeza de que o velho estava de fato enterrado. Era a preocupação com a herança...

O gaifeiroso usa uma placa à entrada do prédio do jornal, informando aos incautos que seu pasquixo esteve alguns anos sob censura prévia. Só não informa o censor - Paraguassu de Oliveira, diretor do "Diário Oficial" -, depois de finda a censura, foi admitido em cargo de confiança do Andrade. O censor e o censurado: que contubérnio estranho!

Aliou-se, agora, ao Carlos De'Carli, o chefão da camarilha das Raymond/Fazendas Unidas. Estão, assim, amancebadas a máfia e a matilha! A serviço da máfia, a matilha uiva, encolerizada, assacadilhas contra mim; servindo a matilha, a máfia paga, com dinheiro do Banco do Brasil, BASA, BEA e bancos particulares, as torpezas, vilanias, baixezas, imundices que só poderiam brotar de veículos como a corja de "A Notícia". As trapagens do De'Carli são o babal do trapeiro da imprensa venal que é o Andrade Netto. Nunca, na história das trampolinagens do Amazonas, houve junção tão perfeita: de um lado, o poderoso chefão (a máfia); de outro, o poderoso babão (o lobo babador que chefia a matilha). Que sociedade! que dupla! que canalhas!

Do casório de um louco com uma defunta, nada se pode esperar. Mas da associação entre um De'Carli e um Andrade, tudo pode surgir. Vejamos: De'Carli arrancou só na praça de Manaus mais de 600 milhões de cruzeiros; Andrade já se vendeu a diversos governos, a preço secreto. Juntos, vão fazer milagres, já que De'Carli é mágico (o incêndio da Raymond não precisou de bombeiros; De'Carli, magicamente, apagou-o com um sopro) e Andrade é curandeiro (curou a hipótese de o velho Fink ressuscitar). Que consórcio! que dupla! que curabis!

Andracarli S/A (eis o nome da nova empresa! Dentro de pouco tempo, "A Notícia" será o primeiro jornal do mundo movido a álcool) o álcool que o De'Carli, para produzi-lo, gastou 619 milhões sem tê-lo produzido, deixando assim de ser movida a fel e a fez, que, por fas ou por nefas, são os dejetos da prisão de cérebro do cérbero Andrade!

O duunrvirato da matilha e da máfia promete ainda mais: institucionalizar a chantagem. De'Carli precisa de mais dinheiro para "produzir álcool"; Andrade, de mais grana para multiplicar as misérias morais do seu pasquixo. Tramado o grande golpe, os bancos, de um lado, e o governo estadual, de outro, que se acautelem: os duunviros já estão em ação.

É essa a mancebia espúria que agride mães, esposas, filhos; que esperneia, que tripudia, que saracoteia! Releve-me então o leitor se me socorro, uma vez mais, do padre Vieira, no magnífico "Sermão do bom ladrão". É que Andrade parece o rei dos chantagistas; De'Carli, o rei dos ladrões. Vieira comentou: "Nem os reis podem ir ao paraíso sem levar consigo os ladrões, nem os ladrões podem ir ao paraíso sem levar consigo os reis".

Só que os consórcios não farão boa viagem, pois farei descer um furacão sobre a nave ouruda dos dois!

Fábio Lucena

E dois dias depois, em "Ao desmunhecante torunguenga", Netto compara Fábio ao boneco Pinóquio e o chama de falso líder, traidor, farsante delator e desleal:

CHANTAGEM • POLITICAGEM • LAMA

A NOTÍCIA

15/11/1979 - N.º 2.977

AO DESMUNHECANTE TORUNGUENGA

Escudado na covardia de não nominar seus inimigos, e preferindo tendenciosamente camu fl ar suas assertivas sobre divagações dramáticas, numa trombolhada própria de sua insanidade e de seu desespero, o pacóvio Fábio Lucena insiste em generalizar suas ofensas, sem respeitar a ninguém.

Pois, bem, volto à luta, não ao espetáculo em que o Pinóquio é exímio na arte da mentira e da ofensa covarde. E volto sem disposição ou necessidade de defender, comentar, criticar ou colaborar com a questão "Pinóquio"- Fazenda Unidas, para a qual o sabujeiro tenta fazer convergir tudo o que acontece. Meu desafio, para que prove se tenho qualquer vínculo, pelo menos de amizade, com essa empresa está de pé. Ele que prove o contrário ou se cale.

Volto para provar, sem meias palavras ou demagogia, que o "Pinóquio" é um falso líder, um traidor e farsante delator e desleal. Já provei suas mentiras, quando alegou que foi ofendido primeiro, especialmente com relação à sua família, a mesma família que ele vende em imagens grotescas e ridículas à opinião pública. Que ele me conteste, que me enfrente sem tapamissas ou antolhos, ou que pare, de uma vez, com a generalização que objetiva humilhar e degradar a todos, indistintamente.

DESLEALDADE

Manaus ainda não esqueceu o que fi zeste com o teu companheiro, o bom oposicionista Paulo Sampaio, ex-deputado. Como vestal samaritana, foste convidá-lo a assessorar-te na Câmara Municipal. Assim o fi zeste apenas para aparentar uma benevolência que não te é própria, depois que Paulo perdeu as eleições.

O golpe humilhante contra esse companheiro, entretanto, não tardou. Tu, que aceitaste todas as condições de trabalho desse honrado cidadão, não tiveste nenhum respeito com a sua condição quando, irresponsavelmente, fizeste uma campanha autopromoção, alegando até através de jornal que estava despendido Paulo Sampaio porque ele não comparecia à Câmara, nem mesmo para receber seus vencimentos. Tripudiaste inconsequentemente sobre um homem que não tinha condições de se defender. Não o farias, se as circunstâncias fossem outras.

E Paulo Sampaio não podia se defender porque se encontrava hospitalizado, depois de haver fraturado um braço na oficina em que trabalhava. Mas respondeu moralmente, rechaçando com o silêncio a ingratidão e a safadeza tua. E a população compreendeu sua silenciosa reação, mas jamais terá compreensão para a tua mesquinha atitude. Tua promoção, caso não o sabes, foi negativa e vergonhosa. Nem Paulo Sampaio nem o povo amazonense esquecerão essa deslealdade.

TRAIÇÃO

Os antolhos não poderão, ao contrário do que pensas, ocultar o teu conluio com os donos do Poder Municipal a que serves, e outros. Quem não se lembra do espetáculo que criaste na Câmara, ano passado, quando o ex-prefeito Jorge Teixeira ali compareceu, para prestar esclarecimentos sobre a PDLI e tu, levando no roldão de tua falsidade e da tua venalidade a bancada oposicionista, que tem sido vítima frequente de tua irresponsabilidade, evitastes o debate com o prefeito, decepcionando ao público que fora àquela Casa Legislativa.

Quem não lembra a tua insurreição mascarada contra a permanência ilegal de Teixeira à frente prefeitura e, na chegada da comissão que foi pedir a saída do ex-prefeito, foste o primeiro a "lamentar" o fato, numa flagrante evidência da falta de personalidade política e moral. A tua "lamentação" foi mais do que isso, foi uma vergonhosa desculpa servil, imprópria para um líder oposicionista, posição que nunca dignificastes.

Quem não sabe que, ao invés de criticar o governador, o prefeito, secretários, os homens responsáveis pela situação, sempre preferiste

criticar companheiros de teu partido. E que, na bancada a que pertences, não paras de difundir a discórdia e humilhar teus companheiros como fizeste com o vereador Armando Freitas, a quem "expulsastes" (veja a que chegou a tua "luta democrática", os teus princípios de liberdade) do plenário, não por iniciativa própria, mas atiçando contra esse parlamentar a segurança da Casa, constituída de homens honrados que, evidentemente ao contrário do que previas, portaram-se dignamente.

E, depois deste espetáculo degradante, tiveste a desfaçatez, característica da irracionalidade de tuas decisões, de tentares, para não perderes mais uma oportunidade de autopromoção, "convidar" Armando Freitas a voltar à bancada, e sentar ao teu lado. Triste procedimento.

TRAIÇÃO RECENTE

Vai mais longe a falsidade de tua liderança e da tua traição. Recentemente, o prefeito José Fernandes encaminhou mensagem à Câmara Municipal, propondo que lhe fossem dados poderes para criar cargos e estipular o quanto de funções gratificadas. Na Comissão de Constituição e Justiça, o Pinóquio foi relator. Seu parecer, foi uma prova insofismável da sua maquinação com o Poder Público. Teus companheiros de bancada naturalmente esperavam que de ti brotasse a resistência contra mais esse atentado às atribuições do Legislativo.

A decepção foi grande, no teu parecer criminosamente esgueiraste-te da luta e te limitastes a opinar que o prefeito, como previa a Mensagem, delegasse poderes aos procuradores da prefeitura para representá-lo. É natural isso, prestavas um favor a um chefe político. A Câmara, os interesses do povo... que se danem. É tua filosofia megalomaníaca.

E pior fizeste depois, quando, covardemente, fugistes da decisão final, não comparecendo à Câmara, deixando teus comandados sem condições (eles desconheciam até as razões e alegações do parecer) de lutar, desordenada, vitimada por acreditar em ti e, assumindo uma posição partidária aceitável, por não queres contrariar-te.

Deverias mirar-te, covarde irresponsável, no exemplo do líder Jamil Seffair, da bancada arenista na Assembleia Legislativa. Verdadeiro e consciente líder não teve dúvidas em, após reunir sua bancada, apresentar emendas para suprimir da Mensagem Governamental recentemente apreciada naquela Casa dispositivos que previam os mesmos poderes ao governador. Isso sem anular a vigilância e a honestidade da bancada oposicionista, preparada para defender os interesses do povo.

A Câmara, diante de uma bancada oposicionista decepcionada, aprovou, Pinóquio, a tua vergonha, o teu desmascaramento, a tua traição: a mensagem do prefeito, autorizado inclusive a criar cargos de subchefes de não sei o quê, com vencimentos equiparados aos de um subsecretário municipal. Desafio a me provares o contrário, com sensatez e o compromisso sagrado de falar ou escrever a verdade, somente a verdade.

DELATOR E FARSANTE

Lembras, Pinóquio, que um dia fostes à Tribuna da Câmara dizer que acabavas de sair do SNI, onde delataras o ex-governador Henoch Reis pela construção de uma casa para uma amante? Quem me garante que lá não foste outras vezes, prestar "relevantes serviços", ou informações, à sub-inquisição. Não seria mais correto, mais democrático, que fizesses a denúncia através de tua tribuna, na Câmara, como o fazem todos os políticos honestos e honrados? O povo também não esqueceu disso. Vai cobrar-te um dia.

E com que cara, Pinóquio. Tiveste a coragem de passar de braços dados com o prefeito José Fernandes, por toda a cidade, tomando o teu uísque, para, na hora do almoço, num discurso de efeitos etílicos próprios de lupanares, dizeres que "dizeres que estava contra os corruptos". Sabe toda a cidade que Fernandes (e aqui não vai nenhuma acusação formal ou crítica pessoal ao prefeito. Se houver necessidade, voltarei ao assunto depois) figura destacadamente na "Galeria dos corruptos", no Congresso Nacional, apontado como autor e uma corrupção sem precedentes em nosso Estado. A Assembleia Legislativa Amazonense sabe disso.

Ridícula ressaca moral de um inconsequente líder político.

Ao concluir, lembrando ao Pinóquio que não insista na generalização, sob pena de ser atingido novamente por estiletes da verdade e da hombridade, submeto à decisão do público, para que julgue como quiser, dois fatos:

1- "Em quase 15 anos de jornalismo e dez de atividades político-partidárias, jamais atingi mãe, mulher, filhos ou filhas de quem quer que seja". (Esqueceu-se o marafona dos ataques sem justificativa que fez à família de Bianor Garcia, Gutinho, e tantos outros).

2- "Mas ainda assim prometi: respeitar-lhes-ei as mães, esposas, pais, filhos e filhas, porque tal respeito é da essência do meu caráter". (Para desmascará-lo basta ver matéria assinada pelo Pinóquio na sexta-feira passada, entre tantas outras).

Monteiro de Lima

Primeiro de dezembro de 1979. Andrade Netto pôde enfim comemorar uma vitória sobre Fábio Lucena, com a condenação do vereador a um ano de detenção por crime de difamação contra o jornal *A Notícia* e seus diretores. A sentença foi dada no dia anterior pela juíza Alvarina Miranda de Araújo, da 8ª Vara Criminal. De acordo com a denúncia, Fábio havia chamado o matutino de "verminoso" e de "jornaleco que há muito foi vendido ao governo" (Estado de São Paulo, 1º de dezembro de 1979, p.01).

Pelo seu temperamento beligerante, podemos inferir que Lucena não deve ter se conformado e, muito menos, emudeceu-se. Os meses seguintes possivelmente produziram novas trocas de palavrões e de elogios indecorosos entre os dois veículos de comunicação. No próximo episódio, vamos acompanhar uma disputa interna ocorrida no MDB, que envolveu as eleições para vereador de Manaus de 1976 e culminou com a suspensão partidária de alguns conhecidos parlamentares da época.

MÁRIO FROTA vs. MDB – DELAÇÃO, FOFOCA E BAIXARIA

A quinze dias das eleições municipais de 1976, a jornalista e candidata a vereadora pelo MDB, Elizabeth Azize, publicou no jornal *A Notícia* uma página recheada de acusações contra a administração do governador arenista Henoch Reis. E ela começa, falando sobre uma "burrice jurídica" que foi aprovada pela Assembleia Legislativa em 1971:

O Conselho Estadual de Política Salarial através de um aborto jurídico que é a lei 1.013 de 23 de abril de 1971 (votada quando a Arena era a maioria na Assembleia Legislativa) tornou-se o super poder deste Estado. Por delegação esdrúxula e inconstitucional feita através de uma lei e não de uma Resolução da Assembleia Legislativa, o Poder Executivo está autorizado a criar cargos e fixar vencimentos, por resolução daquele famigerado conselho, homologadas pelo governador do Estado (A Notícia, de 31 de outubro de 1976, p.11).

O deputado emedebista Aloísio Oliveira, baseado nas denúncias feitas por Azize, elaborou o projeto de lei número 18, de abril de 1976, e conseguiu revogar os artigos que davam ao governador poderes que só o Legislativo teria competência para delegar, como, por exemplo, criar cargos e fixar vencimentos. Após aprovado pela Aleam, em setembro seguinte o projeto foi sancionado pelo próprio Executivo. Mesmo assim, isso não impediu que Henoch Reis usasse de improbidade administrativa para colocar na Comissão de Desenvolvimento do Estado do Amazonas (Codeama) alguns apadrinhados:

A NOTÍCIA

31/10/1976 – Nº 1.836, P.11

PARA VOCÊ TER UMA IDEIA DO QUE SERÁ BETH AZIZE
COMO VEREADORA

(...) A Portaria de nº 164/76 SE, publicada no Diário Oficial de 24 de setembro de 1976, com base naquela Resolução do Conselho de Política Salarial enquadrou os servidores da Codeama nos empregos permanentes do novo quadro de pessoal. E é aí

que repousa o grande Panamá. Veja-se, por exemplo, que a dita portaria assinada pelo secretário executivo, José Fernandes Pereira da Silva, incluiu o seu nome, como um dos beneficiados, no cargo de técnico. E, com o salário de 11.388,00 (sic). Quer dizer, o próprio secretário assina a portaria que o promove. Mas isso não é tudo. Mais imoral ainda são os critérios adotados para o ingresso naquele quadro. O critério adotado foi o do afilhadismo e do parentesco com os superfuncionários do Palácio Rio Negro. Assim é que a senhora MARIA JOSÉ SANTOS DE SÁ, assistente social, prestando serviços na Setrass, foi enquadrada como Técnico A, com salário de Cr$ 7.020,00 (sic). No mesmo dia, essa senhora, pela portaria 166/76, foi promovida a Técnico B, com o salário de Cr$ 8.112,00. Quer dizer, aquela servidora que nem presta serviços na Codeama (um dos requisitos da Resolução para o enquadramento e promoção) teve seu salário majorado de Cr$ 1.092,00. Também pudera! A sortuda senhora não passa da esposa do sortudo chefe da Casa Civil do Palácio Rio Negro, hoje a maior agência de empregos públicos deste Estado. Outra sortuda é a senhora Arlete Almeida Lima que foi tão beneficiada quanto a esposa do chefe da Casa Civil com a agravante de que esta última nem em Manaus vive, e sim, em Brasília, à disposição do sr. Delile Guerra de Macedo, a pedido do presidente de uma empresa municipal. Veja-se o absurdo: pessoas fora do exercício da função são promovidas para funções de nível mais elevado. Só no Amazonas vê-se tamanho disparate e desonestidade! Corrupção no duro, para se dizer melhor.

Enquanto os critérios de enquadramento e promoção são aferidos pela capacidade íntima dos candidatos e sua intimidade com os responsáveis por tão grande corrupção, sabe-se da existência de pessoas concursadas, por seleção pública feita na Codeama, aprovadas, e que ficaram do lado de fora sob a alegação da falta de verba para a contratação desses concursados e seus respectivos enquadramentos. Quer dizer a Codeama não tem verba para enquadrar o pessoal concursado, mas tem para beneficiar escandalosamente a mulher do chefe da Casa Civil e outras que vão morar em Brasília, onde os encontros são mais fáceis, fora da vista da população de Manaus (...).

No dia seguinte, o diretório regional da Arena utilizou a primeira página de *A Crítica* para rebater o artigo de Beth Azize, por meio da nota intitulada "MDB traiu o povo e confessa corrupção". No entanto, não houve menção a nenhuma das denúncias feitas pela jornalista. Falou-se apenas sobre o líder do MDB, Paulo Sampaio, que teria elogiado Cuba em seus pronunciamentos, e sobre o deputado José Costa de Aquino, acusado pelos arenistas de tentar vender seu voto à Situação:

1º/11/1976 – Nº 9.238 P.01

MDB TRAIU O POVO E CONFESSA CORRUPÇÃO

(...) 5) O líder do MDB, deputado Paulo Sampaio, em seus discursos, agrediu nosso país e elogia Cuba. Se gosta tanto de Cuba, por que não se muda para lá? Por que não vai ser deputado em Havana? OS PROBLEMAS DO POVO BRASILEIRO SÃO PARA O POVO BRASILEIRO RESOLVER. O presidente Ernesto Geisel garante a liberdade no Brasil, a ponto de que asneiras e traições ao país sejam ditas pela Oposição sem que nada lhe aconteça. Em Cuba seria diferente.

6) Temos provas concretas (...) de que o deputado José de Aquino estava realmente envolvido na transação do posto de gasolina da Suframa.

Lançamos um repto para que nos desafi e a provar, documentalmente, seu envolvimento, sob pena de passar como mentiroso público, já que declarou ter sido sua participação "ajuda desinteressada".

Se se tratasse de um negócio limpo, o deputado José Costa de Aquino não teria por que negar. Ao fazê-lo, confessou o delito. Foi de fato vender seu voto.

O governo do Estado não quis desrespeitar a decisão das urnas e não comprou o voto do deputado Aquino, o que, além de contrariar os princípios da Revolução de 1964, seria o mesmo que comprar a maioria da Oposição, pois a diferença é de apenas um,

COMO NÃO COMPROU DE OUTROS QUE ESTIVERAM NO PALÁCIO RIO NEGRO PARA MERCANTILIZAR SEUS MANDATOS E CUJA HISTÓRIA FICA GUARDADA PARA OPORTUNIDADE FUTURA (...).

A tréplica emedebista veio em *A Notícia*, do dia 2 de novembro seguinte. O deputado Aloísio Oliveira desafiou a Aliança Renovadora Nacional a apontar publicamente quais parlamentares foram ao Palácio Rio Negro para vender seus mandatos, como fora explicitado no texto arenista, e finalizou, dizendo que a nota da Arena mais confundia do que explicava.

Por ocasião da visita do presidente da República ao município de Tabatinga, *A Notícia* publicou no dia 4 a matéria "Telegrama a Geisel para mandar apurar a corrupção no Amazonas", que trazia a reprodução de um "telexograma" (telegrama transmitido por meio do telex) que o deputado J. Aquino iria enviar, no dia 4, para o chefe da nação, falando sobre as denúncias que recaíam sobre o governador Henoch Reis.

Nesse mesmo texto, Aquino apresentou requerimento aos demais deputados da Assembleia Legislativa do Amazonas para que, os que votassem a favor da sua atitude, subscrevessem a solicitação. E isso causou uma saia justa aos parlamentares da Arena que estavam na sessão:

A NOTÍCIA

4/11/1976 – Nº 1.838, P.11

TELEGRAMA A GEISEL PARA MANDAR APURAR A CORRUPÇÃO NO AMAZONAS

O grande destaque na reunião ordinária de ontem, da Assembleia Legislativa, foi o telex que o deputado José Costa de Aquino, do MDB elaborou para enviar ao presidente Ernesto Geisel, durante a sua estada em Tabatinga, para o encontro com o presidente Morales Bermudez, do Peru, denunciando-lhes os "descalabros da administração Henoch Reis" e pedindo-lhe que viesse a Manaus para testemunhar, pessoalmente, "os mais desavergonhados atos de improbidade administrativa".

Depois de afirmar sua gratidão pela atenção que o presidente Geisel dê ao seu telex ou telegrama, o deputado pediu que após a votação, todos os deputados que votassem a favor do seu trabalho assinassem-no solidariamente, com o que não concordou a bancada da Arena, composta apenas dos deputados José Belo Ferreira e Homero de Miranda Leão, que se ausentaram do plenário para não participar da votação, voltando posteriormente.

Segundo os observadores, o telex que contém ainda, denúncias sobre mágoas e desencantos do funcionalismo público "diante de tão revoltante sujeira administrativa, deixou a bancada arenista entre a cruz e a espada. Se votasse a favor do telex, pedindo que o presidente Geisel viesse ao Amazonas para conhecer de perto a administração Henoch Reis, estaria condenando, publicamente o governo ao qual defende pelo reconhecimento de tais descalabros".

Se por outro lado, votasse contra a propositura de Costa de Aquino, estariam apoiando o que ocorrer, de bom ou de mal, à sombra do Palácio Rio Negro, colocando-se contra o povo, que está acompanhando os acontecimentos com grande expectativa e contra o funcionalismo.

Para evitar uma complicação qualquer, os dois parlamentares arenistas, sabiamente, resolveram ausentar-se do plenário, voltando depois da votação e participando, de uma reunião extraordinária que aconteceu às 12h30. O requerimento e o telegrama de Costa de Aquino são os seguintes:

SENHOR PRESIDENTE

Desejo prevenir ao povo do Amazonas de que ninguém está calado ou vai ficar calado diante das "notas" publicadas pela ARENA. Todos sabem que esta Assembleia ficou parada nesses cinco últimos dias, contra o meu voto. Muito menos eu, em particular, desejo fugir ao debate e ao desafio, pois entendo que, se nada devo, também nada posso temer.

Mas a ARENA desafiou-me a que eu, se tivesse coragem, pedisse a ela, ARENA, que prove meu envolvimento na construção de um posto de gasolina, embora o seu autor, o comerciante MOISÉS CLAUDINO, já tenha publicado declaração isentando-me de qualquer compromisso ou vantagem.

100

Como a ARENA diz que possui um documento que pode provar a minha participação, aceito o desafio. Só que a ARENA, por intermédio de seu presidente, deputado federal RAIMUNDO PARENTE, vai ter que exibir esse documento no TRIBUNAL DE JUSTIÇA, onde ingressarei nesta semana com uma INTERPELAÇÃO JUDICIAL, chamando o partido governista à responsabilidade. É lá que o deputado RAIMUNDO PARENTE vai ter que provar o que o seu partido está afirmando de mim.

Posso não ser inteligente como vossas excelências, senhores deputados, mas tenho suficiente raciocínio para entender que não farei o jogo da ARENA, que quer encobrir os seus escândalos, às suas crises, as suas renúncias desmoralizadas e as corrupções do governo, à custa de meu nome. Mas é lá no TRINUNAL DE JUSTIÇA, onde o deputado federal RAIMUNDO PARENTE já responde a outro processo, por causa de negócios discutíveis da Caderneta de Poupança "AMAZON-LAR", da qual é um dos dirigentes, que ele vai ter que mostrar esse documento contra mim.

Era o que eu tinha a informar ao povo, a respeito disso.

SENHOR PRESIDENTE, é verdadeiro o que o jornal "A NOTÍCIA" publicou ontem sobre a tentativa de morte praticada pelo candidato arenista a vereador PRAXITELES ANTONY, contra a pessoa do presidente da COSAMA, WALDIR BRITO, com quem estive e de quem ouvi a confirmação.

O novo escândalo dentro do Governo e dentro da ARENA está ligado às acusações já abordadas nesta Casa, pelo eminente colega, deputado DAMIÃO RIBEIRO, segundo as quais a senhora LÉA ANTONY, diretora administrativa da COSAMA percorre os bairros de Manaus dizendo que é ela que está fazendo a ligação de água para as residências pobres e que, se não votarem em seu marido sr. PRAXITELES ANTONY, depois das eleições ela mesma voltará para arrancar os canos, como se isso fosse possível e como fosse possível que alguém acreditasse nisso. Mas foi preciso que houvesse uma tentativa de morte dentro da COSAMA para que aquilo que a ARENA dizia que era mentira, acabasse se transformando em verdade cristalina.

Por fim, para encerrar, sem comentários, pois o assunto é do domínio público, REQUEIRO na forma regimental seja enviado TELEX ou TELEGRAMA ao Excelentíssimo sr. presidente da República, general ERNESTO GEISEL, diretamente para TABATINGA, onde ele se encontra amanhã com o sr. presidente da República do Peru, cujo texto solicito que seja lido pela Mesa da Assembleia, para conhecimento do plenário.

REQUEIRO ainda que fi gure abaixo de minha assinatura nesse despacho telegráfi co os nomes de todos os senhores deputados do MDB e da ARENA que o aprovarem.

Deputado José Costa de Aquino (MDB)

É válido se ressaltar que esse texto do requerimento já havia sido reproduzido na capa do jornal daquele dia, com um título bastante direto: "Alô, Presidente! Amazonas Pede Socorro: Corrupção". Abaixo, íntegra do telexograma que o deputado J. Aquino iria remeter ao presidente Geisel.

A NOTÍCIA

4/11/1976 – Nº 1.838, P.11

TELEX OU TELEGRAMA
Excelentíssimo Senhor Presidente da República
General Ernesto Geisel
Tabatinga - Estado do Amazonas

Comunico a Vossa Excelência que meu Estado encontra-se estarrecido desde o dia 31 de outubro último, com as denúncias reveladas pela jornalista BETH AZIZE, em seu artigo publicado no jornal "A Notícia", de Manaus, descobrindo no "Diário Ofi cial" do Estado, edição dos dias 10 e 24 de setembro passado, alguns dos mais desavergonhados atos de improbidade administrativa que se tem conhecimento depois da Revolução de 1964. O Secretário Executivo da CODEAMA, JOSÉ FERNANDES FERREIRA DA SILVA, através da Portaria por ele mesmo assinado, incluiu seu próprio nome entre os benefi ciários do cargo de técnico desse órgão, passando a

receber salários de mais de 11 mil cruzeiros. A senhora MARIA DOS SANTOS SÁ, esposa do sr. AFRÂNIO SÁ, chefe do Gabinete do Governador HENOCH REIS, foi enquadrada por essa mesma Portaria como TÉCNICO A na mesma data, por meio de outra Portaria, promovida a TÉCNICO B, para ganhar mensalmente Cr$ 8.112,00. Outra funcionária da CODEAMA, ARLETE ALMEIDA LIMA, que se achava à disposição do FRIGOMASA (Frigorífico de Manaus S/A) também foi promovida, embora esteja residindo em Brasília. Diante de tão revoltante sujeira administrativa, que infelizmente redimiu e se assemelhou ao passado negro deixado pelos partidos políticos extintos pela Revolução de 1964, o funcionalismo público do Amazonas extravasa suas mágoas e seu desencanto, ao saber que o reajustamento salarial prometido pelo governo do Estado e pela Prefeitura Municipal de Manaus como "tábua de salvação" pré-eleitoreira só entrará em vigor em janeiro vindouro e em bases percentuais até agora misteriosas. Em outras palavras: para o sacrificado servidor público, que tem há muito um salário esmagado pelo custo de vida mais alto do país, esse aumento só sairá no ano vindouro, mas para o afilhadismo publicam-se portarias nomeando e promovendo pessoas no mesmo dia. Essa audaciosa atitude infeliz do Governo do Amazonas, que vem à tona na mesma ocasião em que Vossa Excelência recomenda economia e honestidade na aplicação dos dinheiros públicos, pode representar uma desilusão em marcha nos propósitos da Revolução de 1964. Homens pobres, detentores de padrão moral exemplar como Vossa Excelência, Senhor Presidente, que passou na caserna muitas décadas esperando o dia exato de sua promoção para recebê-la e honrá-la com dignidade em seu recolhimento ao lar, há de ficar também revoltado ao saber que hoje, sem merecimentos, há figuras no Amazonas nomeando a si próprias, e nomeando e promovendo outros, no mesmo dia, com a caneta mágica da corrupção e a subversão das leis do país. Compreendo também que Vossa Excelência deve ficar triste ao saber que esses atos são do pleno conhecimento e tiveram a participação do governador que Vossa Excelência escolheu para dirigir os destinos do meu Estado. Assim, interpretando o sentimento de revolta do povo e do funcionalismo público estadual e municipal do meu Estado, e aproveitando ainda a presença de Vossa Excelência

no território amazonense, o que para mim é uma alegria, como seu admirador, embora seja eu da Oposição, como tantas vezes já proclamei nesta Assembleia Legislativa, suplico-lhe que mande um de seus emissários a Manaus, daí mesmo onde Vossa Excelência se encontra: TABATINGA, para vir testemunhar pessoalmente a imagem negativa que esses e outros atos administrativos ainda não comprovados estão criando no seio da opinião pública em torno da confiança que se deposita na revolução, da qual o MDB é um de seus componentes-auxiliares. Creia Vossa Excelência que uma multidão gostaria de assinar comigo este documento. Saúdo Vossa Excelência pela nova visita que faz ao meu Estado o sou grato pela atenção que dispensar a este deputado. Em Manaus, 3 de novembro de 1976, Assembleia Legislativa do Estado do Amazonas.

Deputado José Costa de Aquino (MDB)

O que podemos inferir é que talvez Aquino tenha utilizado essa nota como factoide para tentar jogar uma cortina de fumaça sobre as denúncias que ele sofrera, de ter vendido seu apoio ao governador Henoch Reis em troca de passagens aéreas. Ainda houve duas tentativas para que o requerimento fosse votado, mas a bancada arenista esvaziou o plenário em ambas às vezes.

A propósito, aqui abrimos um parêntese para explicarmos que em 1976, a Assembleia Legislativa do Amazonas era composta por quinze deputados (que haviam sido eleitos dois anos antes), sendo que o MDB era maioria — oito contra sete da Arena.

Os deputados emedebistas daquela legislatura eram Nathanael Bento Rodrigues, José Cardoso Dutra, Damião Alves Ribeiro, Carlos Farias Ouro de Carvalho, Aloísio Rodrigues Oliveira (os cinco mais votados do pleito de 1974), Manuel Monteiro Diz, José Costa de Aquino e Paulo Pedraça Sampaio. Pela Arena, elegeram-se Gláucio Gonçalves, Domingos Sávio de Lima, Jurandir Cleuter Barros de Mendonça Júnior, Homero de Miranda Leão, José Belo Ferreira, Eunice Mafalda Michiles e Maria do Perpétuo Socorro Dutra.

Quanto mais se aproximava o dia das eleições para vereador, mais o MDB metralhava a Arena, com matérias quase que diárias no jornal *A Notícia*. Em 7 de novembro, Beth Azize voltou a falar sobre o escândalo na Codeama, na matéria "Beth Azize larga a lenha no Governo (leia o que ela escreve e prova)":

A NOTÍCIA

7/11/1976 – N° 1.841, P.11

BETH AZIZE LARGA LENHA NO GOVERNO

(...) Aos senhores membros do Conselho Estadual de Política Salarial, aos "justiceiros" do meu Estado e político do partido do Governo com assento na Assembleia Legislativa, recomendo a leitura do artigo 20, item IV, da Constituição do Estado do Amazonas, que determina a criação de cargos públicos e fixação de vencimentos através de LEI. O artigo 43 que os "juristas" da Codeama tentam impingir ao povo como o abrigo da corrupção que ali se fez, diz que é da competência do Governador prover e extinguir os cargos públicos estaduais. Só que os "tecnistas" (mistura de técnicos com juristas) da Codeama não sabem o que significam as palavras "prover" e "extinguir". Prover não é favorecer esposas dos assessores mais chegados ao Governador do Estado, não é arranjar financeiramente a vida funcional dos frequentadores assíduos do Palácio Rio Negro, e nem abençoar com o dinheiro público os afilhados espúrios que nenhum serviço prestam à administração pública. Prover é preencher cargo público cuja primeira investidura dependerá da aprovação prévia em concurso público de provas e títulos (artigo 60, § 1°, da Constituição Estadual). O artigo 30 da Constituição do Estado reza que é da competência exclusiva do Governador do Estado a iniciativa das LEIS que criem cargos, funções ou EMPREGOS públicos. Ora, o quadro de pessoal da Codeama, aprovado pela Resolução n° 037/76, do C.E.P.S., estabeleceu EMPREGOS, e estes teriam que ser criados por LEI votada pela Assembleia Legislativa (o óbvio) (...).

MORALIZAÇÃO DO PODER LEGISLATIVO

O povo da minha cidade, agora, tem elementos para julgar. Enquanto me proponho e me empenho em publicar fatos de interesse coletivo, numa linguagem limpa e honesta, que até criança pode ler, outro tipo de linguagem bem adversa, saída de um parlamentar do partido do governo, tenta contestar as minhas assertivas jurídicas e administrativas com palavras obscenas, transformando o Plenário da Assembleia Legislativa, em reservatório de difamações pútridas. É o desespero pela falta de cultura e de conhecimento da Lei e do Direito. No entanto, se alguém, seja deputado ou quem for, tentou desviar a atenção do público para as afirmações honestas e limpas que fiz, usando a sua tribuna para tripudiar sobre a minha honra e a minha conduta como mulher, este cidadão jamais terá o gosto da minha resposta nos termos de sua ofensa. As criaturas que carregam no seu corpo a pequenez de caráter, a honradez nanica, não merecem resposta de ninguém. Não entrei nesta campanha política para dialogar com abutres da honra e da dignidade humana. Muitas pessoas me advertiram de que na vida política do Amazonas existem tipos rasteiros, anãos que vivem a oferecer sacrifícios ao deus da podridão, e seu próprio deus. E exatamente por querer provar que a minha gente está cansada de lanceiros da ignomínia, aceitei o desafio. Tenho sido vítima das infâmias mais torpes, partidas sempre de chacinadores da honra, tipos que não respeitam nem mesmo o lar onde vivem ou onde viveram, e tudo isso porque me propus e vou continuar defendendo os interesses da minha comunidade, nem que isso me custe a imolação da minha paz. Mas não adianta a intimidação, venha de quem vier. Quanto mais sou ofendida, quanto mais sou difamada, mais sinto força para ajudar na moralização do nosso Poder Legislativo, que está precisando ser dedetizado para dali serem afastados de uma vez por todas os enganadores do povo, os carniceiros da dignidade do nosso eleitorado, que vota esperando e confiando que para ali está conduzindo pessoas que saibam, antes de tudo, respeitar a sensibilidade e decência do povo amazonense. A Assembleia Legislativa transformou-se numa arena de feras investindo contra indefesas vítimas ausentes, para tentar justificar erros que devem ser esclarecidos à luz do Direito e da Lei não da vilania e da covardia. Há dias atrás,

106

a imprensa desta cidade noticiou que um deputado do partido da oposição foi acusado pela bancada do governo de ter agredido com palavras injuriosas a ilustre deputada representante de Barreirinha, que se achava presente e atenta no plenário. E todo o partido do governo fez cair sobre a oposição uma Avalanche de repreensão e desagravo. No entanto, na quinta feira passada, daquele mesmo partido do governo, um deputado sem nenhuma capacidade de discutir em termos elevados os informes da matéria de minha responsabilidade que envolvia interesse do povo e do Estado, aproveitou-se da sua tribuna e da minha ausência para mostrar o que realmente faz a Assembleia desde que foi eleito: deixa de legislar para agredir o povo. Vai chegar um dia em que os lares desta cidade não mais poderão ler o noticiário político das nossas Casas Legislativas, tal a linguagem hedionda que ali prolifera, os ataques morais e indignos que vem ferir diretamente a dignidade de um povo. E é exatamente por isso, para evitar que o nosso Poder Legislativo cada vez mais se desmoralize que há necessidade de que pessoas de bem e de moral irrepreendível se habilitem à vida pública. Do contrário, os piratas da boa fé do povo, os lanceiros da vergonha tomarão conta dos lugares que estão, certamente, reservados àqueles que trazem em si o germe da dignidade e do zelo pela coisa pública.

O atentado à bala sofrido por Fábio Lucena em 1975 seria relembrado em *A Crítica*, de 8 de novembro de 1976, em nota da Arena, que levou o título "O MDB e o Homicídio". A mesma trazia ao conhecimento do público uma possível "reconciliação" entre o líder do partido de Oposição e o principal suspeito de ser o mandante do crime, Andrade Netto, seu adversário ferrenho:

8/11/1976 – Nº 9.246, P.01

O MDB E O HOMICÍDIO

O MDB costuma passar por cima dos seus atos criminosos ocorridos entre seus membros, por eles mesmos levantados e por eles mesmos abafados. Toda a cidade se recorda de que, em princípios de 1975, o vereador Fábio Lucena sofreu um atentado à bala que quase lhe custa a vida.

O vereador acusou o seu correligionário, dono do jornal da Oposição, Andrade Netto, de ter sido o mandante do atentado. Na ocasião, Fábio Lucena recebeu solidariedade de praticamente todo o MDB, inclusive através de nota oficial, sobressaindo-se o deputado Aloísio Oliveira e o deputado federal Mário Frota.

De fato nunca se conseguiu provar a autoria do atentado, apesar do empregador do homicida trabalhar para uma firma ligada ao sr. Andrade Netto, que o manteve como empregado, mesmo depois de definitivamente comprovada sua ligação com os assassinos.

O MDB jamais se preocupou em investigar se as acusações contra o dono do jornal da Oposição era verdadeira ou falsa, embora não tenha passado despercebida, mas muito sintomática, a omissão do diretório regional do MDB na sua primeira nota, deixando de defender o jornal da Oposição, o que foi feito no dia seguinte por um deputado oposicionista com notórias ligações com o matutino.

O que fez o MDB sobre a tentativa de homicídio e a acusação contra um de seus membros? Nada. E onde fica a ética do partido? O que faz o MDB agora? Procura conciliar o vereador Fábio Lucena com o sr. Andrade Netto, na vã esperança de que o povo esqueça tudo. Segundo alguns, os dois já se teriam confraternizado em Parintins.

A Arena reconhece no vereador Fábio Lucena um ferrenho adversário, mas um homem de moral e dignidade. Não acreditamos que depois de tudo vá-se confraternizar com quem acredita tê-lo mandado matar.

Não pela Arena, mas em nome do seu eleitorado, cabe ao vereador Fábio Lucena prestar esclarecimentos sobre a presumida reconciliação, pois como seus adversários queremos continuar a respeitá-lo.

Responda, vereador Fábio Lucena, o sr. está ou não se reconciliando com o jornalista Andrade Netto?

Aliança Renovadora/Diretório Regional

É bem provável que o objetivo dessa nota arenista não era exatamente o de rebater as acusações de Azize. Afinal de contas, para a Arena, uma união entre o principal candidato emedebista, Fábio Lucena, e o dono do então jornal de maior circulação da cidade, Andrade Netto, era perigosa, eleitoralmente falando. Até porque, *A Notícia* já havia adotado a linha de oposição ao governo Henoch Reis, publicando denúncias contra o partido governista quase que diariamente. E quem era o maior beneficiado com esse ataque sistemático? Fábio Lucena e os demais candidatos do MDB.

Cientes de que o candidato Josué Filho (Arena) estava bem cotado para ser o vereador mais votado de 1976, e sem ter nenhum fato novo que pudesse atingir negativamente a sua popularidade, o MDB requentou uma matéria no jornal *A Notícia*, do dia 9 de novembro, resgatando uma confusão, ocorrida três dias antes, em um comício emedebista no bairro São Francisco. Uma caravana da Arena, comandada pelos candidatos Carrel Benevides e Josué Filho, chegou de surpresa ao local e tumultuou a reunião. Tiros, pedradas, agressões e atropelamentos fizeram parte daquela página triste das eleições de 1976, em Manaus:

A NOTÍCIA

9/11/1976 – Nº 1.842, P.12

CANDIDATOS DA ARENA
ACABAM COMÍCIO DO MDB EM S. FRANCISCO

Sábado à tarde, depois de fartamente noticiado o local do comício do MDB para aquela noite, alguns candidatos se dirigiram ao bairro de São Francisco, em frente a igreja e começaram as primeiras providências para a realização da concentração do partido de sábado à noite. No entanto, à tarde mesmo já era visível a provocação de candidatos arenistas, pois no mesmo local escolhido pelo MDB e já divulgado pelos volantes, foi colocada, uma faixa do candidato Carrel Benevides principal responsável pelos tumultos naquela noite que tiveram consequências as mais drásticas. Mesmo assim, sem dar qualquer importância à provocação de Carrel Benevides que pagou uma turma de moleques do bairro para impedir a realização do comício do MDB, o comício foi iniciado com a faixa do candidato arenista bem próximo ao palanque do MDB. Por volta das 21h30 quatro carros e uma Kombi, dois deles com sistemas de alto falantes se aproximaram do local do comício, tocando músicas do partido arenista e gravações feitas no intuito de agredir os candidatos do partido da oposição. O barulho foi tão grande que o candidato Francisco Queiroz que fazia o discurso quase não era ouvido. Dirigindo dois carros estavam os candidatos Carrel Benevides acompanhado de uma senhora gorda e Josué Filho, que dirigiram seus carros para o meio do povo no intuito de fazer acabar o comício do MDB. Tal atitude de provocação máxima fez com que o candidato Vitório Cestaro e o deputado federal Antunes de Oliveira se aproximasse dos candidatos arenistas e lhes pedisse que não fizessem aquilo, que se retirassem do local para evitar tumulto, porque o MDB estava ali fazendo comício sob amparo legal e tinha o direito de exigir que sua concentração não fosse perturbada. Os dois candidatos ao invés de retirarem começaram a dizer que no MDB não havia homens e que se algum houvesse que fossem apanhar. Carrel Benevides usava seu alto-falante para dizer toda sorte de palavrões contra os candidatos e contra o povo do bairro de São Francisco. Josué Filho ficou a distribuir seus cartazes políticos e a convidar o povo que ali estava para ir ao comício da ARENA e como todos reagiam chamando-lhe de palhaço, covarde e "meu filhinho", também passou a insultar todo mundo jogando o seu carro contra o povo. Carrel Benevides deu uma marcha a ré no meio da multidão que resultou em dois atropelamentos. Uma senhora com a perna quebrada foi levada ao pronto-socorro no carro de um candidato do MDB. Uma outra com a cabeça quebrada em virtude de uma outra enorme pedra que os moleques que acompanhavam a caravana homicida de Josué Filho e Carrel Benevides, sangrava sem parar e foi socorrida pelos familiares da candidata Beth Azize, que se encontravam no comício. O povo revoltado com a molecagem e atrevimento dos candidatos arenistas cercou seus carros, começaram a dar murros na cara deles forçando a entrarem no carro e se retirarem. Muitos

candidatos para espantar os invasores começaram a soltar fogos para o ar, barulho que se misturou ao barulho das balas que Carrel Benevides disparava de seu revólver na direção do povo. Crianças foram feridas, senhoras apedrejadas. Uma anciã desmaiou e teve que ser estendida no chão.

Tudo isso causava mais revolta ainda no povo do bairro que havia se concentrando em frente a praça para assistir ao comício do MDB. A faixa do candidato Carrel Benevides foi incendiada por um homem do povo que chegou ao local com um balde de querosene, derramou sobre a faixa e esta se desfez debaixo das vaias dos populares. Os carros da caravana homicida se retiraram empurrados pelo povo que cantava em coro: MDB, MDB, MDB. E se referindo a Josué Filho gritavam: Renúncia, renúncia, renúncia!

Os moleques contratados por Carrel Benevides, pra ajudar-lhe na tarefa inglória e covarde, em represália pelo fato de o povo ter queimado a faixa deste candidato, se aproximaram da faixa da candidata Beth Azize com o intento também de incendiá-la. Os familiares de Beth Azize que sempre a acompanham, em número de mais de 30 se acercaram da faixa. Surgiu um moleque com uma lata de gasolina que vendo a reação se apavorou e fugiu do local. A candidata Otalina Aleixo foi empurrada fortemente com um pontapé pelo candidato Carrel Benevides indo parar no chão. Também o deputado federal Antunes de Oliveira quase é esmagado por Carrel e pelos moleques dele e de Josué Filho, levando uma estúpida queda. O candidato Raimundo Nina sofreu uma lesão no rosto e foi conduzido ao pronto-socorro acompanhado de Armando Freitas que deu entrada de queixa no distrito policial competente.

O alvo mais visado era a candidata Beth Azize. Insuflados por Carrel e Josué Filho os seus moleques tentaram se aproximar do carro da candidata com o intuito de agredi-la. No entanto, seus familiares cercaram o carro impedindo que eles se aproximassem. Foi uma cena de fazer inveja aos filmes de faroeste. E como sempre os bandoleiros saíram vencidos porque o próprio povo do bairro foi quem tomou a defesa dos candidatos do MDB, os quais com muita prudência e equilíbrio evitaram um massacre contra o povo do bairro de São Francisco.

O mais lamentável de tudo isso é a triste omissão da polícia. O deputado federal Joel Ferreira tomando conhecimento do clima de provocação desde à tarde, quando os candidatos do MDB arrumavam o local para o comício, de às 19h tentou conseguir junto ao 3º DP a ajuda da polícia, sem nenhum êxito. Alguns candidatos, logo que começou o tumulto provocado por Josué Filho e Carrel Benevides, foram ao 1º BPM e conseguiram que um carro da polícia militar ali chegasse quando tudo já estava por terminar. Mesmo assim a polícia só permaneceu dois minutos no local logo se retirando, enquanto outros tumultos se registravam em face de ter permanecido no local alguns elementos do grupo de Carrel Benevides para tumultuar o comício até o seu final.

Beth Azize quando foi anunciada para falar pipocaram foguetes no ar, saído das portas dos moradores do bairro. E quando ela levou sua mãe, uma senhora de cabelos brancos e porte corajoso para o palanque e mostrou-a ao povo do bairro foi ovacionada durante dez minutos.

Nessa mesma edição, na matéria "MDB mostra corrupção e provocação arenista", há uma contundente declaração do deputado José Costa de Aquino, feito na Aleam no dia anterior, falando sobre o desespero da Arena ante a provável derrota nas eleições de 15 de novembro em Manaus, o episódio do comício no bairro São Francisco e o medo do partido do governo pela eleição de Beth Azize:

A NOTÍCIA

9/11/1976 – Nº 1.842

MDB MOSTRA CORRUPÇÃO E PROVOCAÇÃO ARENISTA

(...)

Aquino afirmou:

"Ninguém mais ignora que se trata de uma derradeira pá de

cal numa desesperada tentativa de diminuir a derrota nas urnas, na próxima segunda-feira. É aquilo que já se disse e é aquilo que o povo já sabe: como a Arena não pode apresentar nenhuma obra de vulto, e como o governo não fez nada que o credencie, a não ser moleza, apatia e nomeação e promoção de "gente do peito", no mesmo dia e na mesma hora, como está acontecendo na Codeama, com a honrada esposa do sr. Afrânio Sá, chefe de gabinete do governador, o que é corrupção fl agrante e vergonhosa, a Arena queima seus últimos cartuchos, mentindo e ofendendo para enganar a opinião pública".

Trata-se, também, de um processo já manjado para tentar encobrir os seus escândalos.

Na semana atrasada, houve uma tentativa de morte dentro da Cosama. No outro dia, a diretora administrativa daquela repartição deu um cascudo no assessor do presidente Waldir Brito. 48 horas depois, um candidato a vereador sacou de um revólver dentro da sede da Arena, fazendo todo mundo correr para o meio da rua. E quando um partido político está assim, não resta dúvidas de que está realmente a beira do descrédito e da derrota.

Senhores deputados, a crise dentro da Arena tem dois motivos capitais: a antevisão da derrota nas eleições, porque a sua chapa é inexpressiva e o trabalho do governo é uma negação, e porque o prefeito Jorge Teixeira recusa-se, ou só vai arrastado aos comícios da Arena, pois ele, melhor do que ninguém sabe que a derrota está na cara e com ela a sua desmoralização total, como suposto futuro candidato ao governo do Estado em 1978. O prefeito também teme enfrentar a opinião pública, pois ele não conseguirá jamais fazer o povo esquecer que ele é um mentiroso, como fi cou provado, publicamente, pela própria bancada da Arena nesta Assembleia, à frente o deputado Belo Ferreira, que acabou provando que o prefeito mandou distribuir 5 mil cobranças do Imposto Predial nos conjuntos populares da Sham.

Contudo, na semana passada, o desespero da Arena tocou às raias do absurdo, da ousadia, da audácia, da provocação, do abuso e da ignorância. Imaginem os senhores deputados que dois candidatos da Arena, usando quatro carros cheios de alto-falantes, tiveram a insensatez de ir ao bairro de São Francisco e de invadir, violentamente, o comício do MDB, onde apanharam na cara como cachorros doidos. Depois ou antes disso a Arena tem coragem de publicar notas chamando o MDB de partido de agitadores.

O povo sabe que o MDB não vai nem quer saber onde a Arena está fazendo comício. Mas, a Arena manda ou permite que seus candidatos metam seus carros de propagando no meio do povo, atropelando homens, mulheres e crianças. Foi o que eles fizeram. E fizeram mais: chamaram os homens de São Francisco de "frouxos", e as mulheres honradas, que se encontravam ali, de "infiéis". Custa crer que se possa agredir tanto a moral de uma multidão. E o resultado dessa provocação é que, por pouco, não houve uma verdadeira chacina. É que a massa, senhor presidente, se revoltou, com justa razão, e expulsou os dois moleques debaixo de tapa e pontapés e quase ateavam fogo em seus carros. Foi preciso muita ponderação e muito apelo dramático dos moradores para que isso não acontecesse. Se fôssemos agitadores, como são esses dois candidatos arenistas, talvez ambos não estivessem vivos hoje. É que o MDB não permitiu que eles fossem massacrados.

É quase inacreditável que esses dois candidatos da Arena tenham vindo de outra extremidade da cidade pra tentar provocar e tentar tumultuar o comício da Oposição no bairro de São Francisco. Resultado disso é que tem gente de perna quebrada, gente de rosto partido, gente de braço fraturado, crianças sofrendo e gemendo por causa da irresponsabilidade desses agitadores perigosos. Eles não foram linchados ou talvez mortos porque o MDB conseguiu, prudentemente, acalmar a fúria do povo.

Agora, senhor presidente, a população pergunta que decisão terá o honrado e respeitável Tribunal Regional? Devo declarar que o TRE não pode sequer dizer que não soube disso, pois o próprio juiz Ludimilson de Sá Nogueira já afirmou, pelos jornais, que tem uma equipe de observadores em todos os comícios da Arena e do MDB. Assim, o próprio Tribunal Regional Eleitoral, em quem o povo confia, e deve continuar confiando, foi testemunha pessoal do atentado e da provocação física desses dois candidatos da Arena no comício do MDB. Diante dessa

verdade pública e notória, entendemos que não é necessário nem formalizar denúncias. O próprio TRE está no dever moral de punir esses dois candidatos e a própria Arena. O que eles cometeram foi um crime a chamada "Lei Falcão". Por menos disso, como se leu ontem na imprensa, o Tribunal Superior Eleitoral cassou a candidatura de dois homens da Arena em Ribeirão Preto, Estado de São Paulo.

Agora, a Arena está partindo para outro esquema. A tentativa de desmoralizar homens do MDB, com a suposta afirmativa de que se pede favores ao governo. Mas, a Arena e o governo não sabem, por exemplo, qual a vantagem que o sr. Ézio Ferreira, empresário fracassado, dono da construtora Procon, está levando para ser o tesoureiro de sua campanha política. Mas nós estamos de olho nisso. Como estamos certo de que os órgãos de segurança não estão alheios a essas coisas.

Saibam também a Arena e o governo que estamos esperando e comprovando a corrupção eleitoral, a peso do poder econômico, que está ocorrendo em sua campanha eleitoral. Na semana passada, a imprensa denunciou que o candidato Waldir Barros, que ficou rico não se sabe como, está distribuindo dinheiro e madeira a custa de votos, pelos subúrbios. Até hoje ele não desmentiu. E não desmentiu e nem desmentirá porque ele sabe que se pode provar isso. É só ele desafiar.

Essas corrupções e esses escândalos dentro da Arena, além da nomeação e da promoção do mesmo dia da esposa do chefe da Casa Civil do Governador, são tão autênticos e indiscutíveis que até o "Jornal do Commercio", em sua edição de sábado passado, publicou um editorial, em primeira página, repudiando e criticando esse procedimento. Iniciando esse editorial, o "Jornal do Commercio" declara que "parece que, infelizmente, aqui em Manaus, não tem tido muita validade os reiterados apelos do presidente Ernesto Geisel, para a unidade partidária da Arena, sem a qual o partido tende a desgastar-se perante a opinião pública".

Mais adiante, o "Jornal do Commercio" diz: "Sente-se, sem necessidade de maior observação mais profunda, que o arenismo manauara não luta apenas contra o MDB. Mas, também com os seus desentendimentos internos, que, sem poderem ser silenciados ou escondidos, extravasam para o conhecimento público. Mesmo nos comícios arenistas, nas praças que são do povo, oradores candidatos tem procurado imolar companheiros do mesmo barco".

A Arena, portanto, não pode negar que está se acabando por si própria. E não somos nós, do MDB, quem afirma isso. É o próprio "Jornal do Commercio". Ontem ainda a Arena, como tem medo da candidata Beth Azize, porque ela sabe dos "podres" do governo e prova o que diz, pegou um candidato inexpressivo, que não vai ter mais de 200 votos, para ofender essa jovem culta e valente. A Arena e o governo tem medo de Beth Azize porque sabe que ela talvez seja a mais votada desta eleição. E será esmagadoramente preferida exatamente porque ela diz o que o funcionalismo público quer dizer mais não pode. Se isso não fosse verdadeiro, Beth Azize não seria carregada nos braços do povo em todos os comícios que ela realiza. A Arena e o governo tem medo de Beth Azize porque sabe que ela, na Câmara Municipal, terá condições para impedir que outras nomeações e outras promoções sejam feitas no mesmo dia e na mesma hora, como está acontecendo com a esposa do chefe da Casa Civil do governador Henoch Reis.

Vou encerrar o meu discurso, sr. presidente. Mas, antes quero declarar novamente, que não vou fazer o jogo da Arena. A Arena vai provar no Tribunal de Justiça o que levianamente vem dizendo de mim. É lá, na Justiça, que a Arena vai ter que exibir o documento que ela diz que tem contra mim. Era o que eu tinha a dizer. Muito obrigado.

José Costa de Aquino

Carrel Benevides vira o principal responsável pelo quebra-pau ocorrido no comício no São Francisco. Em *A Notícia*, de 10 de novembro, o candidato Josué Filho, que estava com ele nesse incidente, conta sua versão sobre o fato e Benevides se torna o ator principal do acontecimento. Vale se registrar que esse, talvez, tenha sido o motivo para que Carrel, pouco tempo depois, se desligasse da Arena e se filiasse ao MDB, tomado, quem sabe, pelo sentimento de ter sido traído pelos arenistas nesse episódio.

Imprensa
Amazonense
CHANTAGEM •POLITICAGEM •LAMA

A NOTÍCIA

10/11/1976 – Nº 1.843

JOSUÉ VIU CARREL BATER EM ANTUNES

A respeito do incidente ocorrido sábado passado, no bairro de São Francisco, em frente à igreja, o candidato Josué Filho, que figurou numa queixa apresentada no 3º Distrito Policial, de Petrópolis, como um dos "pivots" (sic) da confusão, pronunciou-se ontem, para afirmar que não bateu, nem ofendeu, nem mandou bater em ninguém, nem provocou nenhuma desordem, sem inocentar, porém, seu companheiro de partido, Carrel Benevides, além de considerar Carrel agrediu o deputado federal Antunes de Oliveira.

Na opinião de Josué Filho, em sua entrevista, à tarde de ontem, os fatos aconteceram desta maneira: "A caravana da Arena, composta por quatro candidatos (entre os quais eu e Carrel Benevides) vinha de dois comícios volantes. Quando entramos em São Francisco, pela Rua General Carneiro, uma Kombi que ia à frente da comitiva, parou devido à movimentação de veículos e pessoas na rua onde se realizava o comício do MDB, o qual, à primeira vista, julgamos que fosse da ARENA".

"A rua é estreita. Logo, a Belina Corcel, o Fusca e os demais veículos pararam também. Foi quando alguns rapazes conhecidos de Carrel aproximaram-se e disseram-lhe que um motorista da Viama o tinha chamado de ladrão. Carrel, então saltou e perguntou "quem era o macho". Houve, em seguida, um bafafá entre a turma de Carrel, residente naquele bairro, e a rapaziada que acompanha o MDB, que contudo, demorou pouco. Eu mesmo só saí do carro para convencer o Carrel a entrar no carro e sair".

"Não conheço Raimundo Nina e não tomei conhecimento da agressão da qual teria sido vítima. Sei, porém, que o deputado federal Antunes de Oliveira levou um tapa na cara, dado por Carrel. Mas pegou apenas os dedos. Desconheço também, que a Otalina Aleixo tenha levado um empurrão. Com exceção de Antunes de Oliveira, eu só vi o candidato Vitório Cestaro. Muita coisa do que foi dito a respeito do incidente não aconteceu realmente".

Josué não sabia ao menos se Raimundo Nina se apresenta ferido e se o mesmo apresentou queixa à polícia. Disse, porém, que fora informado pelo partido de que não houve registro policial a respeito da queixa de Raimundo Nina. Inclusive acrescentou que lhe alegaram que a queixa fora anotada numa folha de papel. Entretanto, a queixa foi realmente feita no livro de ocorrências do 3º DP, no plantão do delegado José Javan Farias.

"A meu respeito – acrescentou Josué Filho – evoco o testemunho do candidato Áureo Melo, do MDB, que, num jornal local, em artigo de sua autoria, deixou patente o meu bom senso, na tentativa de evitar maiores proporções para o incidente ocorrido em São Francisco. Eu não briguei com ninguém. E aliás, é engraçado: ao mesmo tempo em que me chamam de covarde, me chamam, também de desordeiro. Vejam o absurdo".

Nesse mesmo matutino, Benevides é acusado de ter comandado um grupo que teria estuprado uma jovem, em 1965, na Ponta Negra (Povo deve julgar Carrel como um curador fujão):

A NOTÍCIA

10/11/1976 – Nº 1.843

"POVO DEVE JULGAR CARREL COMO UM CURRADOR FUJÃO"

Enquanto, na Assembleia Legislativa e na Câmara Municipal, deputados e vereadores do MDB prestavam solidariedade aos candidatos do MDB e ao deputado federal Antunes de Oliveira que foram agredidos, moral ou fisicamente, durante o comício que o MDB realizou, sábado passado, em São Francisco, e que foi tumultuado por candidatos da Arena, três candidatos do MDB, Armando Freitas, Samuel Peixoto e Raul Stalde prometeram mostrar quem é, na

realidade, o candidato da Arena, Carrel Benevides, um curador, o principal "pivot" (sic) da confusão. Num gesto que alcançou enorme repercussão, o MDB levou ao comício no bairro de Santa Luzia, em frente à igreja, o candidato Raimundo Nina, uma das vítimas e o autor da queixa policial, registrada no 3º DP, contra Josué Filho, Carrel Benevides e os desordeiros que tumultuaram o comício do MDB. Nina, que se encontra ferido no rosto, apesar das difìculdades, falou durante alguns minutos, narrando como foi agredido, igualmente ao deputado Antunes de Oliveira, pelos arenistas.

Em 1965, no início do ano, quando uma quadrilha de playboys espalhava a intranquilidade em Manaus, assaltando casais e motivados com o propósito de se divertir, destacando-se o caso e um comerciante que foi assaltado na Praça 14 de Janeiro, foi abandonado nu e posteriormente devolveram-lhe as roupas, um caso monstruoso de curra abalou a sociedade de nossa capital, alcançando uma repercussão sem precedentes. Uma jovem, que atualmente é freira num convento em Recife, foi levada à Ponta Negra, onde foi currada, monstruosamente, por um grupo de playboys comandados por Carrel Benevides. O jornal "O Grito", já extinto, de propriedade do jornalista e advogado Armando Freitas, denunciou o hediondo caso. A vítima foi abandonada ensanguentada e maltratada na Praça do Congresso, onde foi encontrada por populares e levada ao hospital. Imediatamente, pelas suas proporções monstruosas, o caso ganhou a repercussão total.

Na Assembleia, chegou a ser denunciado pelo então deputado Roberto Jansen. Na delegacia de Ordem Política e Social, o comissário Walter Rodrigues, que respondia como delegado, por ordem do então chefe de polícia Paulo Pinto Nery, instaurou o inquérito para apurar o caso. Carrel, o principal envolvido, evadiu-se, prontamente, para o Sul do país, só retornando anos depois, quando o caso parecia esquecido. Muita gente, entretanto, ainda não esqueceu os detalhes daquele caso monstruoso, verdadeiro acinte à sociedade.

Carrel, agora, é candidato da Arena. E, na opinião de Samuel Peixoto, já começou a mostrar suas unhas, colocando uma faixa no local onde se realizava um comício do MDB, como absurda provocação e criando uma confusão que a sociedade deve condenar. "Daqui a mais alguns dias, se ele tiver oportunidade - acrescentou - mostrará a sua periculosidade, dentro ou fora da Câmara Municipal. O povo deve saber julgar, no dia 15, o currador Carrel Benevides; deve julgá-lo como pai daquela vítima indefesa, um pai de família como todos os outros, que ele infelicitou, violentou, brutalizou e fugiu depois à Justiça".

Às vésperas do dia da eleição, o deputado federal Joel Ferreira (MDB) e o jornalista Adegeno Amaro, de *A Notícia*, sofreram um atentado em um comício emedebista que aconteceu no bairro Educandos. E mais uma vez, como em um filme, o vilão deu com a língua nos dentes e revelou todos os seus planos diabólicos:

A NOTÍCIA

14/11/1976 – Nº 1.847, P.07

ARENISTAS RECALCADOS QUERIAM MATAR DEPUTADO JOEL FERREIRA

O deputado federal Joel Ferreira e o nosso companheiro Adegeno Amaro sofreram um atentado perpetrado por seis elementos da Arena, durante o comício que o MDB realizou anteontem em Educandos. O atentado foi praticado quando o deputado falava para a multidão.

O chefe dos seis bandidos foi identificado depois por nossa reportagem como João Amazonas, primo do candidato Cláudio Amazonas, da Arena. Joel Ferreira saiu escoltado por seu guarda-costa e vários candidatos do MDB.

Os seis homens que praticaram o atentado usavam chapéus para não serem reconhecidos. Antes, eles já haviam tumultuado o comício e agredido o candidato Adegeno Amaro, com ofensas morais, chegando inclusive a ameaçá-lo de morte.

O comício era levado num clima de ordem e harmonia, até às 21h45, quando seis homens desconhecidos chegaram cobrindo o semblante com chapéus e sombreiros. Os seis se aproximaram do palanque e

iniciaram uma represália contra os pronunciamentos dos candidatos. O plano estava pré-estabelecido para agredir ou até matar Joel Ferreira. O mentor do atentado foi João Amazonas, que assim se identificou ao conversar com a imprensa, no bar São Francisco, onde farreava.

João Amazonas, que possui complexo de inferioridade sobre Joel Ferreira, que cresceu junto consigo e conseguiu alcançar uma posição social invejável no País, premeditou tudo e foi o primeiro a investir contra o deputado.

Joel Ferreira falava neste momento ao povo, que todos possuíam o compromisso moral de ir às urnas e votar acertadamente, porque se existe maus políticos, é porque o povo não sabe escolher seus candidatos. O deputado pasmou e por instantes interrompeu seu pronunciamento. Os candidatos tentaram agarrar os seis elementos arenistas que evadiam-se do local. Comentou-se que os bandidos políticos estavam armados de facas. O deputado Joel Ferreira, e nosso companheiro Adegeno Amaro, que fora agredido antes, não puderam precisar se realmente eles estavam com armas.

Inúmeros candidatos do MDB, entre eles Samuel Peixoto, Alfredo Dias, Pereira Nunes, Vitório Cestaro e Raimundo Nina, saíram à procura dos bandidos. A imprensa tomou o rumo do Boulevard Rio Negro, no afã de colher uma boa reportagem. Por uma dessas coincidências do destino, os jornalistas localizaram o chefe do atentado. Ele bebia com os demais bandidos políticos no bar São Francisco, em Educandos.

A imprensa se camuflou de frequentadora do recinto e chamou o autor do atentado, que logo se identificou como João Amazonas. Ele narrou muitas corrupções nas esferas governamentais e acusou o candidato Carrel Benevides de "estuprador de menores e toxicômano".

- "Sempre tive raiva de Joel Ferreira. Desde criança, quando nós brincávamos aqui em Educandos. Eu não o suporto principalmente pelo preceito de atacar o governo. Foi por isso que eu o ataquei no comício". Essa declaração de João Amazonas, que possui um Volkswagen branco, cuja placa não foi anotada, foi ouvida pelo animador Milton Ferreira, do MDB, e do radialista Juscelino Taketome, da Rádio Difusora do Amazonas.

O resultado final das eleições para vereador em Manaus, em 1976, culminou com a vitória da Arena, que elegeu onze parlamentares, enquanto que o MDB fez dez. Os cinco primeiros colocados foram os arenistas Josué Cláudio de Souza Filho, o mais votado, com 15.834 votos, seguido por Fábio Pereira de Lucena Bittencourt (MDB), Francisco Guedes Queiroz (MDB), Elizabeth Azize (MDB) e Raimundo Sena (Arena).

Uma nota curiosa: após os resultados, alguns candidatos que não foram eleitos tiveram de ser atendidos pelos cardiologistas. As emoções da contagem dos votos e a tristeza pela derrota nas urnas maltrataram os corações dos perdedores:

A NOTÍCIA

25/11/1976 – Nº 1.855

CANDIDATOS CARDÍACOS VOLTAM AOS HOSPITAIS

Os candidatos insuficientemente cardíacos estão indo em massa parar no hospital. Primeiro foi Davi Rocha, que voltou ontem a sofrer uma parada cardíaca, ao saber que fora derrotado por apenas cinco votos. Depois, foi Carrel Benevides e Nelson Maranhão. E, agora, o candidato em mais grave estado é o vereador Gama e Silva que, embora com 1.739 votos, muito acima da votação de Clementino Silva (o 10° candidato eleito pelo MDB), não conseguiu a reeleição.

Uma autêntica guerra de nervos persistiu em todo o decorrer da campanha e se tornou mais crítica agora, com o resultado oficial anunciado pelo Tribunal Regional Eleitoral.

Davi Rocha estava convicto que seria o 3° suplente de vereador. Entretanto, com a reviravolta no pleito, cujo resultado final apontou 11 vereadores para a Arena e dez para o MDB, Davi ficou como o 1° suplente e teria sido eleito se tivesse mais seis votos. Novamente, o vereador não suportou o duro golpe e voltou para o hospital, sob abalo emocional.

Nelson Maranhão e Carrel Benevides sofreram os mesmos efeitos com o desfecho da apuração oficial do pleito. Ambos os candidatos eram anunciados, anteriormente, como eleitos.

Carrel Benevides chegou a comemorar sua vitória. Depois do choque sofrido, ele, já bem mais sereno, revelou suas esperanças de ingressar na Câmara Municipal de 78, com a eleição de alguns vereadores arenistas para Assembleia Estadual. Mas o caso mais crítico fi cou mesmo com o veterano vereador Gama e Silva, mestre em ganhar eleições. Seu azar foi que o pleito teve 110 candidatos lutando por 21 lugares. E ele, Gama e Silva, teve que sobrar, com mais 88 candidatos. O vereador está internado num hospital.

A derrota emedebista nas eleições não seria o único problema do partido naquele momento. Em *A Crítica*, de 23 de novembro de 1976, na matéria "M. Frota: O MDB tem o dever moral de ser incorruptível", o deputado federal Mário Frota deu início a uma caça às bruxas dentro da legenda, falando em corrupção nas fileiras do MDB amazonense.

"Nesse mar de lama, a Oposição tem o dever moral de ser austera, incorruptível", revelou o deputado federal Mário Frota (MDB-AM), para afi rmar - "Sou radicalmente pela purifi cação do MDB e pela punição dos que transgrediram as normas éticas do partido". Mário Frota salientou que "precisamos de disciplina como a que existe no MDB do Rio Grande do Sul, onde a Oposição acaba de esmagar a ARENA com todo o seu poderio econômico, ganhando inclusive no município de Estrela, onde nasceu o Presidente Geisel".

"Precisamos de comandamento (sic), de alguém que possa unifi car o partido, levando-o a uma vitória certa em 1978. (...) Não podemos trair a confi ança daqueles que no desespero do último esforço, do último gesto nos confi aram o voto. Não quero que o MDB seja apenas mais um partido, mais uma ARENA com outro nome" (...) (A Crítica, de 23 de novembro de 1976, P.03).

Frota estava se referindo à denúncia publicada em outubro de 1976, na coluna "Sim e Não" do *A Crítica*, de que o seu companheiro de partido, deputado José Costa de Aquino (MDB), teria enviado carta ao governador Henoch Reis (Arena), elogiando a administração arenista como um "Governo de Paz, Serenidade, Equilíbrio e Trabalho" e solicitando passagens aéreas Manaus – Belém – São Luís – Teresina – Fortaleza – Natal – João Pessoa –Recife –Maceió – Aracaju – Salvador – Manaus. E a parte final dessa possível carta de Aquino a Henoch era bem sugestiva:

"(...) No ensejo, na expectativa do pronunciamento de Vossa Excelência e ao colocar-me ao seu inteiro dispor, em qualquer circunstância e momento, receba os protestos de meu mais alto apreço e distinguida consideração. José Costa de Aquino" (A Crítica, de 3 de outubro de 1976, p. 04).

À época dessa querela, Aquino entrou em rota de colisão com o assessor do MDB, o jornalista Mário Antônio da Silva, que, segundo o deputado, teria sido o responsável pela publicação. Tanto que, no dia 5 de outubro seguinte, o parlamentar chamou sua bancada de "comunista e traidora", porque não apoiou o seu pronunciamento contra o assessor, que solicitava, entre outras coisas, a demissão de Mário Antônio, o que não ocorreu. Acompanhemos dois trechos da matéria "Mário Antônio continua assessor. Paulo desautoriza fala de Aquino".

6/10/1976 – Nº 9.214, P.05

DISCURSO

Já ao final do grande expediente, o deputado Costa de Aquino subiu à tribuna para discursar. Nas suas primeiras palavras, ofendeu com impropérios o bacharel Mário Antônio, que continua como assessor de liderança parlamentar do MDB. Imediatamente o presidente Gláucio Gonçalves fez soar a campainha, pedindo ao parlamentar oposicionista que evitasse usar termos impróprios, ofensivos ao decoro do plenário.

O líder do governo, Homero de Miranda Leão, solidarizou-se com a moção de censura da Presidência. O líder do MDB, deputado Paulo Sampaio, levantou-se para uma questão de ordem e desautorizou, em nome da bancada, o discurso que se iniciara, dizendo que não concordava com seus termos e com sua posição.

CINZEIRO

Completamente fora de si, o deputado José Costa de Aquino começou a chamar sua bancada de "covarde", já sem microfone, que tivera o som cortado. Desesperado, o parlamentar jogou um cinzeiro na direção da bancada do MDB, que se espatifou ao solo, em frente aos seus colegas, mas sem ferir ninguém.

O deputado José Costa de Aquino desceu da tribuna, sob descontrole emocional, atacou o líder Paulo Sampaio, acusando-o de "vendido" e de "comunista", aliado ao sr. Mário Antônio.

O irmão do deputado Costa de Aquino, que se encontrava em plenário, procurou acalmá-lo e, ao mesmo tempo, solidarizar-se com ele, dizendo que havia outros meios para se resolver a questão. A sessão foi interrompida por vários minutos.

As coisas ficaram muito sérias para o lado de J. Aquino. A bancada emedebista se reuniu para fazer uma acareação entre o deputado e o assessor, a fim de decidir se haveria punição a ambos. O mês de outubro todo foi de trocas de acusações entre MDB e Arena nos periódicos, porém, a possível traição de Aquino ficou em segundo plano em razão, provavelmente, da proximidade das eleições. Mas, bastou passar o dia 15 de novembro, que o assunto retornou à baila pela entrevista do deputado federal Mário Frota, querendo caçar os traidores, principalmente após a derrota da Oposição nas urnas.

O deputado estadual Aloísio Oliveira (MDB), em entrevista ao jornal *A Notícia*, de 26 de novembro de 1976, concordou com as medidas "saneadoras, higienização ou de expurgos aos que barganharam com o governo Henoch Reis". No entanto, ele divergia de Frota em alguns aspectos:

A NOTÍCIA

26/11/1976 – Nº 1.856, P.12

ALOÍSIO OFERECE A TRIBUNA PARA MÁRIO FROTA DELATAR
QUEM É CORRUPTO NO MDB

"(...) 1° - As medidas punitivas não são encontradas ou definidas pelo noticiário da imprensa e muito menos através de comerciais de esquina. Porque há em derredor do assunto uma legislação que precisa ser obedecida, regulamentando a matéria.

2° - Apesar dos pesares, continuou o deputado Aloísio Oliveira, continuo afirmando que o MDB regional ou nacional, com todas as falhas estruturais evidentes, tem condições e deve mesmo continuar lutando pela alternância do poder. Pensar o contrário, além de fazer o jogo do partido adversário, seria negar o esforço do deputado Mário Frota no sentido de que a oposição conquistasse as prefeituras interioranas. No mesmo raciocínio, negar-se-ia, também, a luta séria e consciente dos grandes líderes nacionais do partido, a exemplo de Franco Montoro, Paulo Brossard e outros".

Disse o deputado Aloísio Oliveira que, "chegou a hora para o reencontro e as necessárias avaliações do comportamento e atuação para não prejudicar o programa do partido, mesmo que nesse reencontro ocorram as medidas punitivas dos que fizeram, ou continuam fazendo (se for o caso) o jogo da Situação. Mas que esta luta seja travada dentro do partido, se realmente queremos ver alguém punido ou responsabilizado".

E, conclui com muito bom senso: "Não posso ter em mente que o companheiro Mário Frota queira transformar em polêmica tais mazelas, já exaustivamente exploradas nas Notas Oficiais da Arena, pelo simples desejo de polemizar. Mas, caso seja o seu propósito, que não acreditamos, e como não disponha de nenhum jornal, embora desejasse tê-lo, ofereço-lhe a minha tribuna popular para debatermos o assunto, com ou sem auxílio de santo de orelha, porém, a nível parlamentar, que exige elegância e respeito. E só assim saberemos quem são os honestos ou os verdadeiros autênticos e os que, a semelhança dos répteis, rastejaram nas escadarias do Palácio Rio Negro para negociar o conceito do partido, em proveito próprio e alheio. Mexa-se, portanto, meu chapa, porque 78 vem aí e muita água rolará por debaixo da ponte", concluiu Aloísio Oliveira.

As declarações de Aloísio foram indigestas para Mário Frota, que, em nova entrevista ao *AC*, disse que o deputado estadual sabia de todas as peripécias de Aquino e que estava querendo bancar o santinho:

28/11/1976 – Nº 9.266, P.05

FROTA: "ALOÍSIO QUER BANCAR SANTINHO. ELE SABE DE TUDO"

O deputado Mário Frota (do MDB), desafiado por seu correligionário Aloísio Oliveira a nominar os corruptos de seu partido, declarou que "Aloísio quer bancar o santo ou o espertinho. Ele sabe muito bem que o deputado José Costa de Aquino escreveu carta ao governador Henoch Reis, oferecendo seu mandato em troca de passagens aéreas, bem como tem conhecimento da já agora célebre negociata do posto de gasolina da Suframa, para ficar só nos pontos principais. Isso é público e notório e foi fartamente divulgado pela imprensa".

DENUNCIANTE

"Foi Aloísio Oliveira quem me disse - continuou Mário Frota - ter o deputado Farias de Carvalho negociado o seu mandato por um financiamento no Banco do Estado do Amazonas para seu filho. Fiz-lhe ver, naquela ocasião, que o negócio me parecia legal e que o BEA ganharia juros com a transação. Aloísio insistiu dizendo que as garantias oferecidas eram irrisórias e comandou o movimento na bancada do MDB na Assembleia para destituir o deputado Farias de Carvalho da liderança, o que acabou conseguindo". "Agora Aloísio tem o descaramento de vir a público dizer que não sabe de nada".

"Com isso ele só está querendo enganar o povo, em vez de sanear o partido. Por interesses que desconheço, acaba se colocando ao

127

lado da corrupção contra a recuperação da honra comprometida do MDB. Não pense ele que o povo é fácil de ser enganado".

TRAIÇÃO

"Trai o partido quem esconde a verdade do povo e não quem a mostra", definiu Mário Frota. "Não me preocupo com implicações eleitorais, e sim, em saber se o partido está ou não sendo o instrumento de democratização que o povo nele acredita ter ou se serve apenas de trampolim para alguns carreiristas. Não estou preocupado com minha reeleição. Isto é um julgamento do povo. E ao povo só se deve oferecer a verdade".

"O deputado Aloísio Oliveira - prosseguiu Mário Frota - deve ser mesmo um especialista em traição, pois antes chorava nos ombros do vereador Fábio Lucena e agora o apunhala traiçoeiramente, aliando-se aos que querem destruí-lo, porque sabem que Fábio é um autêntico, que junto com os demais, impedirá certa camarilha de usar o MDB como gazua".

DESAFIO

Concluindo, Mário Frota desafiou o deputado Aloísio Oliveira a que some seus esforços para convocar uma reunião do partido, investigar a denúncia e punir os culpados. "Foi Aloísio Oliveira, disse Mário Frota, um dos primeiros a denunciar internamente corrupção, atribuindo práticas indevidas ao deputado Farias de Carvalho. Muito estranho sua atitude recente. Faço questão de afirmar que, para mim, até prova em contrário, o deputado Farias de Carvalho é inocente, o que não acontece para Aloísio Oliveira", concluiu Mário Frota.

Como se vê, mais uma vez estamos em meio a uma sanha política escancarada ao público por meio dos jornais impressos e, desta vez, dentro de um mesmo partido, o MDB, porém, com a mesma rivalidade entre as principais empresas jornalísticas da época: enquanto o deputado federal Mário Frota se utilizava das páginas de *A Crítica*, o deputado estadual Aloísio Oliveira respondia por meio de *A Notícia*.

Mas, essa polarização não impedia que outros matutinos — como o *Jornal do Commercio* — também dessem espaço em suas páginas para esse bate-boca. Assim foi que, no dia 30 de novembro, o *JC* publicou documento que Aloísio escreveu ao diretor de *A Crítica*, Umberto Calderaro, e que foi lido na Aleam no dia anterior.

O texto continha resposta do deputado estadual a Mário Frota, dizendo que a entrevista do seu correligionário, publicada em *A Crítica*, era simplesmente ridícula do ponto de vista político-partidário, e amoral do ponto de vista da linha de austeridade que os parlamentares deveriam seguir. E em determinado trecho, Aloísio alfinetou: "se ele (Frota) tivesse noção do ridículo, não encaracolaria os cabelos para frequentar o Cine-Especial de Brasília, na ambiência das bonecas deslumbradas". E prosseguiu, rebatendo, ponto a ponto, as acusações do deputado federal:

JORNAL DO COMÉRCIO

30/11/1976 – Nº 23.327, P.05

"DENUNCIANTE":

É este o primeiro tópico de sua entrevista. Nessa parte, dando uma de anjo da cara suja ou de cordeiro com alma de satanás, ele (o deputado Mário Frota) sub-repticiamente, maliciosamente parte contra o ilustre deputado Farias de Carvalho, envolvendo-o na transação de crédito operada entre o BEA e o filho do citado deputado, operação esta já amplamente justificada. Como não poderia deixar de ser, recorre-se da mentira, da qual é graduado pela Universidade dos incompetentes, da cidade das nulidades, e o faz descaradamente, uma vez que este assunto foi levantado, não por mim que o desconhecia no peso e conteúdo, em gênero e grau, em reunião de bancada pelo deputado José Costa de Aquino, em desabafo, quando lhe era pedida explicações sobre uma suposta transação com posto de gasolina da Suframa, também a nível de bancada. Só tive conhecimento a partir daí uma vez que não costumo transitar no Palácio "Rio Negro".

Disse ainda Aloísio Oliveira que:

"LIDERANÇA":

Outra sórdida indignidade, sr. diretor, desse rapaz, posto que a necessidade de substituição de liderança foi operada, justifl cada e defl nida, também a nível de decisão de bancada, com a participação de todos, exceto do ilustre deputado Nathanael Bentes Rodrigues, e presente até o vulgar caluniador Mário Frota. Prevaleceu a tese da rotatividade, a par da linha defendida pelo próprio partido, ou mais precisamente a bancada ou outras legislaturas, evitando-se, assim, o achatamento dos demais valores componentes da maioria, sem que, para tanto, fosse arguida atuação parlamentar e muito menos problemas de ordem particular de quem quer que fosse. Não obstante a objetividade de tais ponderações, esclareço mais a V. S.ª, ao jornal e ao público que nos julga que, no particular, tenho ponto de vista fl rmado e que coincide perfeitamente com a opinião do ilustre presidente do diretório municipal do MDB, o vitorioso vereador Francisco Guedes de Queiroz, que indagado sobre liderança pelo jornal de V. S.ª, assim se expressou: "Não sou candidato a líder e nem a vice-líder e até hoje não pedi voto a ninguém, porque ninguém pode ser candidato de si próprio". Entendo, também, que liderança não se pede, conquista-se.

"TRAIÇÃO":

Neste capítulo, o meu irreverente e ingrato acusador, sem munição válida para queimar, insiste na desmoralização técnica da apelação e diz ou "chorava nos ombros do vereador Fábio Lucena e agora o apunhalava traiçoeiramente" etc. e tal, urdindo naturalmente a possibilidade de desentendimento entre mim e o mencionado vereador. Quanta pobreza da imaginação. Jamais se vira tamanho cinismo.

Sr. diretor, a linha de austeridade com que tenho caracterizado meus atos, notadamente em não coonestar com qualquer tipo de pilhagem moral, valeu-me o apelido de "Cavalo de Aço" ainda na Câmara Municipal, período 73/74, e que não me causa o menor aborrecimento. Quando me solidarizo na área política, não faço através de visitinhas domiciliares, como disso usa o meu triste

acusador. Fá-lo através de pronunciamentos públicos. Assim, não sou de fugir do pau e muito menos de alegar favores. Também, não sou de mandar dizer, vou lá e faturo. Porque uma coisa é ser homem e agir como tal, e outra bem diferente é tocar em instrumento alheio ou frequentar o Cine-Especial de Brasília. Pensando que o vereador Fábio Lucena, que me conhece há bastante tempo, entre na sua jogada suja, quis provocá-lo, enquanto permaneço na mais absoluta tranquilidade. Ora, esse pilantrão do Mário Frota não sabe, sr. diretor, que a traição, como a corrupção, não se presume, prova-se.

Ninguém podendo afirmar que sou corrupto, ou que tenha traído o meu partido, sua causa e companheiros, o estimulador do jogo sujo, de que tanto se aproveitou a Arena com suas célebres Notas Oficiais, regiamente pagas, tenta jogar uns contra os outros e mediante que preço perguntará o povo. Essa abutre da dignidade alheia, precisa saber, sr. diretor, que na defesa da minha honra e do respeito que exige à minha vida simples e sacrificada, voltada toda ela ao trabalho honesto, bem diferente, pois, dos que vivem na moleza e nos chavascais das negociatas escúrias, vou nesta defesa às últimas consequências, pouco se me importando se o nível da linguagem cai, porque aí há que se seguir o velho ensinamento de Rui Barbosa: "Se o difamador reage, dirão que se traiu; Se emudece lhe apontarão no silêncio a impossibilidade de defesa. Não! Quando não se tem que temer, é preciso ferrar entre os dedos o réptil, fazê-lo vomitar a língua torpe, e arrancar-lhes as presas".

Vou ficar por aqui sr. diretor, na expectativa do retorno desse desfalcado mental, quando aí tem série novelesca contarei o serviço que lhe prestei quando de sua saída do diretório central da universidade, acusado de malversação dos dinheiros públicos, o dinheiro da campanha e a ingratidão ao seu protetor financeiro, como igualmente me deterei provando a sua deslealdade ao vereador Fábio Lucena, porém com documentos na mão.

No contra-ataque e baixando o nível de vez, Mário Frota respondeu, afirmando ter intimidades com a esposa de Oliveira e chamando-o de caluniador contumaz, crápula, safado, frascário, entre outros adjetivos indecorosos:

1º/12/1976 - Nº 9.267, P.03

FROTA CONTRA-ATACA ALOÍSIO OLIVEIRA

O deputado federal Mário, do MDB, concedeu a entrevista que se segue:

"Quem acompanhou meus pronunciamentos anteriores, estampados nas páginas desde matutino, observou que fixei uma posição: examinar as denúncias contra os membros da Oposição, através de Comissão Especial de Inquérito, e tomar as medidas saneadoras que por acaso fossem consideradas cabíveis".

"Ontem, por razões estritamente pessoais, o deputado Aloísio Oliveira, travestindo a minha tese, usando-a como escudo, atacou-me na minha honra e na minha dignidade por motivos particulares. Preferiria manter os debates em termos elevados, mas já que isto não é possível, já que fui moralmente atingido de público, peço vênia, para também de público, esclarecer o que há por trás das calúnias que me foram levantadas".

"O povo amazonense sabe que este não é o meu estilo. Mas por uma vez serei obrigado a abandoná-lo. A isto fui forçado e peço que o povo me compreenda, mas na honra de homem não se toca".

CHIFRE QUEIMADO

"Entre o deputado Aloísio Oliveira e mim existe um caso pessoal, criado por ele mesmo. Toda vez que precisava de passagens aéreas ou de dinheiro, Aloísio mandava sua mulher ir a minha casa fazer os pedidos. De tanto ela dar em cima de mim, aconteceu o inevitável. Aloísio criou chifres que agora, como um touro miúra, tenta com eles atingir-me. Mas se Aloísio tem chifres, eu tenho o espírito de um Dominguin, célebre toureiro espanhol, e sei desviar-me".

"É explicável que Aloísio tenha posto em dúvida a minha virilidade, pelo despeito que rescende a chifre queimado. No entanto, se ele consultasse sua mulher, esta mesma com quem vive, poderia obter informações, sem dúvida das mais autorizadas, sobre minha virilidade, já que ela foi buscar na rua aquilo que não encontrou dentro de casa".

"Lamentavelmente sou obrigado a trazer para público um corriqueiro triângulo amoroso. Lamento por Aloísio e pela cidadã em questão, ela que sempre foi tão carinhosa comigo".

"O que me estranha é que o deputado Aloísio Oliveira, sendo a versão bíblica de Potifar, está habituado, e nisto sente prazer de ser traído, com seu pleno consentimento, com todas as mulheres com que já se amancebou".

"Desmorona-se, assim, a primeira calúnia de Aloísio".

MENTIROSO

"Aloísio sempre foi um caluniador contumaz, um crápula, safado, frascário, sicário, cnidário, um enganador com sua falsa aparência de honestidade. Ele quis atingir a honra do nobre deputado Damião Ribeiro porque Damião, quando ainda era vereador, impediu, com denúncia da tribuna, que Aloísio consumasse um negócio inescrupuloso da compra de aparelhagem de som para o plenário da Câmara Municipal de Manaus, cuja presidência assumira".

"Aloísio comandou de fato a campanha para tirar o deputado Farias de Carvalho da liderança, acusando-o de ter-se comprometido por um empréstimo no Banco do Estado do Amazonas. Farias, inclusive, queria continuar líder e manteve sua candidatura. Aloísio é que tramou".

"Aloísio mentiu ao dizer que não assinou o empenho. Há cópias nas mãos do presidente José Dutra a quem ele quis aviltar. Mas canalha, mentiroso, safado, burro, pensa que pode enganar o povo quando ele mesmo andava espalhando pela cidade que Farias e Aquino eram corruptos".

"Além de burro, Aloísio conta agora com mais uma desvantagem, que é o peso de enormes chifres que hão de estar, neste momento, obliterando seu raciocínio já difícil por natureza".

"Quem conhece pessoalmente Aloísio, a esta hora está decepcionado, depois de tanta sem-vergonhice, depois de tanto acusar seus companheiros, vem agora com cinismo se desmentir".

TRAIDOR

"Aloísio é traidor e dedo-duro há muito tempo. Quando explodiu a Revolução, ele fez parte da Comissão de Inquérito que demitiu seis de seus próprios colegas da COPAM".

"Aloísio traiu Fábio Lucena. Fez demagogia no enterro do pai do vereador e agora "come milho" pela mão daqueles que tentaram ceifar à bala a vida de Fábio. Porque Fábio é um autêntico oposicionista. Como não conseguiram destruí-lo à bala, tentaram com calúnias, as mesmas armas que tentam com os membros da ala autêntica do MDB, que quer moralizar o partido e impedir que seja usado como meio de enriquecer ilícito".

"Estou providenciando a documentação da época em que eu era presidente do diretório central dos estudantes para provar que Aloísio mentiu".

MOTÉIS

"Pois é Aloísio. Não sei se seus chifres são de enroscar. Se forem, pendure-os num cabide para que a falta de peso lhe devolva um pouco de lucidez. Volte querendo como quiser, seu crápula, pulha, canalha e corno profissional".

Para demonstrar gratidão pelos bons momentos que desfrutei com sua mulher e porque acho ser possível vocês se reconciliarem, sugiro que você a leve a alguns motéis dos que existem pela cidade. Ela gosta e poderá indicar quais os seus preferidos, os que considera os melhores. Vá por mim que ela tem bom gosto".

O caos estava definitivamente instalado no Movimento Democrático Brasileiro amazonense. Pela ausência, talvez, de maior habilidade política na

época, o deputado Mário Frota acabou colocando todos os seus correligionários do MDB no mesmo saco de "mercadores de mandato" e, confrontado que foi pelo deputado estadual Aloísio Oliveira, terminou por descambar pela baixaria midiática.

As trocas de acusações e de insultos se tornaram ainda mais frequentes nas semanas que se seguiram, divulgadas em nível nacional pelos principais jornais impressos do País. Ao ponto de o então ministro da Justiça, Armando Falcão, solicitar ao governador do Estado punição ao jornal *A Crítica* por ter publicado a entrevista obscena de Frota:

JORNAL DO BRASIL

13/01/1977

A VERGONHA AMAZONENSE VISTA PELA IMPRENSA BRASILEIRA
Lei de Imprensa contra jornal de Manaus

BRASÍLIA - O ministro da Justiça encaminhou ofício ao governador Henoch Reis, do Amazonas, solicitando que, através do Ministério Público, sejam tomadas providências legais contra o jornal "A Crítica", de Manaus, por haver publicado entrevista do deputado federal Mário Frota, contendo ofensas graves ao deputado Aloísio Oliveira. Os dois parlamentares são do MDB.

A publicação foi considerada como "atentatória à moral e aos bons costumes" e a decisão do ministro baseou-se em proposta que lhe fez a Polícia Federal e porque entendeu a consultoria jurídica do ministério que o delito do jornal (abuso de liberdade de informação) está previsto no art. 17 da Lei de Imprensa.

A entrevista de Mário Frota, que circulou em Brasília através de cópias mimeografadas, estava vazada em linguagem crua e grosseira e causou espécie por ele declarar que Frota mantinha relações amorosas com a mulher do seu correligionário Aloísio de Oliveira. Expressões vulgares constaram do teor da entrevista que gerou, depois de amplamente divulgada, além de revolta na sociedade amazonense, um sério atrito com a troca de murros, em Manaus, entre o acusador e o acusado. Antes, Oliveira havia dito publicamente que Frota "não tinha virilidade".

No gabinete do ministro da Justiça, não se quis adiantar mais nada em torno do problema gerado pela publicação da entrevista, mas nos meios políticos admitia-se que venham a ser tomadas medidas legais também contra os dois deputados por ferirem o decoro parlamentar (...).

O diretório regional do MDB, então, marcou reunião para o dia 26 de janeiro seguinte, a fim de deliberar quais providências seriam tomadas para punir os deputados Mário Frota, Aloísio Oliveira e José Costa de Aquino. O julgamento seria realizado com a participação de 25 diretorianos, entre eles Evandro Carreira, Joel Ferreira, Antunes de Oliveira, José Cardoso Dutra, Farias de Carvalho, Natanael Rodrigues, Damião Ribeiro e Manuel Diz, Manuel José de Andrade Netto, Clementino Rodrigues da Silva, Francelino de Souza Mota, Francisca Diva Frota Moreira (mãe de Mário Frota), Teresinha Soares da Frota, Camilo Fares Abnader, Francisco Ferreira, Jaspe Correia e José Flávio Assen. E para representar o MDB nacional, esteve presente à assembleia o senador por Goiás, Lázaro Barbosa.

A reunião-julgamento começou na tarde do dia 26 e terminou somente nas primeiras horas do dia seguinte. E o resultado final foi as suspensões de Frota (um ano), J. Aquino (um ano) e Aloísio (três meses). No período de suas punições, os parlamentares condenados não poderiam receber nenhuma delegação do partido, ou seja, não poderiam pertencer a nenhuma comissão nos parlamentos, nem viajarem representando a sua Casa Legislativa e não poderiam pertencer ou participar de nenhuma reunião partidária.

No entanto, em uma manobra para não perder eleição da Mesa Diretora da Assembleia Legislativa do Amazonas (já que o 8 a 7 pró-MDB virou 7 a 6 pró-Arena), no início de fevereiro de 1977, os deputados apenados — especialmente Aloísio Oliveira e José Costa de Aquino (estaduais) — interpuseram recurso para o diretório nacional emedebista, fazendo com que a pena fosse suspensa até que o órgão hierarquicamente superior se manifestasse a respeito. E enquanto não houvesse esse julgamento, os parlamentares poderiam continuar exercendo suas funções, inclusive, votar para a composição da Mesa.

E foi o que aconteceu.

Ou seja... Tudo acabou em pizza.

No próximo momento do livro, vamos relatar mais uma confusão exposta ao público pelas tintas dos jornais manauaras. E desta vez, além de alguns

personagens políticos já apresentados em outros episódios dessa obra, teremos os próprios donos dos principais jornais impressos de Manaus se enlodando, dia a dia, em uma guerra suja e baixa: Andrade Netto (*A Notícia*) versus Umberto Calderaro Filho (*A Crítica*).

Nesta parte, fizemos a opção de, praticamente, apenas transcrever as páginas dos dois periódicos, pois elas são melhores que qualquer tipo de análise ou conjectura que pudéssemos fazer. E tudo começa em mais um racha no, agora, PMDB (ex-MDB) do Amazonas. Mais uma disputa interna, mais acusações, mais desrespeito mútuo e mais lama impressa.

A CRÍTICA
X
A NOTÍCIA

A publicação de um manifesto da chamada ala dissidente do PMDB amazonense, no jornal *A Crítica* do dia 16 de março de 1980, motivou o deputado Samuel Peixoto a se pronunciar na sessão plenária da Assembleia Legislativa do Estado do Amazonas. Seu discurso foi o estopim para uma semana de palavrões na imprensa de Manaus.

O protagonismo inicial coube ao deputado Samuel Peixoto e a deputada Elizabeth Azize, mas o imbróglio enveredou por outro caminho e culminou com a entrada em cena dos proprietários dos jornais mais lidos do Estado: Umberto Calderaro, de *A Crítica*, e Andrade Netto, de *A Notícia*.

Esta obra relatará esse episódio, dia após dia, conforme a cronologia das publicações nos respectivos matutinos diários, dando a exata compreensão do que ocorreu na imprensa de Manaus naqueles dias e a confirmação da característica mais marcante da imprensa tupiniquim: a discórdia.

Dia 16 de março de 1980

Ao Amazonas e ao Brasil

Um grupo de senadores, totalmente desvinculado da realidade amazonense, e interessada unicamente em prestigiar uma folclórica figura da vida pública deste Estado, onde não tem dimensão política, nem voto, senador eleito pelo acaso em 1974, decidiu fender a oposição local, entregando a Evandro Carreira a direção regional do PMDB.

Em face de decisão tão esdrúxula, oriunda de Brasília, os signatários do presente, que são todos os vereadores que permaneceram no PMDB na capital, a maioria absoluta dos deputados estaduais em idêntica situação e o único representante do partido na Câmara dos Deputados, vimos tomar público o que segue:

1- Repudiamos enfaticamente, incondicionalmente, e irreconciliavelmente e irretratavelmente, essa espúria decisão, por não haver consultado os legítimos interesses da oposição autêntica o que revoltou profundamente os milhares de eleitores simpatizantes do extinto MDB, dentro do qual, por longos anos, ao preço de inenarráveis sacrifícios, nós, os signatários, combatemos o regime de arbítrio implantado no País e defendemos intransigentemente os sagrados interesses do povo;

2- Não aceitamos, sob nenhum pretexto, hipótese, argumento, alegação ou equivalentes, a espúria decisão dos senadores e rechaçamos, peremptoriamente, a presunçosa liderança do sr. Evandro Carreira;

3- Comunicamos que permanecemos no PMDB na condição de dissidentes, com a firme e inabalável intenção de disputar, nas convenções que por força de lei serão realizados em todo o Estado, o comando do partido que de fato e de direito nos pertence, de vez que detemos, com os nossos mandatos a esmagadora maioria dos votos oposicionistas;

4- Denunciamos a farsa de Brasília, pois a Comissão Nacional mandou ao Amazonas um de seus membros, o eminente deputado Fernando Coelho, de Pernambuco, a fim de sondar a realidade oposicionista amazonense; de retorno a Brasília, o ilustre emissário ofereceu um relatório à Comissão Nacional, em que deixou claro que os comandos partidários simplesmente ignoram o sr. Carreira. Hipocritamente, os senadores desprezaram o relatório de Fernando Coelho e travestiram a verdade com o véu diáfano da decisão espúria que entregou ao sr. Evandro a direção do partido;

5- Tão repugnante é a farsa dos senadores que Evandro Carreira indicou para compor sua "comissão" nomes comprometidos com outros partidos políticos, como é o caso do deputado Samuel Peixoto, já público aderente do PTB e que, no entanto, acatado pelo clube senatorial;

6- Pelo presente documento, pedimos, ainda, aos nossos adeptos do interior do Estado, que nos deram o controle da esmagadora maioria dos antigos diretórios do MDB, que repudiem qualquer orientação do sr. Carreira e que diligenciem, por todos os meios, para sabotar os efeitos dessa espúria decisão em nosso Estado; e pedimos-lhe que aguardem nossas instruções, que não lhes faltarão no momento oportuno, a fim de esmagarmos, nas convenções

municipais e na regional, essa caricata direção partidária que foi imposta por Brasília;

7- Finalmente, pedimos aos eleitores oposicionistas da capital e do interior que aguardem receber, das mãos dos signatários deste manifesto, as fichas de filiação partidária, para que sejam entregues e registradas, não nesse diretório, espúrio, que os senadores deram a Carreira, mas na própria soberana, íntegra e serena justiça eleitoral, como faculta a lei, formando, assim, o grande batalhão da oposição neste Estado que vai prosseguir na luta pelos ideais da justiça, da liberdade e da democracia, sob a proteção de Deus e para a grandeza da Pátria.

Manaus, 15 de março de 1980

Deputado Mário Frota
Deputada Elizabeth Azize - líder do PMDB na Assembleia Legislativa
Deputado José Costa de Aquino
Deputado Manuel Diz
Vereador Fábio Lucena - líder do PMDB na Câmara Municipal de Manaus
Vereadora Otalina Aleixo
Vereador Carrel Benevides

A NOTÍCIA

Rifi fi na Assembleia

A reunião da Assembleia Legislativa, ontem, acabou na base do pau, com a briga interna pela legenda do PMDB [Partido do Movimento Democrático Brasileiro] sendo travada com insultos, palavrões e até tamancadas. De um lado o deputado Samuel Peixoto afirmava que não tem medo do "sapatão" da Beth Azize; e do outro a própria chamando o primeiro de bandido, mentiroso e ladrão. Samuel gritava "piranha" e do outro a deputada Elizabeth Azize descalçava o tamanco e o atirava ao seu colega parlamentar. Não houve tabefe porque a turma do "deixa disto" impediu o desforço pessoal, mas a reunião de hoje promete ser das mais "quentes". O grupo majoritário da Comissão Regional do PMDB distribuiu nota sobre sua posição, sem mencionar o incidente e o deputado Francisco Queiroz pronunciou violento discurso na mesma reunião.

"Não tenho medo do sapatão da Beth", assegura Samuel
(Cidade, p.07 - 1° caderno)

Piranha, larápio e outros adjetivos incomuns ao Plenário da Assembleia Legislativa foram ouvidos, ontem, durante um incidente que envolveu os deputados Samuel Peixoto e Elizabeth Azize, com esta retirando seus tamancos e atirando contra o primeiro, por pouco não atingindo um agente de segurança.

Revoltado "com o noticiário capcioso de um jornal local", Samuel foi à tribuna lamentar o ocorrido e acusar Elizabeth de "trair o ex-MDB e o povo amazonense", declarando que assuntos internos, discutidos reservadamente, eram levados ao conhecimento público de forma inconveniente por traição dessa parlamentar.

Veementemente, Samuel contestou a insinuação de "votar com o governo" na rejeição da inserção do manifesto da ala dissidente do PMDB, sentenciando: "Fui eleito pela oposição e sempre procurei defender os interesses do povo que me elegeu. Não tenho nada a alugar, vender ou negociar com o governo".

A seguir, contestou termos da publicação, dizendo que, ao contrário do que é dito no jornal, "Elizabeth está mais preocupada com o povo americano do que com o amazonense, tanto que, ao invés de viajar pelos nossos municípios, preferiu ir ao México e Estados Unidos".

Samuel fez outra acusação, a seguir, alegando que o grupo dissidente está vendido ao governo cumprindo a sua missão de criar problemas para a oposição, com o objetivo de desarticulá-la. Citou o caso do deputado Mário Frota, "vendido ao governo e controlado - como explicou depois por recados do ministro Golbery" (ministro chefe da Casa Civil).

Enquanto Elizabeth procurava responder ao orador, chegando a dizer que a Mesa não usava sua autoridade, Samuel concluiu, alegando não aceitar "a liderança de quem trai a oposição e o povo".

Depois disso, as coisas esquentaram e caminharam para proporções imprevisíveis. Os dois parlamentares trocaram ofensas e ameaças, com a líder do PMDB sacando os tamancos, pesados, para atirá-los, por quatro vezes seguidas, contra seu companheiro de bancada. Quase atingia um segurança.

A intervenção dos deputados e dos agentes de segurança, além da manifestação de Gláucio Gonçalves, que dirigia os trabalhos, e, também, da iniciativa de Homero de Miranda Leão em iniciar prontamente seu discurso, evitaram maior gravidade.

Ao sair o deputado Samuel Peixoto declarou: não tenho medo do "sapatão" da Beth.

Samuel apanhou de tamanco de
Beth Azize no plenário

A deputada Elizabeth Azize, líder do PMDB na Assembleia Legislativa, insultada pelo também deputado Samuel Peixoto, ex-MDB (Movimento Democrático Brasileiro), mas que está indefinido entre PTB (Partido Trabalhista Brasileiro), e o PP (Partido Progressista), reagiu de forma violenta, jogando um tamanco no agressor, que foi atingido na cabeça. Não é a primeira vez que o parlamentar agride mulher, pois já houve o precedente com a deputada Socorro Dutra, mas ontem encontrou a reação que não esperava. E só não apanhou, para se desmoralizar de vez, porque correu, sob a proteção da segurança da Casa.

Charge de Mário Adolfo, publicado no Jornal A Crítica de 19 de março de 1980, p.06

Beth bateu de tamanco em Samuel
(Caderno Política, p.06)

Depois de tachar os integrantes da ala dissidente de "traidores e pilantras a serviço do governo para esfacelar ainda mais a

oposição" e de pronunciar termos antirregimentais contra a líder da bancada do partido na Assembleia Legislativa, o deputado Samuel Peixoto teve que contar com a proteção de um agente de segurança daquela Casa para escapar da surra a tamancadas que fatalmente lhe aplicaria a deputada Elizabeth Azize.

O manifesto da ala dissidente publicado pela imprensa motivou todo o tumulto. O deputado Peixoto se propunha a analisar uma matéria da deputada Elizabeth Azize, mas da análise, que não aconteceu, passou a agredir os dissidentes do PMDB com palavras absurdas. Elizabeth, na condição de líder de sua bancada, dirigiu-se a Mesa pedindo que fosse respeitado o Regimento Interno, sob pena dela terque usar suas próprias armas para defender a sua dignidade de mulher vilmente agredida pelo causador do tumulto.

Tamancadas

Nessa altura dos trabalhos já se percebia o clima de tensão no Plenário da Assembleia. No exercício da presidência o deputado Gláucio Gonçalves esclarecia que o regimento seria respeitado. Para isso, pediu a colaboração dos parlamentares, mas Samuel Peixoto prosseguia com os insultos, num autêntico desrespeito aos seus pares e ao povo presente.

Diante das discussões paralelas a presidência teve que suspender os trabalhos. Peixoto continuava agredindo a Elizabeth Azize com palavras impróprias até para os ambientes mais baixos. Chamar os dissidentes de traidores e imbecis não satisfazia. Era preciso ofender a moral de mulher da líder do PMDB.

Como as ofensas não cessavam, a parlamentar reagiu a altura os insultos, dispondo-se a aplicar uma surra no seu agressor. Foi assim que retirou dos pés os tamancos para atirá-los contra o ofensor. O primeiro tamanco foi arremessado contra o deputado, que retrocedeu para não ser atingido.

Elizabeth Azize, porém, não se dava por satisfeita. Apanhou o outro tamanco e jogou contra seu agressor, que se viu obrigado a buscar a proteção de um agente de segurança da Assembleia. Foi à salvação do deputado, pois do contrário a tamancada da líder oposicionista o teria nocauteado.

Solidariedade

Logo após o incidente chegava a Assembleia Legislativa o vereador Carrel Benevides, que emprestara solidariedade a Elizabeth Azize. Carrel chegou a pedir que os "valentes" deixassem as mulheres do PMDB e procurassem atacar aos homens do partido.

À tarde na Câmara Municipal a bancada do PMDB apresentou uma moção de solidariedade à líder do partido na Assembleia, repudiando o comportamento do deputado que agrediu e ofendeu até a sua honra de mulher. O documento que foi assinado pelos vereadores Vitório Cestaro, autor da proposição, Carrel Benevides, Fábio Lucena e Otalina Aleixo tem o seguinte teor:

"Em vista da brutal agressão de que foi vítima a deputada Elizabeth Azize por parte de um deputado, que ofendeu até a sua honra de mulher, os vereadores com assento a Câmara Municipal apresentam a destemida e nobre correligionária, os sentimentos da mais sincera solidariedade".

A deputada Elizabeth Azize, por sua destacada atuação na Assembleia Legislativa, é respeitada por legiões de amigos e admiradores, quer pela elegância de seu comportamento parlamentar, como pela probidade moral de sua vida, digna descendente de umas das famílias mais conceituadas que ornam nossa sociedade.

O deputado que a agrediu tão vilmente, levado por ímpetos sórdidos e irracionais que moldam seu comportamento na Assembleia, além de ter merecido a resposta imediata da íntegra e corajosa deputada, também merece o repúdio da sociedade política desta terra, que exige de seus representantes um comportamento humano que não os rebaixe até a lama de um estábulo.

A notícia alardeada pelos matutinos da capitalsobre o ocorrido na sessão plenária da Assembleia Legislativa expôs a cizânia reinante na bancada do PMDB e surpreendeu a população amazonense. Era a ponta do iceberg do que estaria por vir. No dia seguinte, a divulgação da matéria de *A Crítica*, sob o título provocativo "Beth promete usar de novo os tamancos", oxigenaria o episódio e garantiria novos capítulos.

Dia 20 de março de 1980 (quinta-feira)

Beth promete usar de novo os tamancos

A deputada Elizabeth Azize, líder do PMDB na Assembleia Legislativa, voltou a reportar-se aos acontecimentos da sessão de anteontem, quando revidou os ataques do também deputado Samuel Peixoto a tamancadas.

Depois de reportar-se à sua atuação política, respeitando a todos e por todos respeitada, assegurou que se voltar a ser agredida pelo parlamentar, até hoje indefinido, usará novamente seus tamancos. O grupo dissidente do PMDB lançou novo manifesto ao povo amazonense.

NOTA AO POVO
PMDB DISSIDENTE

Os signatários do presente, todos detentores de mandatos e depositários da esmagadora maioria dos votos oposicionistas do nosso Estado, vimos, em face de uma nota ontem publicada num matutino local, assinada por seis cidadãos, tornar público o seguinte:

1- Não aceitamos, dentro do PMDB, imposições de maiorias que só são maioria porque composta em sua maioria, de elementos derrotados nas últimas eleições. Já o dissemos, e di-lo-emos quantas forem as vezes necessárias, que a decisão dos senadores, adotada em detrimento e desconhecimento da realidade política do Amazonas, para nós não existe, pois, dentro da lei, vamos disputar nas convenções o comando da Oposição Amazonense que foi por nós robustecida e não por elementos que formaram nos quadros da Arena, como o senador Carreira; que são funcionários do Ministério de Relações Exteriores, onde exercem cargo de confiança do Governo Federal, como o sr. Artur Neto; e por notórios aderentes do PTB, como o deputado Samuel Peixoto, que não faz muito nos chamava a nós herdeiros do MDB, de comunistas porque estaríamos sendo dirigidos por controle remoto pelo ex-governador Miguel Arraes, de Pernambuco;

2- Estranhamos que o ex-deputado José Dutra assuma a posição pouco digna de assinar, juntamente com o sr. Carreira uma "Nota ao povo amazonense" e esclarecemos as razões da estranheza: há cerca de um ano o sr. Carreira chamou de ladrão o sr. Dutra pelos jornais; tachou-o de "o homem dos seis milhões de dólares" e de outras roupagens que o então deputado Dutra considerou ofensivas à sua reputação, tanto que, retorquindo as investidas de seu agressor, não lhe poupou os adjetivos mais rudes ao classificar de "rato, agiota, chicaneiro, pústula, sicofanta, proxeneta" e de outros qualificativos pouco encomiásticos o senador Evandro Carreira;

3- Não nos recordamos de que, durante o regime de arbítrio que vigorou por quinze anos, os signatários da nota de ontem o tenham combatido, pois em abril de 1964 o sr. Carreira, líder do grupo, era vereador em Manaus e, nessa condição, comandou o espúrio processo de cassação do mandato do vereador Manuel Rodrigues, o humilde operário que foi jogado à amargura e aos cárceres para satisfazer o insaciável apetite do sr. Carreira, que a todo custo queria cair nas graças dos militares vitoriosos; somente já quando estava definido o fim do regime de força, quando o governo já iniciara a extirpação do Ato Institucional número V da vida brasileira, foi que alguns dos signatários da nota de ontem se decidiram por combater aquilo que praticamente já estava derrotado: a prepotência e

o arbítrio. "Bravos no desarmamento dos desarmados!" - diria Rui Barbosa;

4- Comunicamos aos eleitores oposicionistas da capital e do interior que nossas bases eleitorais, desde Manaus ao mais distante município amazonense, já estão devidamente instruídas no sentido de renegar a orientação do grupo imposto pelo clube do senado; e comunicamos as nossas bases do interior, que, tão logo o egrégio Tribunal Superior Eleitoral defira o pedido de registro do PMDB, lhes enviaremos as fichas de inscrição partidária que deverão ser entregues ao Meritíssimo Juiz da Comarca e nunca à direção imposta pela espúria decisão do clube do senado, e que só é majoritária porque resultante do mais amoral conciliábulo de que tem notícia no Amazonas, mas que será, não haja dúvidas, por nós esmagada nas convenções.

Manaus, 20 de março de 1980

Deputado Mário Frota
Deputada Elizabeth Azize - líder na Assembleia Legislativa
Deputado Costa de Aquino
Deputado Manuel Diz
Vereador Fábio Lucena - líder na Câmara Municipal
Vereador Padre Vitório Cestaro
Vereadora Otalina Aleixo
Vereador Carrel Benevides

A promessa da deputada Beth Azize não ficaria sem resposta. No dia seguinte, por meio do jornal *A Notícia*, Samuel Peixoto publicou a sua versão sobre o ocorrido, chamando o noticiado de "campanha de injúria contra mim" e, pela primeira vez, não se ateve apenas à deputada Beth Azize: passou a ter como alvo, também, o matutino *A Crítica*.

Dia 21 de março de 1980 (sexta-feira)

A NOTÍCIA

(Cidade, p.07 - 1º caderno)

"Estão mentindo e denegrindo meu nome", diz Samuel

Resolvendo, ontem, "reagir contra a sórdida campanha que um jornal local e a deputada Elizabeth Azize vêm desenvolvendo contra a sua imagem pública", o deputado Samuel Peixoto declarou que vai solicitar à presidência da Assembleia que reponha a verdade dos fatos, para salvaguardar "o prestígio e a dignidade daquele poder, enxovalhado por essa campanha".

"É mentira que eu tenha apanhado de mulher, seja de que laia for. Todos os deputados, funcionários da Assembleia, e o povo, que lá se encontrava, testemunharam os fatos, esses mesmos fatos que um jornal local, interessado em um uma campanha de injúria contra mim, deturpou levianamente", afirma Samuel.

"Fui à tribuna, no dia do incidente, na terça-feira, para, a bem verdade e da justiça, contestar a publicação tendenciosa desse jornal, e para acusar a deputada Elizabeth Azize de levar essas informações capciosas à imprensa". Não é de agora que essa parlamentar presta informações desse tipo, traindo os seus companheiros do ex-MDB, depois das reuniões secretas.

A deputada começou a se zangar, perdendo a compostura, quando lhe fiz essa acusação, sem que fosse contestado, e quando lhe disse que eu não poderia pertencer ao partido do governo, e muito menos negociar com esse governo, porque não tenho nada

para vender-lhe ou alugar-lhe, ao contrário da parlamentar, que, conforme descobri, está usando a sua condição de política oposicionista para impor aluguéis altíssimos ao governo.

Aliás, sua interferência indigna vai mais além: ela usa dessa mesma condição para evitar, com a ajuda do governo, que uma casa de lenocínio, o motel "Merci", no bairro de Santo Agostinho, seja fechado por se encontrar no centro de uma área residencial no arrepio da lei.

Sem condições para contestar as minhas assertivas, a deputada usou o único recurso ao seu alcance, a falta de compostura, e passou a me agredir verbalmente, ao que revidei de pronto, porque ela não tem condições morais para gritar com quem quer que seja. Fui chamado de larápio e revidei, trocando essa palavra por piranha. Se a deputada não tem amnésia, deve saber que não fui a primeira pessoa a fazer isso, e que entre elas está o próprio deputado federal Mário Frota, a quem ela se junta hoje, esquecendo as ofensas do passado.

É um fato que a parlamentar sacou de seus tamancos e os atirou, mas é mentira que os tamancos tenham acertado em alguém, especialmente em mim. Mas o jornal que a apoia nessa campanha infame, diz o contrário, tentando levar-me ao ridículo, o que não conseguirão, de forma alguma.

Depois, ela alega que eu estou acostumado a brigar com mulheres, citando o nome da deputada Socorro Dutra. Realmente, tive uma discussão com a deputada Socorro Dutra, no arroubo de um pronunciamento. E não fui o primeiro a discutir com a ilustre parlamentar.

Aliás, sou testemunha, como tantos, que na legislatura passada, Socorro "brigou" por várias vezes, em proporções bem maiores, o que prova que esses entreveros são comuns. O que seria incomum para a deputada Socorro Dutra seria sacar os tamancos e jogá-los contra quem quer que seja. Essa experiente e honrada política sabe, naturalmente, o que representa um desrespeitoso e desonroso gesto como esse. Tamanco não é formação moral de ninguém, e nem argumento.

A segurança da Casa, e outros deputados, evitaram maiores proporções, mas eu estava disposto a coibir o abuso a qualquer preço, como qualquer pessoa faria em meu lugar. Bater em mulher é covardia (quando se trata de "mulher" mesmo), mas já vi muito homem bater em abuso de mulher. Não é, porém, o que farei com a deputada, porque minha formação moral e cristã não me permite. Sei que me compreendem.

Respondo a verdade dos fatos, quero declarar que não mais me calarei a essa campanha sórdida, mesmo que seja para evitar maiores proporções. Não sou de provocar brigas, mas sou menino de bairro, forjado nas difi culdades do cotidiano, que não tem medo de desaforos ou arreganhos.

De hoje em diante, enfrentarei os canalhas, estejam onde estiverem, venham disfarçados de doutores ou de intelectuais ou não, porque ninguém mesmo, só Deus, vai me impedir de continuar defendendo esse sofrido povo amazonense. Faço parte do grupo dos pequenos, que os grandes querem esmagar, mas lutarei até o fi m.

Justifi co meu pedido à Mesa, porque é o Poder Legislativo que se desmoraliza com fatos dessa natureza, quando os fatos verdadeiros são truncados e mutilados por interesses escusos, diferentes dos interesses populares.

Note-se que o jornal A Crítica acolhia a deputada Beth Azize e A Notícia, o deputado Samuel Peixoto. Até então o embate se restringia aos dois protagonistas. Mas nas edições do jornal A Notícia dos dias vinte e dois e vinte e três de março, Samuel Peixoto,sob a alegação de que havia sido agredido por A Crítica, mudou de alvo.

Não havia dúvidas quanto às escolhas dos dois veículos de mídia impressa: *A Crítica* acolhia a deputada Beth Azize e *A Notícia*, o deputado Samuel Peixoto.

Até então, o embate ainda se restringia aos dois deputados. Porém, nas edições dos dias 22 e 23 de março, de *A Notícia*, Samuel Peixoto, sob a alegação de que havia sido agredido por *A Crítica*, repetiu o que já havia feito na edição anterior daquele jornal, mas agora ia além, instigando seu proprietário com o claro propósito de trazê-lo para o palco da pugna.

O argumento por ele sustentado pedia a abertura, na Câmara Municipal de Manaus, de uma Comissão Especial de Inquérito para apurar o que de fato havia acontecido com o Instituto Montessoriano, instituição idealizada e criada pelo sociólogo André Araújo, sogro de Umberto Calderaro.

A atividade-fim daquela instituição era atender pessoas com deficiência, mas havia sido abandonada subitamente. Além disso, a despeito do imóvel ter sido doado pelo poder público, o deputado dizia ter notícia de que o terreno onde o Montessoriano se encontrava fora vendido ilegalmente à iniciativa privada.

O diretor e o jornal *A Crítica* acusariam o golpe e, sob a alegação de que Samuel estava a serviço do proprietário do jornal *A Notícia*, nos dias 23 e 24 de março, confeitaram o bolo – fermentado pelo incidente – com baixarias.

Complementaria a edição do dia 24 a nota subscrita pelos filhos e herdeiros de André Vidal de Araújo e a nota do Instituto Geográfico e Histórico do Amazonas (Igha). A primeira prestou esclarecimentos à comunidade, enquanto que a segunda conclamou a classe política e a imprensa a pouparem a memória do insigne homem público.

Dia 22 de março de 1980 (sábado)

A NOTÍCIA

(Cidade, p.07 – 1º caderno)

**Samuel quer saber a verdade
sobre o "Montessoriano"**

155

Lamentando as dificuldades que os excepcionais enfrentam em nosso Estado, o deputado Samuel Peixoto sugeriu que a Câmara Municipal de Manaus instaure, com brevidade, uma Comissão Especial de Inquérito para apurar o que aconteceu com o Instituto Montessoriano, sobretudo uma informação de que o mesmo, apesar de ter sido doado pelo poder público, foi vendido ilegalmente à iniciativa privada.

"A década de 60 e os primeiros anos da de 70 presenciaram – enfatizou o parlamentar – um louvável movimento de amparo e assistência aos excepcionais". Um homem inesquecível, de excelente formação humanitária, o sociólogo André Araújo, contando com a colaboração do poder público, criou um órgão para recuperar e educar os excepcionais, o Instituto Montessoriano.

As famílias amazonenses que enfrentavam o problema de algum filho excepcional, e que antes não tinham a quem recorrer, regozijaram-se com a iniciativa, e lhe emprestaram todo o apoio devido, na esperança de vê-la florescer. Sua importância foi reconhecida, também, pelos órgãos públicos.

A prefeitura de Manaus – prosseguiu – e outras entidades públicas prestaram a sua valiosa colaboração à obra meritória de André Araújo. E uma imensa área, na Rua Paraíba, foi doada para o funcionamento do Montessoriano, levando-se em consideração sua finalidade social.

A morte, entretanto, parou o grande benemérito, enchendo, de tristeza a todos os amazonenses. Os excepcionais perdiam o grande protetor. A desgraça se afigurou maior depois, à medida que o Montessoriano foi perdendo as condições de funcionamento normal. Estava morrendo, também, o grande ideal daquele sociólogo.

Nós, que veneramos a sua memória, porque reconhecemos o mérito de sua obra, e porque sentimos nos dias atuais a importância e a falta de uma iniciativa humanitária como aquela, assistimos, contristados, a paralisação e o fim do Montessoriano. As crianças, nas salas de aula, foram substituídas pelo silêncio que André Araújo não queria. O instituto fechou-se como túmulo de esperança de tantas famílias amazonenses.

Hoje, o Montessoriano é um espectro assustador, ruindo lentamente, enquanto uma esperada transformação tecnológica não se efetiva. Das crianças excepcionais, pouco se ouviu falar durante anos, até que chegou a Apae (Associação de Pais e Amigos dos Excepcionais), que está

engatinhando no caminho do ideal de André Araújo, enfrentando muitas difi culdades, sem uma área como a do Montessoriano para expandir-se.

Alguém precisa fazer ressurgir o Montessoriano e esclarecer os porquês de seu silêncio. É imperioso que assim seja feito, sobretudo porque temos informações de que aquela área já foi vendida, ilegalmente, para uma fi rma comercial da nossa cidade. Se isso aconteceu, estão traindo a memória do grande benfeitor, praticando um crime monstruoso, desumano, que clama aos céus por justiça imediata.

Como fruto desse atentado à dignidade humana, à obra meritória de um amazonense sem igual, o Montessoriano poderá, ao que fui informado, transformar-se numa grande loja ou um grande depósito sem nenhuma fi nalidade social, sem nenhuma utilidade ao público amazonense, pelo menos à altura de sua utilidade passada.

O povo amazonense, as famílias que acreditaram no grande ideal de André Araújo, exigem que a verdade dos fatos seja esclarecida, porque, é evidente, não permitirão que a memória de André Araújo seja vilipendiada. E nós, representantes do povo, temos a obrigação de atendê-lo, respeitando-lhe essa vontade justifi cável e nobre.

Samuel considerou imperioso que a Câmara, que julgamos ter adequada competência a respeito do assunto, instaure, com a máxima urgência, uma Comissão Especial de Inquérito, para apurar o que aconteceu com o Instituto Montessoriano, visando, principalmente, os seguintes objetivos:

1. Saber qual destinação, se legal ou ilegal, dada à área desse Instituto nos últimos anos, depois de levantar todas as informações necessárias sobre a doação, inclusive o nome do órgão que fez a doação, o nome da entidade que pode dispor da terra, um possível prazo para doação, e qual a fi nalidade social;

2. Verifi car qual o uso que se está dando atualmente a esse estabelecimento, se se relaciona ou não com alguma fi nalidade social;

3. Verifi car se foi feita alguma transação, e em que condições, envolvendo o Instituto Montessoriano, para posterior manifestação sobre a situação legal da mesma, a fi m de serem tomadas as providências necessárias.

Dia 23 de março de 1980 (domingo)

A NOTÍCIA

(Cidade, p.09 - 1° caderno)

"Quero o Montessoriano servindo ao povo", diz Samuel

O deputado Samuel Peixoto, ontem, entregou-nos a seguinte declaração:

"Fui agredido por um jornal da cidade, sem que este determinasse a razão de seu gesto. Fiquei, entretanto, em duas hipóteses, o jornal chateou-se porque denunciei a campanha caluniosa que contra mim montou, com a finalidade de apresentar-me de modo deformado perante a opinião pública: ou se feriu por eu ter feito indagações sobre o Instituto Montessoriano".

"No primeiro caso, nada fiz senão repor a verdade, pois não quero ser julgado pelo povo com base em informações inverídicas, maliciosamente montadas por inimigos meus, ou amigos desses inimigos. Na última quis apenas mostrar um problema da cidade, ou alcançar a reabilitação de uma instituição que prestou importantes serviços à comunidade, está presentemente fechada, mas pode e deve ser reativada".

"Muito se tem falado do menor excepcional nos últimos anos, mas ninguém quer recordar que Manaus já teve uma entidade completamente voltada para estes, o Instituto Montessoriano "Álvaro Maia". Este instituto foi a maior obra de um grande educador, o saudoso André Araújo, que ao mesmo dedicou o melhor de seu trabalho".

"O instituto fechou há alguns anos, apesar de sua ausência ser sentida pela comunidade de um modo geral e pelos excepcionais e seus familiares em particular". Eu sempre não aceitei o desaparecimento da Instituição e várias

vezes tentei falar no problema com a finalidade de forçar a reabertura e, por extensão, reabilitar a obra meritória de André Araújo.

"E sempre que faço alguma coisa com esse objetivo, forças ocultas se levantam para silenciar minha voz, como se fosse crime querer reabrir uma escola para excepcionais ou fazer ressurgir a obra de um grande educador".

"Recentemente tive informações de que o patrimônio do Montessoriano teria sido vendido a uma firma comercial, com o que não me conformo nem conformarei, mesmo que viva cem anos. Por isso, voltei ao assunto, na tribuna da Assembleia para fazer indagações, que, respondidas, vão ajudar-me a indicar ao governo providências no sentido de reabilitar o Instituto e, assim, servir a crianças excepcionais".

"É tudo muito simples e claro, com intenções definidas e honestas. Não entendo porque querem fazer confusão e se aproveitarem disso para me agredir. Será que o fechamento da escola teve algum outro motivo? Será que no desaparecimento do instituto houve alguma coisa que não se possa saber? Será que venderam seu patrimônio"?

"Quero as respostas, só as respostas".

Agressões e ameaças não me farão calar; caluniar-me não adiantará, porque luto por uma causa justa, humana e honesta.

"Quanto às ofensas, não vou rebater com ofensas. A justiça será encarregada de punir os que me ofendem, pois esta é a forma legal de reparar-me das injustiças".

"Quero as respostas, para que eu possa lutar pela reabertura do Instituto Montessoriano". E vou reclamar essas respostas até o fim da vida. "E quero, também, o apoio do povo e do governo para restituir a Manaus a modelar instituição que André Araújo criou e dirigiu, com carinho e dedicação, como um educador do amor".

Os pronunciamentos de Samuel Peixoto na tribuna da Assembleia, ao tentar atingir o diretor de A Crítica, feriram a dignidade do matutino. O periódico entendeuque o deputado estava a serviço do proprietário do jornal A Notícia e, nos dias 23 e 24 de março, reagiu com veemência.

Recalques do Tobeiro

O pederasta Andrade Netto, diretor do jornal "A Notícia", redigiu um texto hipócrita contra a memória do benemérito André Araújo, e mandou que o seu amante, o também homossexual passivo Samuel Peixoto, o lesse da tribuna da Assembleia Legislativa.

Não é de hoje que o andrógino (aquele apresenta características sexuais ambíguas, hermafrodita)Andrade Netto vem tentando enlamear a memória de André Araújo, menos para enodoar o nome de uma família vacinada contra a gosmado hermafrodita que dirige o "A Notícia", e mais para tentar atingir o diretor de A Crítica, que é casado com uma das fi lhas do saudoso André Araújo.

O misógino (aquele que tem aversão às mulheres)Andrade Netto quer vingar, a todo o custo (e o preço vai sair-lhe caro), marcante episódio das vidas de André Araújo e de um agiota e contrabandista de cocaína, que se chamou Félix Fink, sogro do escaravelho do jornal "A Notícia". Tal episódio defi niu muito bem a memória e o caráter de ambos. Senão, vejamos.

Em 1938, André Araújo era juiz de menores em Manaus. O prefeito da cidade, Antônio Maia, começara a construir o Parque 10 de Novembro, na localidade que era conhecida pelo nome de Igarapé do Mindu. Certa tarde, o juiz André Araújo, preocupado com o problema da prostituição, do lenocínio e com a corrupção de menores, decidiu vasculhar os arrabaldes de Manaus para medir, com sua própria sensibilidade, a gravidade do mal. O juiz, no exercício de sua competência legal, prendeu, em fl agrante delito, diversos indivíduos, dentre eles o degenerado Félix Fink, que foi indiciado por crime de estupro, conforme depoimento da normalista de 14 anos de idade, vítima do cocainômano, publicado nos jornais da época. No cumprimento do seu dever

legal, André Araújo mandou recolher Félix Fink, em regime de prisão preventiva, à Penitenciária Central do Estado.

É essa a causa do recalque que hoje impulsiona o sodomita (pederasta, povo da antiga Sodoma) Andrade Netto contra os herdeiros de André Araújo, cuja memória está servindo de pasto para que Andrade Netto nela pretenda sorver a iníqua saciação de sua vindita com o simples intuito de agradecer, "post- mortem", ao himeneu (casamento, bodas) que o tornou herdeiro de um dos patrimônios mais sujos do Amazonas: esse que foi construído, ao peso pesado de juros de agiotagem e de contrabando de cocaína, pelo estuprador Félix Fink.

Há anos o tobeiro (pederasta passivo) Andrade Netto se rebola para publicar o assunto Montessoriano em seu jornal. Encontrou o pau-mandado no fl lofálico (aquele que é amigo ou ama o falo ou pênis) Samuel Peixoto, indivíduo que começou sua malfadada carreira roubando o empresário João Fonseca, dono da Jonasa, que, por piedade, e para matar-lhe a fome, o agasalhava como empregado. Tempos antes, o saudoso Meneghini, dono do "Hotel Avenida", fl agrava o Samuel Peixoto no quarto do seu severo hotel em "companhia" de um embarcadiço da Jonasa, com o qual, seguramente, Samuel não conversava assuntos ligados ao mar, e muito menos a terra... E Meneghini jogou os dois na rua.

Samuel é marionete do pederasta Andrade Netto, com quem vive em sodomias que repugnam à sociedade sadia. O primeiro "grande feito" do dono de "A Notícia" foi ter negociado sua primeira noiva, em 1960, com um inspetor do Banco da Amazônia, onde Andrade trabalhava, em troca de um cargo de gerente. Não foi sem surpresa que, depois de haver alcovitado o amante da própria noiva, o pederasta Andrade Netto foi nomeado gerente do então Banco de Crédito da Amazônia!

Se Andrade Netto quis contar os dias do diretor deste jornal, enganou-se redondamente. E sabia a sociedade que A Crítica vai respeitar as famílias honradas deste Estado, mas não fará qualquer concessão à desonra.

A transação alegada a respeito do Montessoriano deve ser arguida aos herdeiros de André Araújo, que com certeza estão sufl cientemente documentados para enfrentar, judicialmente e moralmente, qualquer forma de calúnia, injúria ou difamação à memória de seu pai ilustre ou à integridade da família cuja honra se tenta ultrajar.

Quanto ao pederasta Andrade Netto, muito ainda temos que publicar contra ele e contra sua família amoral e desmoralizada. Contando da frente para trás, e de trás pra frente, não sobrará pedra sobre pedra; até a décima geração, nada restará. O tobeiro Andrade Netto, de "A Notícia", foi quem provocou. Aguente ele agora, as consequências. E as aguente, também, quem se meter do lado dele!

Coluna Opinião
(Caderno Opinião, p.04)

Nossa Posição

A Crítica não é um jornal de bravatas, mas não se permite renunciar a nenhum milímetro de sua coerência combativa pelos interesses coletivos.

Quando a dignidade deste jornal se vê covardemente atingida pelos destituídos de qualquer noção de caráter, atingindo memórias que a História do Amazonas guarda com especial carinho e reconhecimento, não recuamos do dever irrecusável, de responder com os meios que nos são indispensáveis, embora não seja nem o nosso desejo e nem a melhor disposição de nosso tempo e espaço.

Nunca desbordamos do combate ao longo de trinta e um anos de existência. Da luta justa não nos afastaremos hoje, não nos afastaremos amanhã.

Nossos leitores nos deram sua preferência esmagadora no Estado do Amazonas porque apoiam decisivamente a nossa conduta, a nossa disposição, os nossos princípios.

São tolos os que contra nós investem na suposição de que fi carão impunes na sua irresponsabilidade, na sua indecência, na sua idiotia.

Damos hoje a resposta que se fazia necessária, daremos outra amanhã e depois até que soe o último tiro que irremediavelmente será nosso.

Aceitar a investida calhorda e obscena contra a dignidade de um dos maiores cidadãos que o Amazonas jamais conheceu e desconhecermos a ofensa, melhor seria fecharmos as portas, porque já não seriamos dignos de nossas dezenas de milhares de leitores.

A CRÍTICA É O AMAZONAS E NOSSA TERRA NÃO PODE SER ABANDONADA À PRÓPRIA SORTE PELA FRAQUEZA DOS ACOMODADOS.

Josué rebateu o caluniador
(Caderno Especial, p.06)

O deputado Josué Filho, do PDS (Partido Democrático Social), em aparte ao deputado Samuel Peixoto, do PTB anteontem na Assembleia, afirmou com relação ao discurso do petebista sobre a questão do Instituto Montessoriano: "deputado Samuel Peixoto, vou procurar ser o mais educado possível, para respondê-lo em mais um novo capítulo da novela que vossa excelência produz com o objetivo de vingar-se de ferimentos sofridos na área parlamentar, e inconsequentemente venha a atingir uma família DIGNA e HONROSA, a família Araújo".

O deputado Samuel Peixoto está pedindo aos vereadores que constituam uma Comissão Parlamentar de Inquérito para apurar a destinação das terras do Instituto Montessoriano, criado pelo saudoso André Araújo. "Sabe vossa excelência que o assunto já está na área dos executivos estadual e municipal há dois anos, e que o instituto, o terreno, foi adquirido pelo saudoso André Araújo do sr. Caruacho, pai do sr. Cláudio Caruacho, proprietário do "Oasis Bar", aquele da esquina da Praça da Vila com a Rua Recife- prosseguiu Josué em seu aparte.

"Sou indiscutível testemunha do depoimento do filho do vendedor. Lamento que vossa excelência venha manchar o nome dos herdeiros de André Araújo, por sinal uma senhora família. Mude de alvo. Por hoje é só. Deputado Samuel".

Dia 24 de março de 1980 (segunda-feira)

Tobeiro safado

Há dez anos que o jornal "A Notícia", do sodomita Andrade Netto, vem enlameando a sociedade amazonense. Ninguém é poupado: Homens honrados são contemplados, insistentemente, com os mais variados labéus (mancha na reputação, mácula); mulheres dignas, de reputação ilibada, a maioria casadas, não são respeitadas na intimidade de seu lar. O pederasta Andrade Netto, industrial da escória social, fez de seu jornal uma latrina pública, em cujas paredes qualquer desclassificado escreve. Para o gomorrento (alusivo a Gomorra, cidade bíblica destruída pelo fogo dos céus, devido a prática de atos imorais)Andrade Netto, nada valem a ética jornalística, o decoro, o respeito aos valores sociais. Só o que predomina é o seu caráter amoral, coberto das alvas mais impuras de que se tem notícia no Amazonas. Sua escalada de amoralidades parecia não ter limites, mas agora vai ter, porque, sedento por novos ultrajes – além de sodomia, ele só sente prazer no ultrajar a honra alheia –investiu, sábado, consorciado com seu concubino (mulher ou homem que vive amasiado, amancebado) Samuel Peixoto, contra memória do homem que foi por todos os títulos, padrão de decência e dignidade neste Estado: André Araújo, que gerou filhos ilustres e honrados, por todos os padrões de avaliação.

Vai ter, pois, o homossexual chefe de "A Notícia" de engolir tudo o que escreveu, empurrandoas sobras no esfíncter (nome genérico dos músculos circulares que fecham as cavidades: bixiga, ânus)do também pederasta Samuel Peixoto.

Tentando profanar a memória de André Araújo, o jornal "A Notícia", do pederasta Andrade Netto trouxe à tona um assunto que ninguém, nem mesmo os prováveis dejetos de inimizade que o velho André por acaso deixou neste planeta ousaria trazê-lo: o do

Instituto Montessoriano. Trouxe-o à baila com o fim de desvirtuar a Instituição benemérita que André Araújo criou e em cujo espelho o País inteiro se mirou para o grande despertadoirodo problema do menor excepcional, que, se não foi resolvido em vida por André Araújo - Jesus Cristo, há quase dois mil anos, não o conseguiu resolver - não seria esquecido após o seu pensamento. E com o fim também de denegrir o nome da família composta dos herdeiros de André Araújo.

Hipocritamente - o Andrade Netto não se amasia apenas com machos, mas, também, com a hipocrisia - a lixeira pública que é "A Notícia", realçou, pela boca do Samuel Peixoto que é bem experimentada em felação (estimular o pênis com a boca ou com a língua) "a obra meritória do saudoso André Araújo". Mas esses elogios não passaram de cuspideira no prato em que os dois poltrões nunca comeram. Os dois - Samuel e Andrade estão habituados a cuspir nos pratos em que comem, notadamente nos seus consumos poliândricos [união de uma só mulher com vários maridos ao mesmo tempo].

Não vão, por tudo isso, nem de leve, manchar a memória de André Araújo. Mas, como o tentaram, vão pagar caro e o preço é por conta dele, Andrade Netto, e do seu sodomo-consorte (companheiro do pederasta) Samuel Peixoto; o primeiro, Andrade, já foi flagrado pela esposa abraçado com um macho na própria casa conjugal; o segundo, Samuel, com dinheiro roubado da Jonasa e procedente de receptação de furto, mandou construir rica mansão num bairro distante e a encheu de mancebos, que ele os sustenta em troca de carícias e de outros atos que se seguem aos afagos entre homossexuais.

O primeiro, Andrade Netto, vai responder amanhã, o seguinte questionário:

1. Onde estava na segunda quinzena de março de 1960?

2. Quantas violetas, nessa quinzena, levou Andrade Netto de presente a um inspetor do Banco da Amazônia? E essas violetas, que o Andrade levou-as a cama da purificação, eram flores, ou mulher?

3. Se flores, por que não as cheirou em definitivo; se mulher, por que não a conquistou definitivamente? Ora, ora, o Andrade Netto sempre teve medo de flores e de mulher! É tão florífobo (que tem medo de flores) quanto misógino!

O segundo, Samuel Peixoto, mais conhecido como Samuel felatio [aquele que chupa o órgão sexual masculino. (Dicionário informal)], vai responder o que segue:

1. Quanto roubou da Jonasa durante o tempo em que lá esteve? O pivete Samuel felatio não passava de pivete e, subitamente, apareceu como próspero comerciante. Acusá-lo de receptador de furto não será novidade, porque o Samuel se acostumou a duas formas brasileiras de depravação: acoitar machos e acasalar-se com ladrões;

2. Quanto é que o Samuel felatio paga aos seus cafetões do jornal "A Notícia", não apenas como leva e traz do pederasta Andrade Netto, no que se relaciona com os textos que o Samuel tem de ler na Assembleia Legislativa; mas, ainda, à assessoria que outros pederastas de "A Notícia" fornecem ao furor sodomita do Samuel?

3. Há quanto tempo Samuel felatio se "lambuza a noite inteira" com o pederasta Andrade Netto e qual dos dois se esforça para superar a Geni da canção popular?

Ficam as perguntas. Para o povo, vai a explicação: O Jornal "A Notícia", do Andrade Netto, vem enxovalhando, dia e noite, memórias e vergonhas. Agride, achincalha, debocha; denigre, envilece e chicaneia; talvez na expectativa de que ninguém reagisse. E, como estamos tratando com porcos, só temos que atirar-lhes lama - pois outra linguagem eles não entendem.

O nome de ANDRÉ ARAÚJO - símbolo de todos os homens honrados que viveram e vivem no Amazonas - não será jamais impunemente, confundido com o selo apócrifo da família desavergonhada do Andrade Netto, tobeiro safado e negociata da própria desonra. Não tendo conseguido, até hoje mercadejá-la - nem mesmo um sujeito safado arremata a desonra de outro safado, - Andrade Netto vai prosseguir no que é: um cuspidor que cospe para o alto e de cujas alturas recebe os próprios efeitos.

O tobeiro safado de "A Notícia" semeou ventos: que colha, agora, a tempestade!

Os filhos e herdeiros de André Vidal de Araújo vem a público prestar esclarecimentos.

À comunidade amazonense
(Caderno Cidade, p.03)

Na condição de filhos e herdeiros de André Vidal de Araújo e diante das indagações e pronunciamentos formulados por um deputado no recinto da Assembleia Legislativa e em um jornal da cidade, sentimo-nos no dever de vir, de público, prestar ao povo desta terra os seguintes esclarecimentos:

1. O terreno onde existiu o Instituto Montessoriano "Álvaro Maia"foi adquirido originalmente, por André Araújo, pela importância de 16:000$000 (dezesseis contos de réis), em 4 de agosto de 1942, de Antônio de Carvalho Lopes e sua esposa dona Gracinda de Pina Carvalho, conforme escritura registrada às fl s. 104 do livro n.º 3.c do Cartório de Registro de Imóveis.

2. Posteriormente, quando André Vidal de Araújo já criara e lutava pela manutenção de uma instituição capaz de dar educação especial a menores cegos, surdos, mudos, paralíticos e oligofrênicos, a Prefeitura Municipal de Manaus achou por bem fazer ao instituto a doação de duas áreas de terras devolutas, uma na própria Rua Paraíba e outra pelos fundos, que hoje estaria inserida no bairro de São Francisco.

3. Em pouco tempo André Araújo percebeu que não possuía condições para manter e conservar a área doada na Rua Paraíba, como empreendedor solitário que sempre foi.

Essa área foi abandonada e nela foi aberta a então Rua Aires de Almeida, depois Amaro Lima, que demanda o bairro de São Francisco, partindo da Rua Paraíba, e nela hoje existem inúmeras residências particulares e até uma indústria de móveis e um supermercado.

Importante dizer que nenhum desses proprietários, ou seus antecessores, adquiriu um só centímetro de terra de André Vidal de Araújo, que jamais vendeu o que não lhe pertencia, mas devem ter comprado de posseiros ou do próprio município, conforme poderá ser comprovado por qualquer pessoa que se disponha a fazer as devidas indagações.

4. A área doada aos fundos do instituto, hoje bairro de São Francisco, foi também devolvida à Prefeitura Municipal de Manaus,

mais tarde, na gestão do prefeito dr. Paulo Pinto Nery, que ali construiu um mercado, hoje Secretaria Municipal de Obras, uma praça e algumas ruas. O então prefeito Paulo Nery, atual vice-governador do Estado, como homem honrado que é, está vivo e apto para confirmar este fato.

5. O Instituto Montessoriano "Álvaro Maia" nunca foi obra pública, mas sempre uma instituição PARTICULAR que, por idealismo e abnegação de seu fundador, prestou assistência GRATUITA a crianças necessitadas neste Estado. Colaboravam com André Araújo nessa obra, principalmente a Colônia Portuguesa e a Colônia Árabe aqui radicada e inúmeros amigos seus, com recursos financeiros ou com sua própria força de trabalho.

6. Como obra PARTICULAR, vinculada à própria família André Araújo, tinha seus títulos nominais a André Vidal de Araújo, por Sentença Judicial do Meritíssimo Juiz de Direito de 3ª vara da capital, averbada no cartório de registro de imóveis.

7. Por carência total de recursos materiais, o Instituto Montessoriano "Álvaro Maia" foi fechado e desativado, já que a única ajuda que recebia então, do Estado, consistia na cessão de professores da Secretaria de Educação.

8. A instituição esteve fechada e ruindo durante seis longos anos, quando chegou a ser quase totalmente destruída por um incêndio, invadida e depredada por vadios, sem que jamais qualquer organismo municipal, estadual, federal ou privado manifestasse interesse em assumir os encargos inerentes à continuidade da obra.

Qualquer interesse tivesse sido expresso e André Vidal de Araújo teria, com certeza, doado a instituição a esse interessado, como fez com o valioso patrimônio da Escola de Serviço Social de Manaus, reconhecida pelo Governo Federal, constante de prédios, móveis e utensílios, inclusive biblioteca, em plena Av. Getúlio Vargas, no centro de Manaus. Tão logo, a Universidade do Amazonas interessou-se por aquela faculdade. Assim também já procedera em relação ao terreno situado na esquina da Rua Ramos Ferreira com a Av. Getúlio Vargas, quando a Cruz Vermelha Brasileira pretendeu ali erigir sua sede local, infelizmente ainda inconcluída.

9. Em 1974, o que restava da propriedade foi alienado pelo valor de Cr$ 1.000.000,00 (hum milhão de cruzeiros) para um particular, e não para uma firma comercial, porque já não existia, havia seis anos, o Instituto e tornara-se por demais oneroso para André Araújo e sua família manter e conservar um imóvel inútil, constantemente invadido, uma vez que não condizia com seu feitio e sua vocação adentrar em especulações imobiliárias, ainda que rentáveis.

10. Postos esses esclarecimentos, principalmente para todos aqueles que foram amigos de André Araújo e, sobretudo para os que, de alguma forma, se lembram dele com gratidão, inclusive os milhares de alunos do Instituto Montessoriano, da Escola de Serviço Social, do então Instituto "Melo Matos", do "Maria Madalena", do Círculo Operário de Manaus, das inúmeras escolas que semeou pelos municípios do Amazonas, também para a juventude que sorveu seus ensinamentos na Universidade do Amazonas, desejamos deixar claro que nenhum poder público tem qualquer vinculação com o destino que foi dado ao instituto, uma propriedade particular.

11. Quaisquer pedidos de informação suplementar, que sejam dirigidos aos signatários desta, como herdeiros de André Araújo, que participaram, com a sua morte, do seu legado, constante de uma velha casa à Rua Tapajós nº. 138 e de uma biblioteca de cerca de 25.000 volumes, iniciada por seu pai, o jurista Araújo Filho, continuada por ele e hoje prosseguida por nós.

Estas as informações que desejávamos prestar ao povo desta terra que nosso pai tanto amou. Aleivosias ou insinuações, que daqui para frente só poderiam ser comprovadamente maldosas, serão repelidas à altura, inclusive judicialmente.

Manaus, 23 de março de 1980

João Bosco Bezerra de Araújo
Aristocles Platão Bezerra de Araújo
Marco Aurélio Agostinho Bezerra de Araújo

A essas publicações, Samuel reagiria batendo na tecla de que tentavam calá-lo para que nada fosse descoberto sobre o que ocorrera com o Instituto Montessoriano e insistiu na alegação de que nunca agredira o sociólogo André Araújo.

Não à toa, o deputado criticou os contrabandistas de ouro e pediu o máximo rigor contra aqueles, inclusive com prisão imediata e cinquenta chicotadas. O que estaria por trás dessa crítica e pedido, segundo denunciaria a deputada Beth Azize, era colocar seu irmão no banco dos réus, com o propósito de atingir a ela e sua família.

A parlamentar sustentou a acusação de que o delegado da Polícia Federal, Elivaldo Queiroz Farias, estava à disposição do dono do jornal *A Notícia*.

Na mesma data, *A Crítica* divulgou, ainda, as moções de desagravo em favor de André Araújo, apresentadas na Câmara Municipal e Assembleia Legislativa.

Dia 25 de março de 1980 (terça-feira)

A NOTÍCIA

(Cidade, p.06 - 1° caderno)

"Samuel diz: não tenho medo do Calderaro e camarilha"

"Estão tentando calar-me, para que eu não continue a defender o povo, e para que não tenha condições de descobrir o que aconteceu com o Instituto Montessoriano, mas tocaram o Satanás com vara curta, porque não tenho medo do Calderaro e da sua camarilha".

Desta forma, o deputado oposicionista Samuel Peixoto iniciou seu pronunciamento, ontem, na Assembleia, em defesa das agressões de que foi vítima, neste fim de semana, de parte do jornal A Crítica.

"Na realidade - declarou - quem foi agredido por esse jornal imundo foi a própria sociedade, que não deve mais permitir que seus filhos tenham a oportunidade de comprá-lo para, ao invés de informações sérias e responsáveis, tomarem conhecimento da tamanha sordidez".

Estória do "marca - passo".

A seguir, Samuel relembrou o início da perseguição e os primeiros passos no desvendamento do mistério que envolve o Montessoriano, "para mostrar a razão pela qual a sociedade amazonense foi enxovalhada, agredida e violentada por um jornal que não serve nem para os sanitários".

"Tentam evitar - enfatizou - que este humilde parlamentar desmascare os larápios grandões, que só tem casca, que não têm nada por dentro como Calderaro". Vou contar toda a história, ressaltando antes, e desafiando que me provem o contrário, que não agredi o sociólogo André Araújo.

Em 21 de março de 1977, na Câmara Municipal de Manaus, tentei, pela primeira vez, colher informações oficiais sobre o Montessoriano (leu na tribuna parte do requerimento a respeito). Recebi, na ocasião um telefonema para conversar com o Umberto Calderaro Filho, o dono de A Crítica.

Eu, que desconhecia os fatos escabrosos que estavam ocorrendo com esse instituto, fatos que serviram para garantir a sobrevivência desse jornal, objetivava apenas desvendar o que considero um crime que se cometeu contra a sociedade amazonense, porque vitimou crianças excepcionais.

E me surpreendi ao ser chamado de moleque por Calderaro, que ameaçava tentar desmoralizar-me caso prosseguisse. Respondi à ofensa, dizendo que se fosse no meio da rua ele não me chamaria de moleque. E ouvi um dos filhos de André Araújo, na ocasião, dizer que "se houve erro, houve muitos acertos".

Por que essa agressão? Qual o seu motivo? E por que o fato teve outra consequência marcante: Calderaro teve que viajar, logo depois, à América do Norte, para colocar um marca-passo no coração?

Erro entre acertos

Se houve um erro, houve acertos. Isso confirmou a minha suspeita. Na verdade- arguiu Samuel Peixoto - houve um erro, um crime. Alguém vendeu a casa da criança. O próprio Calderaro. E seu jornal, hoje, diz estar de mãos dadas com o povo, com as crianças.

Que crianças? Seriam as excepcionais que fi caram sem a sua casa? Desde então procurei documentar e fi z pesquisas, apesar de encontrar pela frente muitas difi culdades. Assim procedi em defesa do povo que me elegeu. E, nessa missão, enfrentarei a camarilha que se encontra atrás de A Crítica, que, sob a alegação de que agredi a memória de André Araújo, tenta me desmoralizar.

E tem mais: se ser pivete, ser comunista, ser homossexual, é defender o povo, e não ter medo dos grandalhões, eu sou tudo isso. Fique certo a sociedade que não temo o poder do dinheiro ou da prepotência. Já assisti, através desse jornal, um deputado federal agredir moralmente a sociedade, tentando atingir um companheiro de Parlamento. Não tenho dúvidas de que esse jornal é imundo e espúrio.

Jamais agredi André Araújo. Estão deturpando as minhas palavras para me calar. Analisem o meu requerimento da última sexta-feira (leu parte do requerimento). Tenho elogiado o trabalho social de André Araújo. Não sei porqueA Crítica está tentando escamotear a verdade.

Desafi o

Trabalhei 12 anos na Jonasa. Seus diretores foram meus pais, irmãos e amigos. Se alguém procurar os escritórios dessa empresa, irá ouvir o testemunho de meu comportamento.

Saberão que nunca deixei de cumprir uma missão, jamais deixei qualquer iniciativa pela metade.

Talvez, amanhã, esse jornal agrida minha mãe, uma senhora que criou sete fi lhos e os ensinou a não levar recado ou desaforo para casa. Talvez agridam minha família. Tenho cinco irmãs, nenhuma delas é prostituta; somos dois irmãos, e não há quem encontre em nossa vida atos indignos.

Mas há família que não tiveram a mesma sorte, cujos chefes vivem viajando para a Europa, Rússia, Estados Unidos. E, se formos verifi car, vamos encontrar meios escusos custeando essas viagens. Quando se vende um imóvel destinado a uma fi nalidade social, se agride o povo.

Se o ladrão fosse um estivador, um motorista, um braçal, um homem pobre, esses figurões aplaudiriam. Mas, como a minha denúncia envolve um larápio grandalhão, eles tentam denegrir a minha imagem de homem público. Mas eu sustentarei o desafio ao calhorda.

Contrabandistas

Depois de salientar que o que deseja, realmente, são as respostas, a realidade dos fatos, Samuel criticou os contrabandistas de ouro, pedindo o máximo rigor contra esses criminosos, se possível com prisão imediata e 50 chicotadas.

Concluiu, afirmando: "Vou continuar a minha luta, porque não temos compromissos com o governo, com esses contrabandistas, ou com os figurões. Não tenho prédio para barganhar com o governo, nem motéis para defender e manter".

Câmara Municipal e Assembleia Legislativa apresentam moção de desagravo à André Araújo e Beth denuncia a Polícia Federal.

Desagravo a André Araújo

A memória de André Araújo, que um irresponsável munido de mandato parlamentar, foi duplamente desagravada ontem na Assembleia Legislativa e na Câmara Municipal. Na Assembleia, o deputado Josué Filho e as deputadas Elizabeth Azize e Socorro Dutra lançaram veemente protesto contra o pronunciamento do citado deputado que, mais uma vez, assomou a tribuna para assacar suas infâmias contra uma das personalidades mais insignes do Amazonas.

Na Câmara Municipal, por iniciativa do vereador Waldir Barros, líder da maioria e assinada por todos os edis presentes, foi transcrito nos anais o documento publicado na A CRÍTICA de ontem – A Comunidade Amazonense – em que os filhos do saudoso morto esclareceram a questão do "Instituto Montessoriano", de forma a não pairar qualquer dúvida, a não ser da parte dos abutres que escondem a verdade e que, não respeitam, sequer, a memória dos mortos.

No decorrer do dia de ontem, a redação deste jornal foi visitada por centenas de leitores, que vieram verberar contra a torpe campanha que, além de procurar atingir o ínclito morto, procuram também ferir os sentimentos do nosso diretor, Umberto Calderaro Filho, pelo fato de ser casado com uma das filhas de André Araújo.

Câmara desagravou André Araújo
(Caderno de Política, p.06)

"Durante meu tempo de criança e na juventude inteira aprendi a admirar um homem que fez de sua vida uma bandeira de trabalho e de luta em prol dos jovens e da comunidade de Manaus", disse ontem o vereador Waldir Barros, ao propor a inserção nos Anais da Câmara, do depoimento dos filhos do sociólogo André Araújo, como forma de perenização de sua figura que continua a merecer todo o respeito da sociedade amazonense.

Afirmou o líder governista na Câmara Municipal que "André Araújo foi um homem que deixou uma admirável herança de obras a enriquecer espiritualmente Manaus, tanto na frutificação de exemplos que todos procuram seguir e transmitir a seus filhos, como no legado de trabalhos materiais, especialmente livros que são espelhos de costumes, com falhas corrigidas e propostas de vida a sugerir caminhos mais sadios e mais dignos, como o livro Pré-delinquência juvenil".

"Na edição de hoje (ontem) do jornal "A Crítica"- disse Waldir Barros – os filhos de André Araújo assinam um recado à comunidade, em respeito à sua memória preservando suas ações e repondo, até cronologicamente, os fatos, para estabelecer a verdade em torno deste homem que só nos inspira admiração,

saudades e forças para uma participação, como cédula viva, neste processo de desenvolvimento comunitário que ele lançou em Manaus".

"Conheci André Araújo através deste prisma de trabalho e de exemplos de ação e senti os reflexos de seus atos como jovem da época, junto com milhares de outros companheiros que receberam os sopros de sua sabedoria aplicada em obras de benefício coletivo" - afirmou Waldir.

Ao propor a inserção do depoimento dos filhos de André Araújo nos Anais da Câmara, o líder governista disse ser o seu objetivo perenizar a figura deste homem que continua a merecer todo o respeito e admiração da sociedade amazonense.

Este reconhecimento público - acrescentou - num momento em que equívocos propõe interpretações errôneas ao comportamento de André Araújo, é uma questão de justiça, de bom senso e principalmente de respeito a um homem que dedicou toda a sua vida ao próximo, atuando principalmente junto aos jovens, na implantação de mecanismos de vida dignos e capazes.

A propositura do vereador governista que foi submetida à consideração do Plenário da Câmara, recebeu o apoio da maioria dos vereadores do PDS e PMDB presentes à reunião de ontem.

Beth Azize faz denúncia contra a Polícia Federal

Como prometera em sua denúncia contra a Polícia Federal, publicada na edição do último domingo deste jornal, a líder do PMDB na Assembleia Legislativa, deputada Elizabeth Azize, foi ontem à tribuna e fez violento discurso contra o delegado Elivaldo Queiroz Farias, que investiga o caso do contrabando do ouro em sua especializada.

"O delegado Elivaldo Farias - disse a parlamentar - já provou não ter preparo funcional, imparcialidade e conduta séria no cumprimento do seu dever. Toda a cidade leu minha denúncia, mas vou, sim, revelar fatos novos, pois o delegado incompetente está à disposição do dono do jornal "A Notícia" para colocar meu irmão no banco dos réus, com o propósito único de me atingir e atingir minha família" - disse Elizabeth Azize.

Campanha sórdida

Toda vez que meu irmão e advogado, dr. Azize Neto, vai à Polícia Federal para tentar uma cópia de seu depoimento, o delegado se volta para os repórteres que ali se encontram e aponta para meu irmão declarando: "Esse aí está metido até o pescoço" - afirmou.

Este é o comportamento indigno de um policial que deveria querer a verdade e não a mentira, o escamoteamento, a perseguição e a vindita, e não fazer o jogo de um jornal qualquer, de qualquer maneira, atingindo um rapaz honrado, probo e sério que nunca se envolveu com a sordidez e a desonra.

Na verdade- prosseguiu a líder do PMDB - o delegado federal não quer descobrir o verdadeiro culpado, quer apenas participar de uma sórdida campanha de difamação contra meu irmão, tanto assim que nega a imprensa e nega a ele próprio o conteúdo dos depoimentos e prossegue sozinho dirigindo o depoimento de testemunhas, ao arrepio total da lei para implicar inocentes, porque está com medo de apontar o verdadeiro culpado, para não desgostar o seu patrão, o governo a que serve.

"Não temo ameaça"

"Não tenho medo de ameaças, como a que foi feita esta manhã bem cedo pelo telefone. A Polícia Federal pode ficar certa de que eu terei todo "cuidado", para não deixar nada em branco, para esclarecer tudo e apontar quem está mentindo ao povo"- acrescentou.

Quanto ao deputado Damião Ribeiro, Elizabeth Azize disse que não quer nem gosta de ter amizades com Polícia Federal, e nem quer ter qualquer ligação com esta gente, porque não tem vocação pra dedo-duro, nem serve para assessorar ou trocar correspondência com polícia.

"Os arreganhos dos pivetes e das doidivanas daqui da tribuna pedindo rigor nas investigações do caso do ouro não me espantam, embora ache também que a Polícia Federal deva dar algumas batidas nas praças de Manaus".

A parlamentar oposicionista disse que vai usar das armas de que dispõe para defender sua dignidade e a dignidade de todas as famílias que forem ultrajadas, vilmente, seja por quem for, usando, desde os tamancos, até a sua própria vida.

Concluindo a deputada Elizabeth Azize passou a ler uma acusação que seu irmão, o advogado e comerciante Azize Dibo Neto encaminhou à Ordem dos Advogados do Brasil seção do Amazonas cujo teor é o seguinte:

Manaus, 22 de março de 1980

Ao IImo. sr. Presidente da Ordem dos Advogados do Brasil, seção do Amazonas

Senhor Presidente.

Fui tomado de surpresa, na sexta-feira passada, com o noticiário policial da imprensa local, baseado em declarações de um delegado federal da polícia, o dr. Elivaldo Queiroz Farias, que, distorcendo os fatos, tenta me envolver, em ato criminoso, segundo a polícia especializada.

Desde o momento em que compareci à presença do delegado acima citado, dirigente do inquérito policial que tramita sob sua tutela, constatei a tendenciosidade de comportamento daquela autoridade, que se negou a todo instante a me tratar como profissional, no dever do ofício, insistindo em tratar-me como depoente suspeito. Apesar dos meus veementes protestos, fui coagido fisicamente a prestar depoimento no gabinete do delegado referido, sendo vítima de insinuações grosseiras, acusações criminosas e até princípio de extorsão. Como se isso não bastasse, o delegado Elivaldo Queiroz Farias orientou toda a imprensa, que se encontrava do lado de fora de seu gabinete, para conduzir o noticiário jornalístico, apontando-me como participante dos fatos que apura, envolvendo cidadãos estrangeiros, que promoviam a prospecção e comercialização do ouro, no município de Maués.

Desde logo cuidei de solicitar uma cópia do meu depoimento, o que me foi negado até a presente data. Na sexta-feira à tarde, munido de um requerimento solicitei do dito delegado que me fornecesse uma certidão dando conta da minha participação no inquérito, como profissional advogado que prestou serviços temporários à empresa envolvida no caso. Fui mais uma vez surpreendido com a afirmação do diretor do inquérito ao me responder que somente dentro de 60 dias poderia me dar esta certidão.

Foi aí, então, senhor presidente, que apercebi que algo de estranho está conduzindo o comportamento do delegado e descobri, logo a seguir, estar ele munido de sede de vingança por ser eu irmão da deputada Elizabeth Azize e ter ela, em dias do ano passado, denunciado arbitrariedades cometidas por elementos da Polícia Federal, tendo sido o mesmo delegado que conduz o atual inquérito, o que promoveu na época, as investigações ligadas às denúncias da parlamentar minha irmã.

O que me preocupa, em tudo isso, sr. presidente, é que o depoimento das testemunhas, cidadãos americanos que não falam a língua portuguesa, não está sendo tomado com a presença de tradutor público, e não permanece na sala de audiências o agente consular norte americano local, nem o advogado que ora dos estrangeiros. Isso me leva a crer que a sede do delegado que ora acuso, o mova também a colocar expressões na boca das testemunhas, como tentou fazer comigo, fato que constatei incontinente apesar das ameaças.

Por tudo que exponho, e usando do direito que me dá o Estatuto da Ordem dos Advogados do Brasil, solicito se digne vossa senhoria:

1. Determinar à Comissão de Assistência e Defesa dessa entidade para acompanhar os depoimentos que estão sendo tomados, no curso do inquérito, bem como todos os atos da Delegacia Especializada referente ao assunto, por entender que a parcialidade da autoridade que dirige o inquérito está movida por interesses políticos e espúrios;

2. Enviar telegrama, urgente, ao Exmo. sr. ministro da Justiça denunciando os fatos aqui narrados e solicitando as providências legais necessárias;

3. Solicitar a intervenção da Procuradoria Geral da República, no curso das investigações, por entender estarem elas dirigidas e fabricadas, com o propósito de encontrar um culpado que substitua o verdadeiro agente do crime, no entender da autoridade policial;

4. Solicitar da Superintendência Nacional da Polícia Federal que designe um delegado especial de Brasília para dirigir as investigações uma vez que após tornarem-se públicas tais denúncias, não terá a Superintendência Regional isenção de ânimos com relação a minha pessoa.

Na certeza de ser atendido, com a máxima urgência, apresento a vossa senhoria minhas cordiais saudações.

Azize Dibo Neto – Advogado

Beth, Socorro e Josué rebatem o caluniador

A deputada Elizabeth Azize, líder do PMDB, apresentou ontem uma moção de desagravo à família de André Araújo, diante das calúnias e das infâmias de que vem sendo vítima ante a irresponsabilidade de um deputado com assento àquela Casa.

A parlamentar oposicionista começou seu pronunciamento fazendo esse desagravo nos seguintes termos:

"Não posso me omitir no cumprimento deste dever, porque toda vez que uma família honrada é agredida, seja quem for, seja porque motivo for, é imperioso que se erga voz contra esse tipo sórdido de comportamento, porque não se pode permitir que a dignidade de uma família inteira seja exposta e colocada à disposição dos instintos perversos daqueles que querem, a todo custo, denegrir a própria família amazonense".

Intriga

Já o deputado Josué Filho, na condição de vice-líder do PDS, disse que o envolvimento da honrada família André Araújo nesse episódio do qual a cidade toma conhecimento faz parte de um processo de intriga e da falta do respeito que há muito tempo vem sendo fomentado por inimigos gratuitos da família Araújo com o intuito de atingir jornalista Calderaro Filho, diretor proprietário do jornal A CRÍTICA que é casado com uma filha do saudoso André Araújo.

Para justificar tal fato, o deputado Josué Filho falou sobre o noticiário dirigido contra o competente médico Platão Araújo, filho do saudoso desembargador André Araújo e cunhado do jornalista Calderaro Filho, que não ficou isento da sanha de seus inimigos, quando o noticiário de um jornal é inverídico com respeito a sua participação num fato que resultou na morte de uma senhora na clínica São Judas Tadeu.

Que mundo é esse?

A deputada Socorro Dutra, lamentando todos esses fatos, e em aparte dirigido ao deputado Josué Filho, dizia não entender que mundo é esse que já não se respeita a memória dos mortos.

Lembrou a parlamentar que foi autorade um projeto que institui na ALE (Assembleia Legislativa) o título de Cidadão do Amazonas, In memoriam, ao desembargador André Araújo pelos relevantes serviços prestados à coletividade amazonense, notadamente, no campo da Assistência Social, ato que contou inclusive com o brilhantismo das famílias tradicionais desta terra.

Revoltada com esses acontecimentos, Socorro Dutra voltava a perguntar do deputado Josué Filho: Que mundo é esse que não se respeita mais os sentimentos?

Samuel Peixoto faz desagravo a Andrade Netto e Félix Fink.

Diante das manifestações de desagravo em favor de Umberto Calderaro e André Araújo, o deputado Samuel Peixoto, em sessão na Assembleia Legislativa, desagravou Andrade Netto e Félix Fink.

Na edição do dia 27 de março, inicialmente o deputado contaria um episódio ocorrido em 1977, no qual Calderaro o teria ameaçado; no mesmo diapasão proposto pelo jornal contrário, o adjetivou de ladrão, contou histórias de antanho, supostamente ocorridas no Colégio Dom Bosco, e insinuou que proporia a marcação de um encontro para que lavassem suas honras.

Dia 26 de março de 1980 (quarta-feira)

A NOTÍCIA

(Cidade, p.11 - 1° caderno)

Desagravo a Andrade Netto

Em explicações pessoais, ontem o deputado Samuel Peixoto desagravou a pessoa do jornalista Andrade Netto, diretor proprietário de A NOTÍCIA, e do Comendador Félix Fink "vítimas de uma campanha espúria por parte de um jornal que enlameou a cidade nos últimos dias".

Andrade Netto é um homem que se tem dedicado à comunidade, lutando por soluções para os seus muitos problemas, e que tem dado demonstrações claras de que é um bom filho, um bom pai, um bom esposo, um bom amigo e um bom cidadão.

E, por ser um homem que se volta contra a prepotência e os inimigos do Estado e do País, tem sido vítima disso e, nos últimos dias, foi novamente enxovalhado.

"Félix Fink foi um homem de valor, que se manteve digno até mesmo nas horas mais difíceis, e que deve ter a sua saudosa memória respeitada por todos os amazonenses" - acentuou Samuel Peixoto, concluindo, a seguir: "A esses dois ilustres amazonenses, o nosso apoio e o nosso desagravo".

Em aparte, o deputado Francisco Queiroz declarou: "Solidarizo-me com seu desagravo, porque é justo, e gostaria que todos os parlamentares, que ontem desagravavam o sociólogo André Araújo, hoje fizessem o mesmo com Andrade Netto e Félix Fink".

No dia 27 de março, Samuel Peixoto, através de *A Notícia*, volta a carga contra o proprietário do jornal *A Crítica*. No dia 28 A Crítica responde.

Dia 27 de março de 1980 (quinta-feira)

A NOTÍCIA

(Cidade, p.07 - 1° caderno)

O pivete "pintado"

A minha luta tem uma finalidade social inegável e sagrada: devolver às crianças mudas, cegas, surdas e aleijadas (os excepcionais) de nosso Estado, o Instituto Montessoriano, que, localizado em uma grande área na Rua Paraíba, prestava assistência a esses menores.

Todavia, estou pagando um alto preço pela minha disposição em honrar o meu compromisso com o povo. Em 1977, quando me interessei pelas primeiras informações a respeito do mistério que envolve o Montessoriano, fui ameaçado pelo indivíduo que se esconde atrás da alcunha de Umberto Calderaro filho, dono do jornal A Crítica que me fez ameaças e prometeu colocar 200 mil panfletos nas ruas, para tentar denegrir a minha imagem perante a opinião pública. E me disse que eu nunca mais seria ninguém neste Estado.

Calei-me, não por temer as ameaças, mas para buscar mais informações, documentos, para, um dia, dinamizar a minha luta, sem medir consequências. Há alguns dias, voltei à luta, com o único objetivo de esclarecer a verdade sobre o mistério do Montessoriano, ressaltando sua importância para a nossa sociedade e reclamando que a obra meritória do sociólogo André Araújo, de saudosa memória, fosse recentemente continuada.

Pensei, dessa forma, homenagear a memória desse ilustre amazonense. Deturpando a minha iniciativa e a minha intenção, o jornal A Crítica intensificou uma campanha de descrédito contra mim, atingindo as raias do absurdo nos últimos dias. Sem condições

183

de discutir abertamente o assunto, porque o seu proprietário é o ladrão que vendeu o Montessoriano, esse jornal mente e agride, abusando da opinião pública. Só não tem coragem de dizer, de público, que o dinheiro dos excepcionais foi usado para salvá-lo da falência.

Que o ladrão Calderaro, assaltasse bancos, pessoas ricas, ainda se poderia aceitar. Mas não podemos aceitar a indignidade de um furto praticado contra crianças aleijadas.

Digo mais: não há mazela moral pior do que a de ofender sem nada provar, pelo simples prazer de expor a público a sua mente desfigurada pela lepra moral, como fez Calderaro, que aborta por via inadequada indignidades contra mim, tentando desmoralizar-me, como já fez com muitos amazonenses, e continuará fazendo, se não for contido virilmente.

Não vou parar, aconteça o que acontecer, a minha luta. Vou contar, hoje, a história do "meio metro",para que todos saibam quem é o Calderaro, e para provar que estou disposto a rebater, à altura, todas as calúnias, as infâmias, as agressões morais.

Ao contrário dos ladrões comuns, recuperáveis, o siciliano Calderaro, que tem cara e alma de cachorro buldogue se tornou um bandido altamente nocivo à sociedade porque ainda não foi justiçado pela extorsão e pelos crimes que cometeu. A prova é que esse meliante violenta a consciência de uma sociedade, roubando e enganado crianças excepcionais.

Com o produto desse crime imperdoável por ser tão desumano, um jornal que envergonha o Amazonas, deturpando a imagem do nosso Estado em todo o País, passa a atacar quem se levante contra seus crimes e mazelas morais, zelando pelo interesse público, cismando, por exemplo, pela devolução do Instituto Montessoriano "Álvaro Maia" ao povo amazonense, às crianças excepcionais.

Não tenho medo do monstroCalderaro, repito. E não receio aos seus lacaios, que alugam a esse marginal até mesmo a sua moral, além de sua pena. Esses mercenários da própria honra, acatando as ordens da besta-fera, investem contra mim, tentando desmoralizar-me. Mas jamais conseguirão.

Ambos, eu e Calderaro, temos um passado. O meu, porém, não é maculado pela sordidez do dinheiro fácil e ilícito e pelo aluguel de minha honra. Minha família, graças a Deus, não é conhecida por ser rica. Meus pais, honrados, sempre abominaram as consequências morais da riqueza, e preferiram nos ensinar a trabalhar honestamente, para que, no futuro, as aves de rapina tenham a possibilidade de nos acusar, mas sem terem nunca condições de provar tais insinuações.

O mesmo, infelizmente, não se pode dizer do Calderaro, pintado de atos indignos. Ele fez tudo para enriquecer. Não vacilou em agredir e caluniar. Não titubeou em descer à lama moral. Nunca evitou expor seus excrementos morais, enlameando a sociedade.

Não temo a portentosidade desse infeliz, nem a energia pútrida que move seus asseclas, os quais, para sobreviverem à própria latrina em que se emporcalham, vendem a própria mãe. E são obrigados a isso, porque não podem ser aceitos em outro lugar.

Todos sabem que tentei evitar o revide.

Não tenho culpa, se o Calderaro não conseguiu apagar, até agora, apesar do poderio e todo seu dinheiro, a sua fama de "meio metro", que ganhou nos tempos escolares do Colégio Dom Bosco, quando a estudantada se deliciava com suas pernas pintadas, e com as calcinhas frouxas e curtas que usava por razões óbvias.

Hoje, o "meio metro" é incapaz de fazer um "o" sentado na areia. No máximo, conseguirá desenhar uma fl or bastante disforme. Falta-lhe a moral e a forma comum.

Nessa campanha de mentira e difamação, o "meio metro" chega a envolver, levianamente, pessoas que não deveriam ser citadas, como é o caso da deputada Socorro Dutra, cujo comportamento parlamentar é por todos reconhecido; apesar dos arroubos em muitas discussões, jamais se portou como uma mulher à toa. Daí a maldade da citação.

O que eu quero do "meio metro", saiba o povo, é que tenha coragem de dizer o que aconteceu com o dinheiro que roubou das crianças excepcionais, vendendo o Instituto Montessoriano para dar os "recursos técnicos, os mais modernos, ao seu jornal", e para "visitar constantemente os maiores centros gráficos do mundo".

Será que essas visitas desse nababo não tem outro objetivo? Não seria porque a flor do "meio metro" não agrada mais a ninguém, em Manaus?

Eu quero respostas, quero a verdade dos fatos, e não me dobrarei, para não fugir ao compromisso assumido com a sociedade amazonense, para que meus filhos, ao contrário do que aconteceu com "meio metro", vejam na minha firmeza, na minha disposição de levar às últimas consequências, um exemplo de dignidade, de hombridade, de respeito ao povo que me elegeu.

Vou até o fim, calhorda pintado, para desmascarar-lhe a alma ignóbil e o corpo putrefato moralmente. Se fosses homem, eu lhe proporia que marcasse um encontro, não através de seu escandaloso jornal, e sim, diretamente ou por telefone, para que lavássemos a honra de cada um, embora eu saiba que o "meio metro" não tem honra.

Samuel Peixoto

A Crítica acataria ao apelo de cessar fogo feito pelo governador José Lindoso, ainda que sob a condição de que a outra parte também cedesse.

Mas a matéria publicada no dia 22 de março, sob o título "Samuel quer saber a verdade sobre o Montessoriano", não seria digerida pelo matutino de Umberto Calderaro, que pediu desculpas à sociedade e revidou com veemência, insistindo na tese de que Andrade Netto se escondia sob o pseudônimo de Samuel Peixoto. Desta vez não mais aceitou qualquer interferência e a baixaria voltou a imperar.

Dia 28 de março de 1980 (sexta-feira)

Protocolo com bandido

No último sábado, o jornal "A Notícia" publicou matéria infamante à memória de André Araújo e atentatória à integridade moral de seus filhos; com aquela publicação, o chantagista "Andrade Netto" tentou envolver, através de um plano tecido de mentiras e calúnias, o diretor deste jornal, jornalista Umberto Calderaro Filho, que é casado com uma das filhas do saudoso André Araújo.

A Crítica teve de partir para a legítima defesa de honra. Como estávamos tratando com porcos bem conhecidos da sociedade, tivemos de mandar-lhes lama, porque outra linguagem não entenderiam. O dono de "A Notícia", covarde e poltrão [medroso, pusilânime], foi chorar nos quatro cantos da cidade, pedindo arrego a Deus e ao mundo. Preocupado com a evolução dos acontecimentos, o governador José Lindoso, que há muito nos conhece e sabendo que iríamos pulverizar a camarilha herética do outro lado, interferiu em nome da paz que devia reinar na sociedade. Atendemos à ponderação do governador e de seus emissários, mas com uma condição: a de que o cafajeste "Andrade Netto" parasse com a campanha difamatória contra André Araújo e seus herdeiros. E encerramos a questão. O tartufo [hipócrita, impostor], que aceitara a condição, não esboçou qualquer gesto de defesa, mas prosseguiu, em nome de terceiros, com as maledicências. Ontem, o chantagista de "A Notícia", inseriu um artigo por ele escrito sob pseudônimo de "Samuel Peixoto", assacando contra o diretor deste jornal as infâmias que sempre tentou assacar, masque nunca fez por falta de coragem. Já sabíamos que o protocolo obtido em respeito a uma intermediação do governador estava sendo firmado com um bandido e escroque – o "Andrade Netto". Não nos enganamos.

Pedimos, pois, a todos as necessárias escusas, mas A CRÍTICA vai reiniciar a drenagem desse carcinoma (cancro, tumor maligno) social que é "A Notícia", a fim de expelir do convívio dos sadios seu diretor safado e seus acólitos pervertidos e incuráveis. Desta vez, advertimos, não aceitamos interferência de ninguém, pois repetimos o que dissemos no artigo de domingo: até a décima geração, contando para trás, não ficará pedra sobre pedra.

Vivendo e aprendendo: com bandidos, nunca se deve firmar protocolos!

Poltrão e gigolô (Capa)

Todo o despudor, toda a desonra, toda a indecência formam o tricórnio que o hermafrodita (aquele que reúne os caracteres dos dois sexos) "Andrade Netto", dono do jornal "A Notícia", tem envergado para tripudiar sobre a dignidade de quem a possui. Nem mesmo a urna com o cadáver ainda quente de André Araújo, o benemérito do Amazonas, onde plantou raízes de decência, honra e dignidade, descia ao túmulo e já o uranista [pervertido sexual; homossexual] congênito que dirige "A Notícia" procurava profanar a memória do grande morto, mediante as mais vis insinuações que encartava em seu purulento jornal contra os herdeiros do saudoso humanista.O proxeneta (alcoviteiro; pessoa que explora prostitutas ou prostitutos) "Andrade Netto" usou de todos os recursos sujos para tentar alcançar seus torpes objetivos, sobretudo porque o diretor de A CRÍTICA é casado com uma das filhas de André Araújo, fato que vinha instigando, afoitamente, o

andrógino "Andrade Netto" a prosseguir na campanha de infâmias que parecia não ter fim.

Vítima de perversões insaciáveis e incuráveis, o achacador transferiu para seu pérfido jornal toda a fúria de suas inversões genéticas; boneca emproada [boneca orgulhosa; soberba] e pavão emplumado tentou ontem conspurcar a honra do diretor deste jornal, na suposição de que iríamos reagir ao pseudônimo que não é outro senão o chantagista de escol, que esperava, recorrendo a nome falso, ficar de fora do cepo do pelourinho.

Engano fatal: primeiro porque o vira-lixo que assinou o artigo de ontem é o próprio "Andrade Netto", segundo porque, daqui por diante, vai ter o tratamento que cada situação requerer, sempre e quando, com nome falso ou não, ousar deixar o que é - o pederasta que se tornou famoso na escuridão da Praça do Congresso e, muito antes, no Colégio Dom Bosco ou por onde quer que tenha passado.

Já publicamos, na edição de domingo passado, as razões dos recalques do Bornay de "A Notícia". Hoje é o dia de informar ao público outras facetas de sua trajetória objeta, pois, além de pederasta emérito (no último baile carnavalesco das "bonecas", Andrade fantasiou-se de madame Pompadour), o chacal de "A Notícia" é refinado chantagista. E do tipo pior: do que se serve de saia e calça de mulher para desfechar a chantagem. E é assim que ele sobrevive como dono do jornal, pois, não fossem suas concessões espúrias à chantagem, as famílias honradas deste Estado nunca teriam sido tão vilipendiadas nos últimos dez anos, como o foram por essa fábrica de esterco moral que é "A Notícia", produzida diariamente à imagem e semelhança de seu dono amoral.

Até então - até antes do jornal-, ele se realizara na semi-indecência: ainda não se completara na indecência absoluta e na qual só orgasmou (atingiu o grau máximo de excitação fisiológica numa relação sexual ou na masturbação = clímax) depois de conseguir que o sogro, de quem "Andrade Netto", servindo-se da incapacidade por prodigalidade do sogro bastante enfermo, arrancava cheques assinados em branco, lhe financiasse a instalação da mais indecorosa indústria de chantagem que já existiu no Amazonas: o jornal "A Notícia".

O patife da imprensa marrom instalou, de imediato, a sua concubina (Andrade às vezes finge-se de homem), que a cidade inteira conhece, num gabinete contíguo ao dele. Hoje se diz que "A Notícia" só tem um homem e que esse homem é a concubina do "Andrade".

Vamos aos fatos. No início do ano passado, ele mandou sua agente maior de chantagens extorquir do prefeito Jorge Teixeira a importância de Cr$1.000.000,00 (hum milhão de cruzeiros), em troca de apoio de "A Notícia" à permanência de Teixeira na prefeitura. Teixeira, homem honrado, recusou. Foi o bastante para que "Andrade Netto" promovesse uma sórdida campanha de insultos, ofensas e achincalhamentos à pessoa do prefeito, que, hoje, governador de Rondônia, ainda paga por não haver cedido à chantagem, eis que, vez por outra, continua sendo ofendido, insultado e achincalhado pelos mesmos chantagistas.

Ainda no ano passado, a mando de "Andrade Netto", a mesma emissária foi extorquir Cr$500.000,00 (quinhentos mil cruzeiros) do empresário Cassiano Cirilo Anunciação, o Batará, em troca do "silêncio" do jornal, quando de infausta ocorrência na vida daquele empresário, de profunda repercussão no seio da sociedade. Porque Batará não se entregou, "A Notícia" deu início a outra sórdida campanha de ataques a Cassiano, que teve de vir a público calar seus detratores.

Raiou o novo ano e o sodomita "Andrade Netto" ingressou na década ávido por multiplicar suas chantagens: mandou, de novo, a mesma recadista extorquir outros Cr$500.000,00 (quinhentos mil cruzeiros) da família do tabelião Roberto Caminha, em troca - ora vejam! - do silêncio de "A Notícia" sobre questões tão sem importância, primária, surgida em meios desportistas da cidade, mas que envolvia um dos filhos do eminente tabelião. Caminha, cuja família é honrada por todos os títulos, recusou-se a atender ao "miloca" (um tipo de coruja - ave noturna - que vive nas florestas de montanha, também é conhecida como a coruja boreal) "Andrade Netto". Consequência: "A Notícia passou a publicar (isto faz pouco mais de um mês) a fotografia do filho do tabelião na primeira

190

página, encimada do título "Marginal é Marginal", o que fez com que circulassem na cidade milhares de panfletos ornamentados com cabeças do conhecido animal galheiro que corre muito rápido pela floresta, que tem no jogo do bicho o n.º 24, e que circunda nos panfletos em questão, a fotografia do "Andrade Netto".

Foi esse chantagista consumado, escroque refinado, pederasta histórico, cafajeste que só se compara com ele próprio, gigolô que nem a si mesmo se supera, que veio ontem, sob pseudônimo, investir contra o homem que criou, construiu e dirige A CRÍTICA.

Aliás, o "meio metro" com que o andrógeno "Andrade Netto" configurou em seu artigo de ontem o diretor de A CRÍTICA não é senão manifestação de saudade dos tempos em que "Andrade" estudou no Colégio Dom Bosco, onde ganhou a fama de "engole metros". Contemporâneo do diretor deste jornal, o hermafrodita "Andrade Netto" concebeu no tradicional educandário seu recalque de ontem e seu ódio de hoje contra o diretor de A CRÍTICA, na época chamado amigavelmente de "meio metro", por sua baixa estatura juvenil (hoje mede um metro e oitenta).

O desafio que o chantagista fez para duelos é um derrame de hilaridade. Há pouco mais de dois anos ele desafiou para duelo um vereador de Manaus. Na hora marcada, o pavão emplumado de "A Notícia" se escondeu. O atual desafio mais parece o de cadela vira-lixo que vem latir diante de A CRÍTICA à espera de um ponta pé de seu diretor, mas que logo ao primeiro ruído sai correndo e se agarra ao primeiro cão macho que encontra no caminho.

Os filhos viris de André Araújo estão tratando dos outros aspectos relacionados com os ultrajes à memória de seu grande pai e com as ofensas à família ilustre: dos demais, cuidará A CRÍTICA, sobretudo do gigolô e poltrão de "A Notícia"! Desta vez, realmente, será olho por olho, dente por dente!

À COMUNIDADE AMAZONENSE

Na edição do jornal "A Crítica" do dia 24 do corrente, fizemos publicar uma nota de esclarecimento com o fim de resguardar o bom nome de nosso pai, Desembargador André Vidal de Araújo, em face de suspeitas levantadas por um deputado, referentemente à venda do terreno onde funcionou o hoje extinto Instituto Montessoriano "Alvaro Maia", criado e mantido por longos anos como obra particular daquele que , após morte, foi considerado pela Assembléia Legislativa Cidadão Benemérito do Amazonas.

Em vista da insistência daquele deputado em continuar a considerar a venda de uma propriedade particular como ilegítima e imoral, o que lhe daria o direito de tentar anulá-la judicialmente, coisa que não fez; e principalmente considerando que é insustentável sua posição de elogiar a pessoa de André Vidal de Araújo, e, ao mesmo tempo, tachar a venda que fez, ele e seus filhos, de fraudulenta, uma vez que a transação foi efetuada em meados de 1974 e André Araújo faleceu em março de 1975, em consequência de enfarte cardíaco, em pleno gozo de todas as funções mentais, nada mais nos resta senão abrir mão das atitudes até agora assumidas e recorrer às medidas judiciais cabíveis, ao mesmo tempo em que fazemos ressaltar, por ser verdadeiro, que com a mencionada venda nada teve a ver o jornalista Umberto Calderaro Filho.

Manaus, 27 de março de 1980

João Bosco Bezerra de Araújo _ Aristocles Platão Bezerra de Araújo _ Marco Aurélio Agostinho Bezerra de Araújo.

Andrade Netto finalmente não resistiria às provocações e às inúmeras ofensas e entrou em cena usando o mesmo linguajar chulo, apelativo, com insinuações deselegantes e histórias maledicentes, como se saídas da caixa de Pandora. Em *post scriptum* chamou a atenção para a nota oficial do governo do Amazonas que dizia que sua intervenção não atendia solicitação das partes, o propósito único era obter a união da imprensa.

Na mesma edição, Samuel Peixoto, qual paladino das crianças cegas, surdas, aleijadas e mudas, voltaria a cutucar o caso Montessoriano e sua versão da venda "criminosa" do Instituto. Desfraldando a bandeira da exposição pública da verdade, questionou a razão do não apoio de *A Crítica* à criação de uma Comissão Especial de Inquérito, na Câmara Municipal de Manaus, para apuração das razões que levaram ao seu fechamento.

No mesmo dia, *A Crítica* voltaria a se manifestar, acusando Andrade Netto de chantagista, de ter ligações com o jogo do bicho, ser mandante de assassinatos e adulterador de contratos sociais.

Complementou a edição através da coluna "Nossa Opinião", onde deu por definitivamente esclarecida a polêmica do Instituto Montessoriano.

Dia 29 de março de 1980 (sábado)

A NOTÍCIA

O filho da ladra

O desespero comercial de um quase falido, aliado ao seu êxito empresarial, que lhe mina as bases podres porque fruto de trinta anos de pilantragens, chantagens e roubos, inspira uma campanha sórdida e difamatória contra mim sem poupar pessoas que nada tem a ver com uma briga que não comecei, que não quis aceitar, mas que se arrasta impunemente para vergonha da nossa cidade, que é a única, neste enorme País, onde um jornal agride a opinião pública com artigos de baixa linguagem, cheios de obscenidades tão a gosto dos que foram gerados nos bordéis do mais reles meretrício.

Não me vou defender. Seria tedioso explicar à cidade que um homem, como eu, desde menino reconhecido como mulherengo, não posso ser pederasta senão como fácil propósito de ofender, de denegrir. O mesmo seria esclarecer a origem do meu dinheiro, pois o meu acusador, para provocar-me, há muitos anos vem afirmando que o meu dinheiro foi herdado, legitimamente herdado, com impostos pagos e tudo.

Assim, defender-me não seria preciso, nunca foi, pois as calúnias são colocadas de maneira tão evidente que até o menos informado sabe que a campanha movida contra mim não tem conteúdo, só encerra provocação, mentira, calúnia e difamação.

Eu poderia processar o caluniador. Seria o certo. Mas o processo arrastaria indefinidamente no Tribunal, sem qualquer solução, pois o diretor de A Crítica nunca responde a processo algum, escondendo-se em viagens e doenças, escudando-se em peregrinações que faz pedindo para não ser julgado, como é hábito dos poltrões e covardes de sua espécie.

Restam-me, assim, duas alternativas. A primeira, que me tem norteado ao curso desses anos todos, a de sofrer calado, demonstrando na superioridade do meu comportamento a necessidade de a opinião pública parar para pensar e, através do raciocínio, aferir quem tem razão e quem não a tem.

A segunda, que violenta meu comportamento e meu desejo íntimo, é usar as mesmas armas, descer ao submundo moral do Umberto Calderaro Filho, (filho de quem?) para enfrentá-lo no mesmo nível. Afinal não se elimina a lama sem chegar a ela, por maior repugnância que nos possa causar.

Vivi sempre a primeira forma, mas o homem da rua, que não entende muito bem as posições de grandeza e que não vê ninguém calar a BESTA POSSESSA, começa a indagar se me faltam coragem e argumentos. E isso me obriga a adotar novo comportamento, que não é digno de mim e nem da minha cidade, mas que é o único entendido por esse desclassificado moral, resultado das sarjetas das ruas, podre por dentro e por fora, cafajeste de origem e convencimento.

Não quero, todavia, ingressar no terreno da mentira, da calúnia e da difamação. E nem preciso porque o Calderaro é um pinico tão cheio de excrementos, um tumor tão cheio de pus, um marginal tão conhecido, que basta lembrar algumas verdades de sua vida duvidosa para satisfazer o apetite dos que querem sujeira.

Acho que uma briga dessa ordem deve respeitar as outras pessoas, sem a menor responsabilidade ou culpa no episódio, principalmente pessoas mortas, que não se podem defender. Mas, como ele não respeitou os meus mortos, não me sinto obrigado a respeitar os mortos dele.

Hoje o capítulo será dedicado à sua mãe ladra. Um fato real que os mais antigos conhecem e que ninguém poderá contestar.

Não é essa a primeira delinquência, na verdade, mas foi a primeira que acabou em escândalo, porque foi bater nas portas da polícia.

A mãe do Calderaro roubava e o próprio Calderaro vendia seus roubos. Uma beliscada aqui, outra beliscada ali, e os prejudicados, quando descobriam quem os roubava, acabavam recebendo seus pertences de volta e davam o caso por encerrado, pois aí o Calderaro entrava com seu choro teatral, aprendido no Teatro do Colégio Dom Bosco, onde chegou a apresentar-se como "odalisca". E quando os roubados não descobriam o furto, Calderaro fazia a venda do roubo, dividindo o resultado em duas partes, uma para as despesas da casa e a outra para "prevenir o futuro".

Mas um dia a velha, já tão habituada a roubar, esqueceu-se de fazê-lo longe de sua casa e assaltou a residência de uma vizinha, dona Maria Tereza da Silva Soares, esposa do sr. Osack Soares e filha do deputado Raimundo Nicolau da Silva, o velho Dico Silva que tem rua com seu nome no bairro de São Francisco. Maria Tereza era secretária da Escola Normal, hoje Instituto de Educação do Amazonas e espalhou a notícia do roubo, além de comunicá-lo a polícia.

Manaus era cidade pequena e, espalhada a notícia, logo que o Umbertinho e sua mãe começaram a vender as joias Maria Tereza foi avisada, avisou a polícia e esta acabou prendendo a ladra e as joias roubadas.

O filho parceiro entrou em campo com sua choradeira, mobilizou meio mundo, sempre alegando que sua mãe era cleptomaníaca, uma doente, portanto. E no frigir dos ovos, dona Maria Tereza aceitou a explicação e as joias de volta, mas arguiu que "quem é doido vai para o hospício".

E o Umbertinho não teve outro jeito: internou a velha no hospício "Eduardo Ribeiro "e mesmo sabendo que ela de doida não tinha nada, deixou que a pobre coitada fosse submetida a tratamento de choque, com camisa de força e tudo, pois todo preço estava disposto a pagar, mesmo à custa do sofrimento da mãe, desde que não prejudicasse sua nascente carreira de jornalista, esse jornalista que hoje agride a mim e à cidade, como um grande campeão da moralidade.

Passados uns tempos, e com a anuência de dona Maria Tereza, transferiu a velha para a Casa de Saúde "Santa Helena", na Rua Voluntários da Pátria, bairro de Botafogo, Rio de Janeiro, onde ela esperou o esquecimento maior do fato, para voltar a residir em Manaus.

Uma história triste do "bom filho", essa pústula que responde pelo nome de Umberto Calderaro Filho.

Andrade Netto

Ps. A respeito do tal acordo, assunto do qual tratarei oportunamente, quero apenas chamar a atenção do público para a nota oficial que o governo do Amazonas, nesta página, faz publicar, onde contesta que eu lhe tenha pedido para "pedir paz" e diz que interviu, sem qualquer solicitação, visando obter a harmonia e, naturalmente, privar nosso Estado desse espetáculo deprimente a que A Crítica nos submete a todos.

GOVERNO DO ESTADO DO AMAZONAS

O Secretário de Comunicação Social, em nome do Governo do Estado, argumentou pela harmonia, no conflito entre os jornais A Crítica e A Notícia sem solicitação de qualquer das partes, impulsionado pelo desejo de uma imprensa unida, sem qualquer interferencia na economia e na administração interna destes jornais.

Manaus, 28 de março de 1980
ELSON FARIAS
Secretário de Comunicação Social

O pivete "meio metro"
(Cidade, p.06 - 1° caderno)

Eu não precisava advertir a população de Manaus de que voltaria a ser vítima de ofensas e agressões através do jornal A Crítica. A ofensa e a agressão, moldadas em vilanias e mentiras, são as únicas armas que o marginal Umberto Calderaro Filho possui para me combater.

Não lhe restam outras, porque jamais poderá contar a verdade sobre a venda criminosa do Instituto Montessoriano; nunca poderá reconhecer, pelo menos publicamente, que estou zelando pela memória de André Araújo ao reclamar a continuidade de sua obra social reconhecida por todo o Estado. Não poderá, também, contestar as minhas afirmações.

Para não confessar que roubou dinheiro de crianças cegas, surdas, aleijadas e mudas, usando esse dinheiro maldito para salvar seu jornal da falência há alguns anos, Calderaro me agride levianamente, ferozmente, e transforma seu jornal em arma nojenta contra a sociedade amazonense.

Nesse mister vergonhoso, cai em ridículo, e envergonha mais uma vez a sociedade manauara, ao confessar em nota sórdida e cretina, a história cínica do "meio metro".

O mais grave de tudo é que o ladrão que assaltou crianças defeituosas foge como um rato, porque se defende com mentiras e inverdades, como a sua acusação de que eu ataquei a memória de seu sogro, André Araújo. Ele só não disse, ainda, onde, como, quando e por que agredi esse ilustre amazonense e seus familiares. Nem poderá fazê-lo, porque Manaus inteira é testemunha de que luto pelo soerguimento de obra tão meritória, acreditando, dessa forma, prestar a minha melhor homenagem a André Araújo, que na certa, gostaria de ver seus esforços florescerem, e centenas de crianças excepcionais-ameaçadas, inclusive, de perder a assistência tão difícil da Apae - devidamente assistidas.

Esse monstro foge como um rato pintado, de aspecto mais repugnante face às chagas morais que, como lepra insanável, lhe corrói as entranhas e o couro atrofiado. Fugindo a verdade, à justiça e a oportunidade e ver seu crime tornado público ataca a pessoas que nada têm com a questão, como é o caso do jornalista Andrade Netto, que apenas cumpriu um dever assumido com a sociedade: "dar o direito de defesa a um humilhado". Louvo-lhe a coragem e o destemor, e garanto ao Pivete Pintado que ele terá a sua resposta.

Todo amazonense teve a oportunidade de ver, como eu vi, na confirmação da história do "meio metro", contada em prosa pelo próprio "meio metro", a comprovação da minha denúncia sobre a amoralidade ativa de Calderaro, que perdeu seu hímen moral, como confessou, no tempo que deliciava a estudantada do Colégio Dom Bosco, com sua calça curta bamboleante, própria de sua vocação de florista.

O "meio metro" só não confirmou a história da flor disforme por um recalque de vaidade. E não me surpreende, nem a Manaus inteira, que ele tenha crescido tanto. Não foram poucos os empurrões em seu pousadouro (conjunto das nádegas). É preferível dizer que ele inchou como um sapo, de tantas vilanias cometidas.

Ao invés de esclarecer o povo sobre o que fez com o dinheiro que roubou dos excepcionais, Calderaro prefere comentar suas traquinagens, quando menino, de sunga curta, quando foi obrigado a usar cinto de castidade no traseiro. Atualmente, ele usa marca-passo no peito, a fim de vencer a nostalgia pelas "meio metragens".

É preciso que o "meio metro" saiba que a população está enojada com as suas notas porcas, que agridem aos homens de bem desse Estado, além de ameaçar a formação de muitas crianças que por acaso, tem a oportunidade de ler seu jornal imundo. Trata-se de um crime tão monstruoso como o que cometeu com os excepcionais do Instituto Montessoriano.

Não era preciso tanta polêmica, bastando que Calderaro contestasse com dados e fatos as minhas acusações, que provasse à cidade que não roubou o dinheiro do Montessoriano, que mostrasse que eu estou mentindo. Com a briga, provou a verdade das acusações, a falta de necessidade e motivo para sua agressão. Bastava isso.

Por que não apoiou a criação de uma Comissão Especial de Inquérito, na Câmara Municipal, para expor a verdade ao público? Por que desceu tão baixo, a ponto de chafurdear na lama e causar mal-estar à população amazonense? Por que contar a história do "meio metro", quando o que o povo quer é a verdade sobre o Montessoriano?

Fique certa a cidade, não descerei à lama das sarjetas onde se revolve o rato pintado. A minha luta é sagrada, em favor das crianças excepcionais, e do próprio povo. Não desistirei de forma alguma. A não ser que o Surubim matizado mande me matar. Ele é tão covarde quanto incapaz de me enfrentar. Se fosse homem, já me teria enfrentado.

Samuel Peixoto

a crítica

Chantagista e assassino

É público e notório que o escroque, embusteiro, pilantra reles e desprezível "Andrade Netto", dono do cafoto (sentina; fossa). "A Notícia", não tem moral. Em dez anos, o sicofanta [mentiroso, caluniador] e sodomita não apenas transformou seu "jornal" num clube de falofórias (festas pagãs em honra do falo), para escândalo da sociedade, onde ele e seus bacantes (sacerdotisas de Baco) pervertidos se refestelam em festins sibaritas (festas de pessoas adeptas aos prazeres sexuais, pessoas efeminadas). Paralelamente, esse mercador de impudicícias (falta de pudor, desonestidade), que é o "Andrade Netto", montou uma empresa de chantagem, que não encontra paralelo em nosso passado histórico, o que abarca, como um monstro alado, todos os setores vitais da sociedade. Em verdade, sua grande amante é a chantagem, da qual não chegou a fazer segredo nos tempos em que pensava poder os seus magarefes (açougueiros) do jornalismo velhaco, sob a direção do cortesão da velhacaria, retaliar a honra de todas as famílias que vivem no Amazonas.

Tudo o que ontem A CRÍTICA publicou não passa de um arbusto numa densa fl oresta. Durante tanto tempo, a sociedade fi cou à mercê dessa ameaça sempre suspensa sobre inteireza. Por todo o tempo à que não poderia fi car porque A CRÍTICA não o permitiria, como não vai permiti-lo.

Com a autoria comercial que caracterizou os primeiros anos da Zona Franca de Manaus, ele aumentou consideravelmente sua fortuna suja à custa de golpes de chantagens contra o comércio, notadamente adventício. O comerciante que lhe negava o dinheiro era implacavelmente malhado por seu jornal asqueroso. Seus agentes, comandados pela conhecida dama dos milhões, distribuem-se em distritos pela cidade, enquanto o mama-cadela "Andrade Netto", lá do seu gabinete em "A Notícia" (o da dama áurea fi ca ao lado) comanda a vasta rede de escroques, inclusive por controle remoto, na ação que desenvolvem em todo o Estado. Vamos a novos fatos, do passado e do presente.

Em março de 1971 assumiu o governo do Estado o sr. João Walter de Andrade. O hermafrodita mandou cobrar-lhe uma conta atrasada do governo Danilo Areosa, que montava a uma boa soma de cruzeiros. A conta era forjada, pois, na Secretaria da Fazenda, nenhum documento foi encontrado que a justifi casse. O pederasta dono de "A Notícia" mandou então a João Walter a seguinte proposta: o governo pagaria a conta, ainda que falsifi cada, e o rufi ão (indivíduo que vive a expensas de mulher pública a quem simula proteger) "Andrade Netto" daria "cobertura" ao governo, que, não tendo aceito a chantagem proposta pelo fêmeo, foi vítima, durante quatro anos, das salpicadas de sua gosma.

As ligações do escroque "Andrade Netto" com o jogo do bicho são também notórias e públicas. Diariamente, um pacote de cédulas de mil cruzeiros, ou chega ao cofre do jornal do hermafrodita ou, no dia seguinte, o banqueiro do bicho tem sua cara estampada na primeira página. (A propósito, uma coluna social da latrina "A Notícia" sempre publica fotografi as de alguns desses "banqueiros").

O paulista Milton Gallo, que há uns oito anos tentou implantar em Manaus uma indústria de ouro, foi levado à falência pelo chantagista crônico, que ameaçou publicar ter sido o sr. Gallo processado por contrabando em São Paulo. Gallo cedeu e a galinha "Andrade Netto" recebeu do galo numerosos galões de ouro. Aliás, esse ourives da

indecência que dirige "A Notícia" é de fato um aurimano (maníaco por ouro) – mas de mania acentuada por tudo que é ouro sujo. Agora mesmo, no episódio do contrabando de Maués, fez um pacto com os contrabandistas, que fatalmente o aceitaram, pois a posição de "A Notícia", na cobertura dos acontecimentos, é francamente favorável a eles. Basta que os leitores o confi ram.

A chantagem com certos supermercados é bem conhecida. Uma deputada estadual denunciou, no ano passado, o aumento indiscriminado de preços em determinadas dessas casas comerciais. Para não publicar o discurso (divulgado, aliás, por este jornal), o pasquim do corifeu da indecência (chefe de seita indecente) extorquiu, dos denunciados, Cr$ 1.000.000,00 (hum milhão de cruzeiros). E nunca mais publicou o nome da deputada!

É preciso, pois, diante desses fatos – que são apenas alguns dos muitos que são do nosso conhecimento – limpar a cidade dessas ratazanas contaminadas de peste. É o que A CRÍTICA está fazendo e vai continuar a fazer, pois o xereta "Andrade Netto", não é apenas esmerilado chantagista ou pederasta realizado: é, também, refi nado mandante de assassinatos.

No dia 15 de fevereiro de 1975, dois pistoleiros acertaram, com um tiro de revólver, o vereador Fábio Lucena. Os sicários (cruel, facínora) foram levados ao local em que tocaiaram o vereador pelo indivíduo Durval Dourado, que conduziu o carro duas horas depois aprisionado pela polícia. Na época, Durval era gerente de vendas da "Drogaria Fink", de propriedade do andrógeno rafado de "A Notícia" e de seu cunhado, o francês Jean Dupuis, hoje inimigo mortal do antigo sócio porque o saprófago (aquele que se nutre de matérias orgânicas em decomposição) "Andrade Netto", na calada da noite, com ajuda de falsários internacionais, adulterou o contrato social da empresa, com a falsifi cação da assinatura de Dupuis, pondo-o para fora da organização. O promotor de Justiça denunciou o andrógino "Andrade Netto" como mandante da tentativa de assassinato contra Fábio Lucena em processo que ainda corre no Tribunal de Justiça. Não podendo arrebatar ao vereador a liderança política que então disputava, a bichona de "A Notícia" mandou matá-lo. E também porque não conseguiu rebater as contundentes acusações que Lucena lhe fez na Câmara!

Ao falecido senador João Bosco Ramos de Lima, quando vice-governador do Estado, o safardana (canalha) mandou uma carta, que ao lado vai publicada. Em certo trecho, afirma: "(...) compreenda que, a esta altura da vida, não tenho condição de aceitar o que não paga a pena, e muito menos gastar o meu "pistolão" por tão pouco dinheiro". O cafajeste mandara pedir a João Bosco um emprego para a cunhadarana, irmã da concubina que superintende "A Notícia", onde agencia as chantagens, um emprego no Estado. Como a "recomendada" não tinha qualificação, Bosco mandou dizer-lhe que obtivera uma vaga, mas com o salário de Cr$ 3.000,00. Mas o chantagista queria Cr$ 30.000,00 por mês e, pelo que disse na carta, não lhe convêm chantagens de fracos níqueis, mas de robustos milhões.

O escroque foi além: propôs a João Bosco, conforme denúncia escrita deste ao governador Henoch Reis, que o governo lhe desse Cr$ 1.000.000,00 (hum milhão de cruzeiros) de publicidade por mês para "A Notícia" e o jornal do lambe-lesma "protegeria" a administração de Henoch e, em particular, "promoveria" João Bosco e apoiaria suas pretensões políticas. Como Bosco não aceitou o escroque, durante dois anos, denegriu, até onde pôde, o nome de João Bosco. E, temendo que o vice- governador revelasse a tentativa de chantagem, o "andradógino" (Andrade misturado com andrógeno), mandou matá-lo.

Foi esse patife, escroque, rufião, pederasta, mandrião, desonrado, vilão gafeirento (que tem gafeira, leproso, corrupto) e chantagista pervertido quem veio agredir, com pseudônimo, a honra do Homem que construiu e dirige A CRÍTICA. Vai arrepender-se de ter nascido!

Coluna Opinião
(Caderno Opinião, p.04)

As pérolas e os porcos

A insistência na difamação da memória do grande benemérito amazonense André Vidal de Araújo evidencia o grau de rebaixamento

moral de seus detratores e que A CRÍTICA não poderia deixar de tomar as providências públicas que tem tomado.

O fato em si, a venda de uma propriedade particular, adquirida de outro particular, que serviu a uma grande obra afinal desativada por falta de apoio oficial que nunca foi expressivo, já está definitivamente esclarecido. A transação foi feita ainda em vida do grande mestre e o diretor deste jornal, casado com uma filha de André Araújo, nunca teve nada a ver com seus negócios particulares, todos perfeitamente abertos, públicos e rigorosamente legítimos.

A CRÍTICA, que não chantageia e nem nunca trocou suas convicções por qualquer tipo de favor e muito menos por metal sonante, incomoda os que fazem da chantagem a sua principal receita pela repercussão pública da comparação. E não é gratuito que A CRÍTICA tem tiragem de nove vezes maior do que a marrom imprensa chantagista - testemunho inequívoco de maturidade e grandeza do povo amazonense que sabe discernir corretamente.

A contragosto, mas como dever irrecusável, não podemos deixar impunes as agressões, as ofensas, as calúnias, sobretudo contra uma memória ilustre.

Quando Cristo recomendou que não se atirassem pérolas aos porcos, sem dúvida alertava a humanidade contra tipos como o que ora desnudamos irremediavelmente do povo.

Aos nossos leitores reservamos as pérolas de nosso empenho profissional, de nosso carinho, de nosso respeito. Aos porcos que se nos atravessam no caminho não podemos tratar de maneira idêntica, porque seria desperdício de joia tão preciosa.

Aos porcos, o único tratamento que os porcos são capazes de entender: peia!

No dia seguinte, Andrade Netto contou sua versão da origem de *A Crítica* e reproduziu também o artigo "O filho da ladra", que havia sido publicado no dia anterior. O motivo para a republicação do texto, segundo Netto, foi o de que Calderaro teria mandado comprar todos os exemplares de *A Notícia* das bancas para ocultar a matéria do conhecimento do público.

A Crítica do mesmo dia publicou documentos — peças extraídas do inquérito policial instaurado na Delegacia Geral de Polícia — classificando-os como provas cabais de que "Andrade Netto" mandara matar o então vice-governador João Bosco Ramos de Lima.

Dia 30 de março de 1980 (domingo)

A NOTÍCIA

Ladrão da própria mãe

Vou continuar a não me defender. Não paga a pena perder tempo demonstrando que não tenho participação com o jogo do bicho ou com o contrabando de ouro de Maués. Se tivesse o marginal que dirige A Crítica, já me teria "dedurado" na polícia, pois para ele seria a "glória" ver-me preso é muito melhor do que se preocupar em inventar histórias, mentiras, calúnias, injúrias e difamações.

E vou continuar contando verdades de sua vida imunda, uma podridão que tem a sua idade, pois com ele nasceu, e nasceu em circunstâncias que acabarei por narrar se esse ladrão encasacado não calar sua boca suja.

Hoje o capítulo desta novela vergonhosa é sobre a origem de A Crítica, que ele diz ser fruto de "sangue, suor e lágrimas", mas que demonstrarei, PROVANDO, que foi feita na base de golpes e chantagens, até mesmo chegando a furtar sua própria mãe.

O jornal do cachorro pintado foi idealizado por Agnaldo Archer Pinto, diretor e proprietário de "O Jornal" e "Diário da Tarde", que quis ajudar honestamente o parente pobre, dando-lhe um meio de vida decente.

Agnaldo concebeu A Crítica com três sócios: dona Cyra Archer Pinto, dona Maria Calderaro (mãe do infeliz), e o próprio desgraçado, alcunhado de Umberto Calderaro Filho.

A parte de dona Maria seria e foi paga por Agnaldo, que por ela tinha uma veneração enorme; a parte de dona Cyra, seria paga por seu marido Aloísio, irmão e sócio de Agnaldo; e a parte do chantagista de A Crítica seria paga por ele próprio, como possível e de qualquer forma.

As compras foram feitas no nome de A Crítica, no correspondente às quotas de Maria e Cyra, ficando as despesas de instalação a serem cobertas pelo peculatário Umbertinho.

Mas, na hora do contrato social, o cachorro pintado cuspiu na mão de seu benfeitor, roubando as partes de Cyra e Maria. Muito fácil de fazer, para quem já era ladrão convicto: tudo estava no nome de A Crítica, no nome de mais ninguém, e então ele fez o registro da firma no seu próprio nome, ficando com tudo isto que ele agora diz que é um "padrão de moralidade".

Foi sua primeira "herança espúria". Tem a segunda. E só Deus sabe como desejo não precisar falar desta última, para não ferir pessoas que nada tem com suas roubalheiras.

Um bandido que rouba sua própria mãe, que rouba sua prima Cyra e, por extensão, rouba seu grande benfeitor, não passa de um desclassificado da pior espécie, de um marginal da maior periculosidade, de um larápio refinado.

E é esse vagabundo pintado que gosta de ser chamado de "barão da imprensa", que vive a repetir que é um homem de bem, pela convicção de que isto ele não será nunca, pois foi gerado na podridão, criado na amoralidade, crescido na roubalheira e vai morrer com a boca cheia de formigas, para que estas privem a terra de agasalhar sua língua de calúnias, mentiras, injúrias e difamações.

O desclassificado enquanto o Fink existiu nunca fez-lhe ataques, porque sabia que o Fink conhecia suas histórias todas, nos seus mínimos detalhes. E ainda cometeu a hipocrisia de noticiar a morte de Fink:" com o mais profundo pesar", dedicando-lhe elogios que hoje substitui por infâmias.

O que ele não sabia era que o Fink tinha um arquivo de papéis velhos, muito velhos, dos quais vou usar alguns nesta página para comprovar o que aqui narrei. Tenho outros, muitos outros, para desmascarar o crápula Umbertinho.

O velho Fink alugava um imóvel de Agnaldo, onde seria e foi instalada A Crítica. E quando Aloísio foi pedir-lhe que desocupasse o imóvel, para justificar a solicitação, entregou ao Fink xerox do que hoje publico.

Isto é muito mais prova de que a recusa de um emprego para uma jovem, ontem por ele exibida.

Como é prova o cartão que também publico de João Walter de Andrade, a quem fiz oposição durante quatro anos, três dos quais em regime de censura, e censura motivada por uma mentira do pintado, a de que eu mandara montar uma fotografia indecente do governador. O tempo se encarregou de mostrar a João Walter que tinha sido vítima de uma mentira do Umbertinho, e fez com que ele voltasse a minha amizade antiga, por sua iniciativa.

E sabem por quê? Porque A NOTÍCIA estava crescendo, aumentando em conceito e tiragem, e o amoral entendeu que estava na hora de sufocar o concorrente, como agora faz com essa campanha difamatória; estava na hora de silenciar a voz que não existe, como consequência de um roubo, roubo à própria mãe.

Ontem eu disse que o pintado é ladrão, deixando de mencionar apenas, no caso das joias, o episódio do cofre das joias, ou do porta-joias, assunto que acabará saindo em capítulo especial, se o cachorro não calar. Não quero revelar a quem ele deu o cofre de presente e como foi buscá-lo para restituir à senhora de quem fora roubado.

Hoje apresento, com documentos, outro roubo do pintado. Naturalmente ele mandará comprar nas bancas os exemplares de A NOTÍCIA, como fez ontem, para sonegar ao público a minha primeira resposta. Por isso estou reproduzindo o artigo "O FILHO DA LADRA" na página 3 desta edição. Leiam: tal mãe tal filho.

Andrade Netto

Rio, 6 de Novembro de 1945

...inho:

    abraços

    Espero que estejas gozando boa saude emcompanhia do velho Umbertão ....tas, ...ncy e Maria Leonarda.

    Pelo José Siqueira enviei uma lembrança para a Maria Leonarda Ela gostou? Oportunamente, mandarei a bolsa tira-colo que prometi para minha ama.

    Vamos, agora, ao que interessa:

    Já mandei fazer os desenho para o cabeçalho da Critica. Mandei faze no Globo, seis clichés de propaganda, anunciando o proximo aparecimento em segunda fase.

    Os tipos serão embarcados ainda este mês, juntamente com uma estant. de 20 gavetas, deposito para material branco, tudo de conformidade com o que combinamos. A estante custou CR$ 1.865,00. Pelo preço verificarás que foi ga linha morta em comparação ao preço e a execução do serviço ai.

    -x-x-

    A maquina de Linotipo já está em nome de A CRITICA, conforme documen-tação que enviarei pelo proximo aéreo, diretamente à Cyra, para promover o necessarios lançamentos. Referida maquina estará ai, com toda a certeza, an-tes do dia 31 de Dezembro, pois, prometi que colocaria a maquina nesse pra-zo e fique certo que cumprirei minha promessa.

    -x-x-x-

    Já encomendei 15 toneladas de papel cor de rosa, identico ao que usa o Jornal dos Esportes.

    -x-x-x-

    Estou em negociações com u'a maquina de dois cilindros para a Empi sa Archer Pinto Ltda, maquina essa que servirá para imprimir a Critica.

    -x-x-x-

    Portanto, todas as providencias de ordem material já foram tomadas.

    Sobre o regimento interno do teu jornal-gerencia, operarios e prin-cipalmente corpo redacional, peço-te que não tomes nenhum compromisso, pois, reservarei o proximo domingo para traçar um plano, que si for executado de acordo, tudo correrá ás mil maravilhas.

    Faze sentir a todos os que colaboraram contigo na 1a. fase que estas desobrigado de qualquer compromisso, e que portanto, nova fase, vida nova.

    -x-x-x-

    Resta, agora, que o Fink e Pedro desocupem o beco, para instalarmos a Critica. E nada mais por hoje. Abraços a todos que envia o amigo

Rio,7 de Novembro de 1946

Cyra:
        abraços

        De acordo com o que ficou estabelecido no contrato comercial de
A CRITICA,caberá a ti a responsabilidade do movimento comercial da mesma.

        Assim,passo ás tuas mãos um recibo de CR$ 10.000,oo pagos por con
ta da compra da maquina de linotipo.Os outros CR$ 10.000,oo serão pagos
oportunamente e nessa oportunidade,ficará completa a quota de d/Maria
Calderaro da qual sou o responsavel.

        A quota do Aloisio,ou melhor,a tua quota,será integralisada com o
pagamento a fazer a FUNTYMOD DO BRASIL,referente a compra de tipos de
armario para a oficina,que regula mais ou menor a importancia correspon
dente à tua parte.

        A quota do Umbertinho ele a integralisará de acordo com as suas po
sibilidades,devendo enfrentar as despesas de instalação da oficina etc.
São,afinal,pequenas despesas.

        E nada mais por hoje.Lembranças a todos e um abraço amigo do

Fonte: Jornal A Notícia de 30 de março de 1980 (Capa)

João Walter de Andrade
Andrade Neto,   ...Quando pretendemos julgar
o que fizemos dos nossos dias... nos inspiramos
noutro filósofo..." só se vê bem com o coração.
O essencial é invisível para os olhos"...
        Para você e família, o
        Apresenta votos de Feliz Natal
        e
        Próspero Ano Novo
                    79/80

Fonte: Jornal A Notícia de 30 de março de 1980 (Capa)

Empreiteiro do crime (Capa)

O rosário de chantagens do escroque "Andrade Netto" é interminável. O meliante de "A Notícia", que não tem moral nem mesmo para entrar em prostíbulo, supõe que, fugindo da raia, vai ficar livre do nosso azorrague [instrumento de tortura na Roma Antiga, chicote de couro]. Mas não. Não vai. Todo o seu acervo de escroqueria (Grande quantidade de escroques) será levado a público.

Com aquela empáfia de pavão emplumado, o andrógino afirmou que sempre deu trabalho às mulheres. De fato, sempre deu: fugindo com os noivos de muitas e com os maridos de outras. Esta, sim, é que é a mais conhecida faceta das "conquistas" do parvo "Andrade Netto". As outras são as que se seguem.

Em 1978, ele mandou sua concubina Marilu Archer Pinto a Boa Vista. Marilu foi extorquir Cr$ 2.000.000,00 (dois milhões de cruzeiros) do governador do Território, Coronel Fernando Ramos Pereira, a título de publicidade para o cafoto" A Notícia". O jornaleco promoveria o governo de Fernando e daria cobertura eleitoral. Fernando não aceitou. Passou a ser duramente atacado.

Mais recentemente, no tumultuoso caso das "Fazendas Unidas", Marilu arrancou, em nome de seu fêmeo, Cr$ 10.000.000,00 do industrial Carlos Alberto De'Carli, chefe do grupo, em troca do apoio de "A Notícia" ao empresário cuja reputação estava sendo posta em dúvida.

Foi assim que o "conquistador" "Andrade Netto" associou-se a De'Carli, quando mais de 600 milhões de cruzeiros foram arrancados à praça de Manaus, em forma de empréstimos bancários. Páginas inteiras e editoriais foram dedicados ao industrial que hoje não se sabe onde está.

Mas o tema central de hoje não é bem o da chantagem, que pode ficar para amanhã, ou depois. Vamos agora, às provas cabais, documentadas, de que "Andrade Netto" mandou matar o então vice-governador João Bosco Ramos de Lima, depois de que soube que Bosco denunciara por escrito ao governador Henoch Reis ter "Andrade" mandado a arredia Marilu extorquir de João Bosco Cr$ 1.000.000,00, também para publicidade e cobertura política às pretensões do vice-governador. Rechaçado, e com medo de que a tentativa de chantagem viesse a público, o facinoroso "Andrade" planejou a execução de Bosco da seguinte forma: em maio de 1978, mandou contratar o indivíduo Jean Gutemberg de França Bessa, vulgo Carlão (ver documentos que estamos publicando nas páginas 6 e 7 desta edição), e incumbiu-o de ir a Guajará-Mirim – Bolívia, a fim de comprar, no país vizinho, um rifle marca "Winchester", dotado de luneta, e uma caixa de bala, de efeito silencioso. Para a viagem, o bufão "Andrade" deu ao Carlão (terá sido o mesmo que contratou para matar, três anos antes, o vereador Fábio Lucena?) credencial de funcionário do seu jornal, conforme depoimento do capitão de corveta Antônio Jansen Ferreira Filho (ver documento na página 7), que se encontrava em Guajará-Mirim a serviço da Capitania dos Portos, a quem Jean Bessa se apresentou como "jornalista" de "A Notícia", e exibiu a credencial; e conforme idêntico depoimento do suboficial da marinha, Aurílio Pereira da Silva – tudo na conformidade do inquérito instaurado na Delegacia Geral de Polícia. E ainda segundo o atestado de Paulo Justiniano Dorado, residente em Guajará-Mirim.

A arma foi comprada, mas surgiu um problema: o de seu transporte para Manaus. Carlão entrou em contato com os empreiteiros criminosos de "A Notícia", dos quais recebeu as seguintes instruções: deveria empacotar muito bem o rifle e as balas, e os entregar ao capitão Jansen, a quem deveria dizer que se tratava de material de reportagem colhido em Guajará-Mirim a respeito de umas fazendas que possuía o vice-governador João Bosco na Bolívia. O capitão recusou-se a ser portador da encomenda. Depois de muitas peripécias, o pistoleiro Jean Bessa voltou a Manaus e dirigiu-se aos seus contratantes, que o instruíram a dar um jeito de retornar a Guajará-Mirim e de

trazer a arma, que lá fi cava em poder de um tal Sanchez. Quando voltasse ao gabinete do vilão de "A Notícia", receberia um trabalho para executar, para o que deveria, todavia, arranjar mais três comparsas. Mas Carlão não passou de Porto Velho, onde foi preso. Liberado, escafedeu-se para a capital amazonense e prontamente compareceu à câmara do crime, montada no gabinete do empreiteiro da morte e dono de "A Notícia", de quem ouviu que o trabalho a ser executado se relacionava com a execução de João Bosco. Carlão perguntou quem era o tal de Bosco. Foi informado de que era o vice- governador. Jean Bessa disse então que não aceitava o serviço porque não mais queria envolver-se com a polícia. Dias depois, um certo Chester Tupinambá procurou Jean Bessa e disse-lhe dispor de Cr$ 500.000,00 (quinhentos mil cruzeiros) para executar o serviço e que o dinheiro seria dividido entre os participantes do referido serviço. Carlão ameaçou denunciar Chester à polícia. Dias após, Carlão foi atacado à faca nas proximidades de sua residência por três indivíduos, recebendo profunda incisão no rim e diversos ferimentos pelo resto do corpo. Disseram os agressores que aquilo era uma advertência para que Carlão não abrisse a boca a cerca do "serviço" que eles iriam praticar caso contrário lhe dariam cabo e também à sua família.

Carlão foi atendido no pronto-socorro do Estado. No dia 2 de novembro de 1978, foi vítima de nova agressão, desta vez a golpes de terçado, quando se encontrava estacionado na direção de uma "pick-up". Leiam os impressionantes depoimentos das páginas 6 e 7 e saibam, também, os nomes de outras pessoas envolvidas na trama diabólica urdida pelo bicó (que não tem rabo) "Andrade Netto" para assassinar João Bosco Ramos de Lima, três anos depois de haver mandado matar o vereador Fábio Lucena.

Cuidem-se, pois, duas categorias de cidadãos: os empresários que não se deixam chantagear e os políticos adversários do escroque, chantagista e assassino "Andrade Netto": aos primeiros, se lhe negam o ouro da chantagem, cujas condições são sempre transmitidas pela Marilu (a concubina do rameiro "Andrade Netto", de cuja esposa usurpou o controle fi nanceiro do jornal), são vilmente atassalhados (mal cortados, desacreditados) pelas páginas do pasquim mercenário; aos segundos, como nos exemplos de Fábio Lucena e João Bosco Ramos de Lima, ele os manda matar.

As peças que publicamos nas páginas 6 e 7 foram extraídas do inquérito policial instaurado na Delegacia Geral de Polícia, em 8 de novembro de 1978, sob a presidência do delegado Edilson dos Santos Oliveira e assistência do promotor Carlos Alberto Barbosa, que representou o Ministério Público. Pergunta-se ao secretário de Segurança: onde está o inquérito? Foi encaminhado ao judiciário como manda a lei? É hora de investigar, pois a cidade não pode ficar a mercê desse empreiteiro do crime, desse pederasta emérito que dirige a latrina que é: "A Notícia"!

O depoimento prestado pelo comparsa de Andrade Netto, Jean Gutemberg Bessa revelou, com detalhes, toda uma trama para eliminar o saudoso senador João Bosco Ramos de Lima e da qual era mandante o diretor de "A Notícia". Tudo começou quando o diretor de A Notícia tentou extorquir o então vice-governador na importância de Cr$ 1.000.000,00, por mês, em troca de proteção que daria o jornal ao governador Henoch Reis, bem como as aspirações políticas de João Bosco. Antes já havia tentado um emprego para pessoa de sua família. Pelo depoimento verifica-se que Andrade Netto mandou o seu comparsa a Bolívia comprar uma arma de alta precisão a fim de que o serviço não tivesse risco de erro. O comparsa hesitou em dar o disparo fatal e contou tudo com riquezas de detalhes como se verifica nos depoimentos ao lado. Diante disso foi arquitetada e realizada a fuga da Penitenciária Central do Estado de três perigosos marginais – Waldick, Goiano e Paulinoque deveriam eliminar, além do primeiro marginal, também o vice-governador. A polícia agiu a tempo e prendeu os três marginais escondidos nas matas do Tarumã, onde já dispunham de um avião para que lhes fosse dado fuga logo após a realização do trabalho, avião esse que fora fretado pelo mandante que controla o Sindicato do Crime em Manaus. Publicamos também os Autos de Reconhecimento firmados por um oficial da Marinha, o capitão de corveta Antônio Jansen, por um suboficial da Marinha, Aurílio Pereira da Silva, e do cidadão Paulo Justiniano Dorado, residente em Guajará-Mirim que comprovam terem conhecido o comparsa Jean Gutemberg quando este encontrava-se em Guajará Mirim portando

212

carteira de jornalista de "A Notícia", a fim de atravessar a fronteira para comprar a arma que daria o disparo fatal. Leiam os documentos, e refl itam o perigo que todos corremos em residir em uma cidade onde o proprietário de um jornal é o presidente do Sindicato do Crime.

O depoimento prestado pelo comparsa Jean Gutemberg Bessa, contratado pelo indivíduo Andrade Netto para matar o falecido senador João Bosco Ramos de Lima, que fotocopiamos nestas páginas é a prova do envolvimento do dono de "A Notícia" com o submundo do crime. Comprovado está também que foi ele quem deu fuga a três perigosos marginais.

– Waldick, Goiano e Paulino – que deveriam eliminar o primeiro por ter recusado a dar o tiro fatal, e bem como, consumar a eliminação do então vice-governador. Quando esses marginais foram presos por uma ação conjunta da Polícia Militar e Civil nas matas do Tarumã, já dispunham de um avião fretado, para fugirem após os disparos fatais.

SECRETARIA DE ESTADO SEGURANÇA PÚBLICA

Fls...........

DELEGACIA. *Geral de Polícia do Amazonas*

TÊRMO DE DECLARAÇÕES

Aos *oito (08)* dias do mês de *novembro* de mil novecentos *e setenta e oito* nesta cidade de *Manaus* no Distrito Policial de *Delegacia Geral de Polícia* onde se achava o Doutor *Edilson dos Santos Oliveira da DGPa.* - Delegado respectivo, comigo, escr *Ivão* de seu cargo, ao final assinado, compareceu *Jean Gutenberg de . nça Bessa*

filho de *Joacir Ferreira Bessa e Mercedes Gutenberg Ferreira Bessa* com *trinta (30)* anos de idade, de côr *p. clara* estado civil *co nde* de nacionalidade *Brasileira* natural de *Manaus - Amazonas* de profissão *Desenhista arquitetônico* residente à *Beco Barcelos, bai* número *42* sabendo ler e escrever declarou:

QUE, o declarante após ser absolvido em juri popular por um crime que havia sido lhe atribuido fôra conduzido após a senteça final pronunciada pelo Meritissimo Juiz de Direito ao presidio estadual que ali aguardaria somente o Alvara de Soltura que deveria ser concedido ao declarante; QUE, o declarante no dia onze de abril do ano em curso, um dia após o seu julgamento por volta das dez horas solicitou uma permissão do Diretor da Penitenciaria que o mesmo lhe concesse, digo, concedesse uma permissão para que se deslocasse até ao escritório do doutor MILTON MACENA, seu advogado para que o mesmo junto ao Tribunal de Justiça providenciasse o seu Alvará de Soltura, uma vez que até aquela hora o Oficial de Justiça ainda não havia comparecido aquele presidio; QUE, o declarante foi atendido em seu pedido pelo Diretor da Penitenciaria na pessoa do doutor MEDINA o qual lhe fez algumas restrições entre as quais que o mesmo após o contato com seu advogado deveria retornar ao presidio; QUE, o declarante ao sair do presidio pôde observar que nas proximidades de uma merccaria encontrava-se estacionado um carro de propriedade do jornal "A Noticia" e no mesmo se encontrava o motorista e mais um elemento de nome GABRIEL reporter es te que o conheceu no dia de seu julgamento; QUE, o declarante ao cruzar pelo veiculo foi chamado pelo elemento de nome GABRIEL que se dirigindo ao declarante disse ao mesmo que o redator chefe de "A Noticia" por no-

2

(continuação fls. 02)

por nome de BIANOR GARCIA queria falar com o declarante;QUE, o declarante no momentoalegara a GABRIEL que seu destino era o escritorio de seu advogad do entretanto, GABRIEL disse ao declarante que BIANOR GARCIA gostaria de' falar com o mesmo por alguns minutos o qual foi aceito pelo declarante;'' QUE, o declarante entrou na viatura pertencente "A Noticia" e se dirigiu' té a redação do referido jornal, tendo na ocasião após manter os primei- os contatos com o senhor BIANOR GARCIA recebera a importancia no valor ' de CINCO MIL CRUZEIROS (Cr$ 5.000,00), importancia essa segundo BIANOR GAR CIA o motivo da oferta teria sido em consequencia da alta venda do jornal concernente ao noticiario do juri;QUE, o declarante afirma que BIANOR GAR CIA que o mesmo teria um trabalho para que fosse executado pelo declaran- te, porem segundo o declarante BIANOR pediu ao mesmo que andasse na linha e que depois com o passar de quinze dias voltasse a falar com ele na reda ção do referido jornal;QUE, o declarante após ter passado os quinze dias' voltara ao jornal "A Noticia" conforme havia sido combinado com BIANOR '' GARCIA tendo este perguntado ao declarante se o mesmo estava sem emprego' tendo respondido o declarante que no momento estava sem emprego;QUE, o de clarante afirma que BIANOR GARCIA dissera ao mesmo que teria que fazer '' uma viagem a Guajara Mirim e, que naquela localidade deveria aguardar con- tatos por telefone a fim de que o mesmo procedesse de acordo com as ins - truções que iria receber;QUE, após receber as primeiras instruções por via telefonica o declarante deveria manter contatos com FERNANDO SANCHES e o' Chefe do Setor de Estrangeiro e Apreensão a Contrabando, um orgão federal estabelecido naquele local;QUE, o declarante entretanto alegou a BIANOR ' GARCIA que no momento encontrava-se sem dinheiro e por ter,digo, e por '' possuir familia não poderia fazer uma viagem sem que deixasse a mesma em' condições, e então BIANOR GARCIA disse que não haveria problema pois iria lhe dar a importancia de DEZ MIL CRUZEIROS (Cr$ 10.000,00), e quando do ' regresso do declarante ele receberia mais CINCO MIL CRUZEIROS (Cr$5.000,00 QUE, então o declarante assinou um recibo de QUINZE MIL CRUZEIROS (Cr$ 15.000,00), referente ao CINCO MIL CRUZEIROS recebidos anteriormente e os DEZ MIL CRUZEIROS que acabara de receber;QUE, o declarante alega que após' passar oito dias aproximadamente, fora procurado em sua residencia por GA BRIEL, funcionario do jornal "A Noticia" alegando que estava ali a mando' de BIANOR GARCIA e que o declarante deria acompanha-lo até a redação a '' fim de contactar com o referido redator chefe;QUE, o declarante afirma que chegou a redação de "A Noticia" por volta das dezessete horas, isto numa' sexta feira em dias do mês de maio do corrente ano que não se recorda e ' que ao chegar aquele matutino fora recebido por BIANOR que levou o decla- rante a uma sala reservada onde encontrava-se o senhor ANDRADE NETO;QUE, o declarante afirma que o primeiro contato que mantem com ANDRADE NETO e BIANOR GARCIA era que deveria fazer uma viagem a Guajara Mirim com a fina lida   adquirir uma arma Winccether, calibre vinte e dois (22) possui da de uma luneta e uma caixa de bala, entretanto o declarante não dveria'

Fonte: Jornal A Crítica de 30 de março de 1980 P.06

3

GOVERNO DO ESTADO DO AMAZONAS

DELEGACIA GERAL DE POLICIA

(continuação do Termo de Declarações - fls. 03)

'o declarante não deveria revelar a ninguem o assunto que fora abordado naquele momento nem mesmo para sua esposa;QUE, o declarante viajou num sabado, porém na sexta feira patrocinou um jantar para alguns funcionarios de "A Noticia" que pode ser comprovado pela proprietaria do restaurante "RIACHUELO";QUE, o declarante ao chegar em Guajara Mirim manteve contato por fla telefonica com BIA NOR GARCIA tendo esse mandado o declarante no dia seguinte manter contato com FERNANDO SANCHE cujo objetivo era em adquirir a arma que fora mencionada;QUE,o declarante após o contato mantido com SANCHES no dia seguinte viajou com o mes mo para o outro lado da fronteira, território boliviano, com a finalidade de adquirir a arma que fora solicitada em Manaus por ANDRADE NETO;QUE, o declaran te após observar a arma que deveria ser comprada retornou no mesmo dia a Guaja ra Mirim tendo o declarante mantido contato com BIANOR GARCIA o qual partici pou que a arma poderia ser adquirida porém havia uma certa dificuldade de tran porta-la para Manaus, pois estava ocorrendo naquela localidade uma revolta, '' cuja presença da Policia Federal se fazia presente naquele local e que em con sequencia dos acontecimentos que vinha ocorrendo o declarante tinha dificulda de em transportar a referida arma;QUE, o declarante afirma que BIANOR GARCIA dissera-lhe por telefone que o mesmo não se preocupasse pois iria entrar em '' contato com alguem da Capitania dos Portos em Guajara Mirim e que o declarante deveria se apresentar como reporter de "A Noticia";QUE, o declarante após ter mantido o contato por telefone com BIANOR GARCIA dirigiu-se a Agencia da Capi tania dos Portos e ali fora recebido por um cabo que in continente apresentou o declarante a um Oficial de nome, digo Oficial da Marinha de nome JANSEN sobri nho do Comandante Militar da Amazonia, General JANSEN;QUE, o declarante fez am izade com o Comandante JANSEN e em varias ocasiões chegou a jantar com o refe rido Oficial da Marinha em companhia de um Sub-Oficial possivelmente de nome ' ALBERTO e do Agente da Capitania dos Portos de Guajara Mirim cujo nome não se recorda, porém lembra-se que este ultimo é proprietario de uma brasilia pos sivelmente de cor bege;QUE, posteriormente o declarante em companhia de FERNAN DO SANCHES se dirigiu ao outro lado da cidade, já em Bolivia e lá comprou o ri fle de marca WINCHTERN calibre vinte e dois com lunota e uma caixa de balas;'' QUE, na ocasião em que o declarante comprava a arma mencionada se encontrava ' presente um amigo do Oficial da Marinha JANSEN cujo o nome o declarante desco nhece, mas que informa que o mesmo trabalha na SUSIPE, o qual tambem partici pou de um jantar em companhia de JANSEN e outras pessoas;QUE, adquirida a arma o declarante fez novo contato com BIANOR GARCIA lhe dizendo que a situação para passar a arma era dificil ao que BIANOR lhe sugeriu que empacotasse a mesma e' encaminhasse pelo Oficial da Marinha JANSEN dizendo-lhe que se tratava de mate rial de reportagem colhido em Guajara Mirim a cerca de uma fazendas que possuia o Vice-Governador JOÃO BOSCO RAMOS DE LIMA na Bolivia;QUE, o declarante ir em

4

(continuação fls. 03)

o declarante in continente fez contato com o senhor JANSEN porem o mesmo se negou de levar o material que nada mais era do que o rifle dizendo-lhe que não podia se envolver em problemas políticos mais estava a disposição para levar outros' tipos de materiais; QUE, o declarante resolveu então mandar pelo senhor JANSEN ' um pequeno pacote contendo alguns filmes a importancia de CINCOENTA MIL CRUZEIROS (Cr$ 50.000,000), algumas fotografias a Nota Fiscal da arma comprada e outros documentos enviados por SANCHES para o senhor BIANOR GARCIA; QUE, mais tarde o declarante soube através de BIANOR que o Oficial JANSEN lhe havia entregue a encomenda a ele endereçada em nome de "A Noticia"; QUE, a arma não pode ser trazida pelo declarante ficando a mesma em poder de SANCHES em Guajara Mirim; QUE, o declarante posteriormente viajou para Porto Velho seguidamente se dirigiu de o-nibus pela empresa MOTA para Humaitá onde foi preso por um Sargento da Policia Militar em face da publicação em jornais de Manaus, exceto "A Noticia" de que o declarante estaria tramando a morte do doutor PAULO NOGUEIRA que na ocasião apurava o caso BATARA; QUE, logo depois a sua prisão o declarante foi recambiado para o Comando Geral da Policia Militar e em seguida remetido para a Delegacia Geral de Policia indo até a presença do doutor CARLOS TAVARES; QUE, que o declarante esclarece que não foi para a Delegacia Geral e sim para a Delegacia de Crimes Contra o Patrimônio e que lá se apresentou como seu advogado já pela parte da tarde o doutor FRANCISCO GUEDES DE QUEIROZ o qual lhe disse que estava ali a pedido de BIANOR GARCIA lhe dizendo inclusive que nada relatasse a cerca da ' sua viagem a Guajara Mirim; QUE, o declarante foi depois encaminhado para o Quarto Distrito Policial e lá foi ouvido pelo doutor PAULO NOGUEIRA o qual lhe liberou posteriormente em face de nada ser comprovado com relação a trama urdida para matar o referido Delegado; QUE, logo depois o declarante se dirigiu a presença do senhor BIANOR GARCIA tendo o mesmo dito que ele deveria retornar a '' Guajara Mirim a fim de dar um jeito de trazer a arma comprada e que depois disso daria um trabalho para o mesmo executar devendo para isso arjan, digo, arranjar mais tres comparsas; QUE, o declarante novamente viajou com destino a Porto' Velho para seguir posteriormente até Guajara Mirim devendo para tanto alugar em orto Velho um taxi aereo de uma amigo de BIANOR de nome RICARDO, contudo RICARDO se negou a fazer a viagem e o declarante findou se enrolando em Porto Velho' onde foi preso pela Policia Federal sendo depois entregue a Policia Civil, ocasião em que o Bel. RAIMUNDO NONATO LOPES e o Advogado ROBERTO ALEXANDRE se en - contrava na referida cidade; QUE, naquela data mais ou menos final de junho o dou tor RAIMUNDO NONATO LOPES chegou a ouvir o declarante nos autos que apurava o ' desaparecimento de um motorista alcunhado por "CAFÉ"; QUE, depois de liberado em Porto Velho o declarante retornou a Manaus e se dirigindo ao predio de "A Noti- cia", na estrada do Japiim lote numero hum procurou o senhor BIANOR GARCIA para saber qual era o serviço que aquele cidadão tinha para o mesmo; QUE, na ocasião BIANOR não se encontra em sua sala de trabalho tendo o declarante se dirigido ' para a ante-sala do Gabinete do senhor ANDRADE NETO com quem BIANOR GARCIA dia- logava no momento, no gabinete do proprietario de "A Noticia"; QUE, quando espe-

QUE, quando esperava BIANOR na ante-sala o declarante ouviu quando o mesmo dialogava com o senhor ANDRADE NETO e em dado momento ANDRADE NETO disse para BIANOR "ESSE JOÃO BOSCO, digo ESSE BOSCO É MESMO UM FILHA DA PUTA E O MESMO DEVE MORRER" dizendo mais que BIANOR providenciasse além do declarante '' mais uns três elementos para dar cabo de BOSCO; QUE, o declarante se dirigiu então até a cantina e perguntou após contato com GABRIEL perguntou desse ''' quem era o BOSCO que era inimigo mortal do senhor ANDRADE NETO ao que o mesmo respondeu que se tratava do doutor JOÃO BOSCO, Vice-Governador do Estado; QUE, o declarante nem mesmo esperou para contactar com BIANOR GARCIA e se retirou do referido jornal pois não queria mais se envolver com a Polícia; QUE, dias depois e em varias outras ocasiões o declarante recebeu recados através de GABRIEL e um outro conhecido por PINDUCA funcionarios do jornal "A Notícia" lhes dizendo que o BIANOR GARCIA desejava urgentemente falar com o declarante porem o declarante sempre dava uma desculpa se não mais compareceu' ao jornal referido; QUE, dias antes da fuga de PAULINO, WALDICK e GOIANO, detentos da Penitenciaria Central do Estado o declarante foi procurado nas proximidades de casa de sua genitora na rua Duque de Caxias, pelo elemento CRISTER TUPINAMBÁ o qual lhe dissera que tinha um tipo de serviço para fazer e ' que já era do conhecimento do declarante devendo correr a importancia de CINQUENTA MIL CRUZEIROS (Cr$ 50.000,00), que era para ser dividido entre os participantes do referido serviço; QUE, o declarante falou a TUPINAMBÁ que não ' queria mais saber do caso e se o mesmo ainda lhe procurasse "com aquele papo" o mesmo denunciaria as autoridades; QUE, dias depois se deu a fuga de PAULINO, WALDICK e GOIANO fato que o declarante veio a tomar conhecimento através da imprensa local; QUE, esclarece o declarante que na mesma noite em que os referidos marginais fugiram da Penitenciaria, pelo que presume, PAULINO,' GOIANO e WALDICK o atacaram nas proximidades de sua residencia e em consequencia o declarante sofreu uma canivetada a altura do rins direito, uma pancada violenta no ante-braço direito e outra lesões em varias partes do corpo QUE, os marginais disseram que aquilo era uma advertencia para que o mesmo ' não abrisse o bico a cerca do "serviço" que eles irian praticar caso contrario lhe ocorreria e darian cabo tambem de sua familia; QUE, o declarante foi atendido no Pronto Socorro do Estado e lembra-se que por ocasião da agressão varias pessoas coletivas e que certamente não intervieram em face dos marginais se encontrarem armados; QUE, no dia seguinte pela manhã o declarante se' dirigiu ao Tribunal de Justiça a fim de falar com o doutor LUIZ ANTONIO DE ' VASCONCELOS DIAS e lhe narrou todos os fatos que ora presta neste depoimento porem o referido Juiz não se encontrava na respectiva Vara Criminal e na ocasião o declarante chegou a dizer para a Escrivã SELMA que tinha sido agredido covardemente pelos referidos marginais e naquele momento se encontrava ,

Fonte: Jornal A Crítica de 30 de março de 1980 P.07

218

(continuação fls. 06)

ocasiao se encontrava presente o Bel. JOÃO DE DEUS o qual lhe deu um cartão di
zendo-lhe que o procurasse, caso viesse a necessitar; QUE, perguntado qual o
motivo que o leva a prestar este depoimento, de sua livre espontanea vontade
respondeu que se encontra sendo pressionado pelo senhor BIANOR GARCIA e mesmo
porque tem medo de a qualquer momento ser morto a traição, acrescentando que ''
dia de finados quando se encontrava trabalhando numa pick-up que estava a dispo
sição do candidato a Deputado Federal de nome JOSÉ FERNANDES logo que saiu da
mesma o motorista do referido carro que se encontrava deitado no assento do ve
ículo foi barbaramente agredido a terçada por elementos desconhecidos salvan
do-se milagrosamente; QUE, os referidos agressores levaram a mencionada viatura
e a deixaram completamente danificada; QUE, em face do exposto presume o decla
rante que os agressores desconhecidos certamente o viram na pick-up e pretendi
am eliminá-lo e que por engano quase culminou com a morte do motorista da pick-
up. Nada mais disse e nem lhe foi perguntado mandou a autoridade encerrar o pre
sente termo que depois de lido e achado conforme vai devidamente assinado pela
autoridade, pelo declarante, pelo doutor CARLOS ALBERTO BARBOSA, Promotor de
Justiça, por duas testemunhas de leitura e por mim _____ Escrivão que
datilografei.

Bel. Edilson dos Santos Oliveira, Delega
do de Polícia

Declarante

Promotor

Testemunha

Testemunha

Escrivão

SECRETARIA DE ESTADO DE SEGURANÇA PÚBLICA

POLÍCIA CIVIL

AUTO DE RECONHECIMENTO (POR FOTOGRAFIAS)

Aos vinte e sete(27) dias do mês de dezembro de mil novecentos e setenta e oito, nesta cidade de Manaus-Amazonas, na Delegacia de GERAL DE POLICIA onde se achava o Doutor EDILSON DOS SANTOS OLIVEIRA, Delegado respectivo, comigo escrivão de seu cargo, ao final nomeado e assinado, aí, em presença das testemunhas infra assinadas, camparaceu ANTONIO JANSEN FERREIRA FILHO, brasileiro, maior, casado, Capitão de Corveta da Marinha a quem a autoridade mandou que se lhe exibisse, para fins de reconhecimento, várias fotografias, e dentre estas, reconheceu a de JEAN GUIMBERG DE FRANÇA HESSA, cujo elemento apresentou-se em Guajará-Mirim, quando ali se encontrava a serviço da Capitania dos Portos, como Jornalista do Jornal "A Noticia", de Manaus, tendo naquela oportunida lhe exebido uma credencial que lhe dava a devida condição de jornalista. E como nada mais houvesse a lavrar, mandou a autoridade fosse encerrado o presente auto de reconhecimento que vai por todos assinado e por mim. Eu, Escrivao, que o datilografei.

Delegado. _____

Reconhecedor. _____

Testemunha.

M. L. - Território Federal de Rondônia
Secretaria de Segurança Pública

DELEGACIA DE POLÍCIA DE GUAJARÁ-MIRIM - RONDONIA. :x:x:x:x:x:

AUTO DE RECONHECIMENTO
(POR FOTOGRAFIAS)

Aos 25. :x:x:x dias do mês de Janeiro. :x:x:x:x:x:x:x:x:x:de mil

novecentos e setenta e nove. , nesta cidade de Guajará-Mirim - RO. :x:x

na delegacia de Polícia desta cidade. :x:x:x:x:x:x:x:x:x:x:x:x:x:x

onde se achava o Doutor EDILSON DOS SANTOS OLIVEIRA, Delegado de Po

lícia 3ª Classe, em serviço nesta cidade. :x:x:x:Delegado:x:x:x:x:x:x:x:x

comigo, escrivão "ad-hoc". de seu cargo, ao final nomeado assinado aí, em

presença das testemunhas infra assinadas, compareceu : PAULO JUSTINIANO '

DORADO, brasileiro, casado, maior, fotógrafo, residente e domici

liciado à Av. Princesa Isabel, 1.034 - Bairro São José, n/cidade.

a quem a autoridade mandou que se lhe exibisse, para fins de reconhecimento,

várias fotografias e dentre estas, reconheceu a de JEAN GUTEMBERG

DE FRANÇA BESSA, cujo elemento apresentou-se em Guajará-Mirim-RO,

quando ali se encontrava a serviço da Capitania dos Portos, como

Jornalista do Jornal "A NOTÍCIA", de Manaus - AM, tendo naquela'

oportunidade lhe exibido uma credencial que lhe dava a devida

condição de jornalista. E como não mais houvesse a lavrar, ma .

dou a autoridade que fosse encerrado o presente Auto, que vai por

todos assinado e por mim. Eu, _____ , Escrivão "ad -

hoc" que o datilografei.

ASS _____ Delegado
Bel. Edilson dos Santos Oliveira

ASS _____ Reconhecedor
Paulo Justiniano Dorado

ASS _____ Testemunha
Equiberto da Silva Brito

ASS _____ Escrivão
José Carlito Elage Pinheiro "ad-hoc"

Fonte: Jornal A Crítica de 30 de março de 1980 P.07

SECRETARIA DE ESTADO DE SEGURANÇA PÚBLICA

POLICIA CIVIL

Fls. ....

AUTO DE RECONHECIMENTO

Aos. vinte e sete(27)   dias do mês de   dezembro

de mil novecentos e setenta e oito , nesta cidade de   Manaus-Amazonas

, na Delegacia GERAL DE POLICIA

onde se achava o Doutor EDILSON DOS SANTOS OLIVEIRA

, Delegado respectivo,

comigo escr ivão   de seu cargo, ao final nomeado e assinado, aí, em presença das

testemunhas infra assinadas, compareceu AURILIO PEREIRA DA SILVA, brasileiro, maior,

casado, Sub-Oficial da Marinha

a quem a autoridade mandou que se lhe exibisse, para fins de reconhecimento, várias foto-

grafias e dentre estas, reconheceu a de JEAN GUTEMBERG DE FRANÇA MOUSA,

cujo elemento o declarante o conheceu em dias de Maio, quando ainda se

encontrava a serviço da Marinha na cidade de Guajará-Mirim, tendo êsse

elemento ali se apresentado como Jornalista e naquela oportunidade exebia

credencial de "Jornal A Noticia" de Manaus. Como nada mais houvesse a la-

vrar, mandou a autoridade fosse encerrado o presente auto de reconhecimento

que depois de lido e achado conforme, vai assinado por todos e por mim. Eu,

_____ , Escrivão que datilografei.

Delegado. _____

Reconhecedor. _____

Testemunha. _____

Escrivão. _____

Fonte: Jornal A Crítica de 30 de março de 1980 P.07

A Crítica contestaria e chamaria de forjada a carta de Agnaldo Archer Pinto publicada por Andrade Netto no dia anterior, e contou sua versão da origem de *A Crítica* e também de *A Notícia*.

Na coluna "Opinião", apelou às autoridades e até ao governador para que não caísse no esquecimento a suposta contratação de um pistoleiro para executar uma autoridade.

Dia 31 de março de 1980 (segunda-feira)

Justiça para um bandido

A peça de um inquérito policial ontem publicada neste jornal, que dá conta, mediante gravíssimo depoimento, do envolvimento do dono do jornal "A Notícia" em empreendimentos criminosos, está a exigir o concurso do Ministério Público para apurar a totalidade da verdade relatada pelo homem que o indivíduo Andrade Netto contratou para matar, em maio de 1978, o vice-governador do Estado, sr. João Bosco Ramos de Lima. Na Justiça Pública, o dono do mesmo jornal já foi acusado, em processo-crime regular, de ter sido o mandante da tentativa de homicídio sofrida a 15 de fevereiro de 1975 pelo vereador Fábio Lucena, em episódio que chocou a opinião pública.

Diversos são os atos de chantagem, escroqueria e outros, todos indignos, que têm sido imputados ao meliante Andrade Netto.

O povo amazonense já está sabendo que, na direção de um jornal, um indivíduo se serve da ameaça de chantagem para aumentar o seu enriquecimento criminoso; já sabe que nenhuma honra está imune de ser atingida pela sanha chantagista do salteador que, quando não realiza seus objetivos pela chantagem, tenta atingi-los pela armadilha do homicídio. Que garantia pode ter o povo – perguntamos ao procurador-geral da Justiça –, quando, instalado na direção de um jornal, um criminoso movimenta um órgão de opinião e de informação para, sub-repticiamente, obter vantagens delituosas em sua caminhada toda mesclada de vil criminalidade?

A sociedade clama ao Ministério Público pelo desarquivamento do inquérito instaurado para apurar responsabilidades de Andrade Netto no plano por ele armado com o fim de assassinar o vice-governador João Bosco Ramos de Lima; e reclama ainda a reabertura do processo que apura a responsabilidade do mesmo dono do jornal na tentativa de homicídio perpetrada contra o vereador Fábio Lucena.

A sociedade reclama, enfim, que esse criminoso seja levado à Justiça, sob pena de, com a impunidade, ele se sentir seguro para mandar também eliminar os membros do Ministério Público e do Poder Judiciário.

Corno e chantagista (Capa)

Durante dois dias consecutivos, o pulha (pessoa sem brio, vil, desprezível) incestuoso "Andrade Netto" vem ofendendo, pelo verminoso jornal "A Notícia", a memória de dona MARIA DA LUZ CALDERARO, mãe do diretor de A CRÍTICA, jornalista Umberto Calderaro Filho. Pressionado até o beco sem saída a que o levou A CRÍTICA, denunciando suas atividades de chantagista, escroque e mandante de homicídios, o rufião de "A Notícia" foi muito além do tolerável, fugindo à sua própria defesa, o que até os ratos não fazem, para passar a agredir o nome e a honra de uma senhora que, embora morta, continua imorredouramente presente no coração de seu filho. Tendo ido além do limite, vai o pulha incestuoso conhecer os limites do além. Assim, tem hoje a resposta que pediu.

Se sobreviver até amanhã, terá mais.

Antes de bisturizar o cancro maligno do "Andrade Netto" e de suas amorais relações de família, numa cirurgia cuja implacabilidade o pulha pederasta não poderá imaginar – e queira Deus que ele viva até amanhã para saber o que é bom para valentia de um covarde que se especializou em atacar mães alheias, esquecendo-se de que, só por piedade para com a velha Rosita, mãe dele, e por princípios (cujos limites, todavia, não vão

além das próximas 24 horas), lhe temos poupado a sua, drenemos de imediato a purulência da alma desse pederasta mentiroso.

Filho de casamento incestuoso, e ele próprio, "Andrade Netto", contumaz praticante de incesto (com os filhos homens, é claro), publicou ontem duas cartas datadas, respectivamente, de 6.11.45 e de 7.11.46, ambas supostamente escritas pelo saudoso Aguinaldo Archer Pinto. A primeira, dirigida ao diretor deste jornal, jamais foi recebida; a segunda destinada à dona CYRA GESTA ARCHER PINTO, esposa de ALOYSIO ARCHER PINTO, irmão de Aguinaldo, está sendo contestada pela própria dona CYRA, que rebate as calúnias do pederasta incestuoso de "A Notícia", e que está sendo publicada nesta página.

Essas cartas, naturalmente, foram forjadas pela ratuína (prostituta, vulgar) Marilu Archer Pinto, concubina do "Andrade Netto" e cafetina, ontem como hoje, da própria mãe, a famosa "Lola Gorda", que era dona de "O Jornal", levado à falência pela útero-assanhada Marilu, que gastava toda a féria do jornal da mãe em libações libertinas (ato de beber ou derramar vinho em honra dos deuses centrado nos prazeres sexuais, na devassidão) intermináveis.

As famílias

Vamos por etapas. Umberto Calderaro Filho é pai e marido honrado. Tem esposa e filha honradas. A sociedade inteira sabe disso. A família do pulha de "A Notícia", veremos a seguir.

A Crítica

A carta de Aguinaldo a dona Cyra, forjada pela rameira Marilu, fala da compra de uma linotipo em 1946, quando A CRÍTICA só existia na imaginação de Calderaro, pois foi totalmente mal sucedida a primeira tentativa de fazê-la circular, o que ocorreu em 9 de maio de 1946, nas oficinas de "O Jornal", onde A CRÍTICA foi impressa durante 3 (três) meses. Na época, "O Jornal" estava ligado ao governo de Leopoldo Amorim da Silva Neves, e porque a A CRÍTICA começou a atacar o governo, o contrato de impressão foi suspenso.

A tal sociedade mencionada no jornal do pulha incestuoso nunca existiu. Algum tempo depois, Umberto Calderaro Filho constituiu sozinho a sociedade a fim de realizar a sua grande aspiração: ter um grande jornal. Os primeiros tipos (e não linotipo, como alega, mentirosamente, o aborto vil do incesto) foram comprados da Companhia LANSTON DO BRASIL, do vendedor Thomé Lamas, representado em Manaus por Humberto Boggio. O avalista de Calderaro, nessa operação, foi o dr. ALBERTO FONTENELLE CARREIRA, que está vivo para atestá-lo. E o aval foi solicitado por JOSÉ ROBERTO DE ALENCAR JANSEN PEREIRA, que também está vivo. Depois da aquisição dos tipos, a empresa ARCHER PINTO, dirigida por Aguinaldo, cedeu-nos um prelo marca "ALAUSER", que chegou a ser montado e tirouA CRÍTICA por mais ou menos 60 (sessenta) dias. Como a campanha contra o governo Leopoldo Neves continuasse acirrada, foi solicitada a devolução do prelo, por pressão do governo, o que ocorreu - a devolução- em 18h. Vendo nossa angústia, Dom ALBERTO GAUDÊNCIO RAMOS, então bispo de Manaus e hoje arcebispo de Belém (também está vivo), cedeu-nos sua máquina MARINONI, que pertencera ao jornal "A Reação", da diocese de Manaus, que deixara de circular. Jamais A CRÍTICA ocupou qualquer prédio da empresa ARCHER PINTO desalugado do agiota Félix Fink, que anos mais tarde transformaria o "Andrade Netto" em "marido" de uma de suas filhas. Também os desenhos aludidos na carta de Aguinaldo (carta forjada pela ninfômana [mulher que manifesta ninfomania] Marilu) jamais existiram. Os primeiros desenhos de A CRÍTICA foram de autoria de Amilde Pedrosa - o APE (iniciais do seu nome) da revista "O Cruzeiro" - e foram pagos a prestação.

Somente nos primeiros anos da década de 50 foi que A CRÍTICA adquiriu a primeira linotipo, com financiamento do Banco de Crédito da Amazônia, na gestão do presidente Gabriel Hermes Filho, hoje senador pelo Estado do Pará.

Em caráter definitivo, A CRÍTICA só começou mesmo a circular em 19 de abril de 1949. E, de lá até aqui, não parou de crescer.

Imprensa
Amazonense
CHANTAGEM •POLITICAGEM •LAMA

"A Notícia: origem da cornice"

"A Notícia", do pulha incestuoso "Andrade Netto", nasceu da seguinte maneira: havia uma bela jovem que, todas as tardes, ia para a Praça do Congresso. Chamava-se Cylene. Pensando que o "Andrade" fosse homem, Cylene aceitou, depois de certo tempo de namoro, um pedido para casar-se com ele. Poucos dias ante do casório, o agiota Félix Fink procurou "Andrade" e propôs-lhe o seguinte: uma das filhas de Fink tinha sido vítima de um "acidente". Fink queria reintegrá-la na sociedade. Que "Andrade" a tomasse como esposa e não se arrependeria! Toda a fortuna do agiota ficaria para ele, se se transformasse no "quebra galho" da jovem "acidentada". A proposta foi aceita. Para a felicidade de Cylene, hoje muito bem casada em Goiânia, "Andrade" rompeu com ela e deu o golpe do baú e do "tapa buraco", casando-se com Elizabeth, filha de Félix Fink.

Se o pulha incestuoso de "A Notícia" viver até amanhã, lerá o resto da história do seu "casamento"! E lerá outras coisas mais!

As duas se dão bem

A esposa de "Andrade", filha de Fink, e sua concubina Marilu se dão muito bem. O cachorrão castrado passa mais tempo com a "faz tudo" Marilu, que é, hoje em dia, quem de fato manda em "A Notícia". A aliança de "Andrade" com Marilu nasceu da seguinte maneira: "Andrade" era deputado pela UDN (hoje é do PTB: cuidem-se os udenistas, cuidem-se os petebistas!) e precisava da promoção do "O Jornal". Marilu, que na época já deixava longe a Geni do Chico Buarque, saiu certa noite com o "Andrade" num carro de "O jornal". Na direção ia "Andrade", quando o carro matou um guarda. Marilu, que era de menoridade, assumiu a responsabilidade para salvar o pulha incestuoso do processo.

Essa, a primeira razão. A segunda foi a seguinte: na época,e desde já algum tempo, era Marilu que levava, de avião, os pacotes de cocaína para o escritório montado na Rua Evaristo da Veiga, no Rio de Janeiro, que era o centro de onde o velho Félix Fink controlava o contrabando internacional de droga.

227

"Andrade" passa o dia na casa da esposa Elizabeth e a noite na casa da concubina Marilu. De noite, a casa de Elizabeth é guarnecida por "esbeltos" e "atléticos" vigias. Não há perigo!

E Marilu já disse que, se Elizabeth Andrade Fink chiar, ela, Marilu, abre a boca e conta tudo - e até publica em "A Notícia"- tudo o que sabe sobre Elizabeth, esposa de "Andrade". Elizabeth, para se garantir, por não ter vez na A Notícia, pois lá teve sua entrada proibida por Marilu, ameaça publicar em outro jornal tudo o que sabe sobre Marilu. Por isso as duas se dão bem, e muito bem...

Se o pulha incestuoso "Andrade Netto" viver mais 24 horas, lerá, em nossa edição de amanhã, o resto da história. Pois vá ser corno assim duas vezes lá na casa da esposa e da concubina dele!

Coluna Opinião
(Caderno Opinião, p.02)

Sindicato do crime

A séria denúncia que aqui fizemos na edição de ontem, relacionada com o fato de um cidadão haver contratado um pistoleiro para executar uma autoridade, não pode cair no esquecimento. Além disso, comprovou-se que foi dada fuga a três outros marginais que executariam além do vice-governador da época, também o primeiro marginal.

Parece até que estamos vivendo, não em uma cidade civilizada, mas em algum lugar, em uma outra época que não a nossa. O Amazonas não pode viver na intranquilidade gerada por aqueles que, dispondo de dinheiro, pretendem mandar matar e depois ficarem absolutamente impunes, rindo da ausência da ação das autoridades. Na marcha em que os acontecimentos evoluem, não é difícil prever que após mandar matar um vereador, e depois um vice-governador, o Sindicato do Crime evolua para mandar matar o governador, o presidente do Tribunal ou mesmo um ministro de Estado.

Os fatos e documentos que reproduzimos são esclarecedores. Não deixam nem ao menos margem para qualquer dúvida, que

porventura alguém deseje que exista. As autoridades, no sagrado dever de proteger a própria comunidade, estão na obrigação de publicamente apurarem "até o fundo do poço" tudo o que foi revelado por um cidadão que na hora do disparo fatal recusou-se a eliminar uma autoridade.

É sabido que esses que assim agem mandando matar os seus adversários políticos – sempre alegam em seu favor que possuem milhões para com isso abafar as suas ligações com o submundo do crime.

O governador do Estado é um jurista, que bem sabe o que deverá fazer nesse caso. A comunidade espera, como esperam as demais autoridades, que amanhã também poderão ter suas cabeças na alça de mira de algum marginal a mando de terceiros, que tudo, seja apurado, e ao fim de tudo, sejam os mandantes e os criminosos remetidos para o lugar de onde nunca deveriam ter saído: detrás das grades.

Os apelos do ministro Ibrahim Abi-Akel e do governador José Lindoso finalmente poriam fim àquele espetáculo bufo protagonizado pelos dois matutinos de maior circulação do Estado do Amazonas àquela época.

O deputado Samuel Peixoto, num último suspiro e em pleito não exitoso, ainda requereu ao governo do Estado e outras entidades de assistência, que interferissem na questão do Montessoriano.

Os dois jornais ainda noticiaram, em versões distintas, um episódio envolvendo o repórter de *A Notícia*, Antônio Corrêa, e o diretor superintendente de *A Crítica*, Francisco Valério Tomaz, o Dissica. Um tratou como atentado, outro como agressão.

Dia 01 de abril de 1980 (terça-feira)

A NOTÍCIA

Repórter de "A Notícia" sofre atentado à bala

O diretor superintendente de A CRÍTICA, Francisco Valério Tomaz, vulgo Dissica, tentou matar, anteontem à noite, o repórter Antônio Corrêa. A tentativa de homicídio aconteceu por volta das 21h de domingo, em frente à residência do procurador-geral do Estado, jurista Aderson Dutra. Dissica não chegou a puxar o gatilho porque foi dominado por Antônio que, auxiliado por um popular, conseguiu tomar-lhe o revólver calibre 38 e, ainda, aplicar-lhe três potentes cruzados de esquerda, quebrando-lhe o nariz. O caso está registrado na polícia, onde, Dissica deverá ser identificado criminalmente e dirá quem o mandou matar Antônio Corrêa e se recebeu algum dinheiro para cometer o crime.

O ministro Ibrahim Abi-Akel finalmente intercede.

Abi-Ackel apela a Andrade (Capa)

O deputado Ibrahim Abi-Ackel, ministro da Justiça, telefonou ontem, de Brasília, ao jornalista Andrade Netto, fazendo-lhe um apelo no sentido de suspender a publicação de qualquer outro

artigo ou editorial relacionado com a briga travada entre A NOTÍCIA e outro jornal da cidade.

O diretor de A NOTÍCIA disse ao Ministro que estava disposto a suspender a campanha, mas não podia abrir mão, qualquer que fosse o sacrifício, em dar resposta aos seus detratores, na presente edição. E lhe fez sentir que está sendo atacado há mais de uma semana, diariamente, mas só resolveu rebater a caluniosa campanha nas nossas duas últimas edições (sábado e domingo), pois se tinha tido o maior comedimento, não queria que o seu silêncio parecesse covardia ou falta de argumentos de defesa.

Nosso diretor informou ao ministro que um de nossos repórteres foi vítima de uma tentativa de homicídio praticado pelo diretor em exercício do jornal A Crítica, e insistiu que esse fato não poderia ser sonegado à opinião pública, bem como a resposta que lhe ditava a consciência, na defesa de sua honra.

Repórter de A Notícia sofre atentado na Rua 10 de Julho
(Noticiário Policial, p.08)

O diretor em exercício do jornal "A Crítica", Francisco das Chagas Valério Tomaz, vulgo "Dissica", tentou matar, a tiros de revólver, domingo à noite, no entroncamento da Rua 10 de Julho com a Lobo D'Almada - Isso depois de ofendê-lo com impropérios -,o repórter deste jornal Antônio de Pádua Corrêa, o qual, na possibilidade de livrar-se da morte "encomendada", reagiu, recebendo, ainda, uma forte coronhada na fronte. Há informações de que "Dissica" tenha agido a mando de seu sogro, Umberto Calderaro Filho.

Corrêa, mesmo ferido, em consequência da coronhada, atracou-se com o "pistoleiro de aluguel", conseguindo segurar-lhe o pulso, dando chance para que um popular desarmasse o atacante, que, no entender da polícia, premeditou o crime, que felizmente não teve desfecho fatal.

Já desarmado, "Dissica", que não se contenta com as agressões bestiais feitas ao diretor de A Notícia, partiu para a agressão física, no que foi rechaçada pelo repórter Antônio Corrêa, que teve de usar da legítima defesa para escapar de um brutal assassinato.

O procurador-geral do Estado, Aderson Dutra, que reside próximo ao local onde se deu a turumbamba, estava assistindo o programa "Fantástico" quando foi surpreendido com o barulho da confusão.

A essa altura dos acontecimentos, o pistoleiro "Dissica" já havia se desvencilhado de seu opositor e fugido no seu automóvel de placa ZG-0081 para escapar da prisão em flagrante.

A polícia chegou dez minutos depois ao local, disposta a prender o diretor em exercício do jornal "A Crítica", mas ali, só encontrou as testemunhas visuais da tentativa de homicídio.

O repórter Antônio Corrêa, após o incidente, submeteu-se a exame de corpo de delito, cujo resultado foi o seguinte: "Contusão com equimose na região frontal; contusão comedema na região superciliar esquerda; contusão com escoriações no terço superior do antebraço esquerdo; contusão com equimose na região axilar direita; contusão com exitemas na região posterior do tórax e escoriações no terço inferior do braço esquerdo".

Pela manhã, o secretário de Segurança, Orlando Santiago, manteve longo contato com a delegada Gilda Alfaia, presidente do inquérito, aconselhando-a a desenvolver o trabalho dentro da lei. Sugeriu a ela que mandasse intimar Dissica ainda naquele horário, para que fosse ouvido e identificado criminalmente, por tentativa de homicídio.

"Dissica" tem um prazo de 24 horas, a partir de ontem, para apresentar-se à delegacia do 1.º Distrito Policial e prestar esclarecimentos sobre a trama assassina urdida contra o repórter Antônio Corrêa.

O fato de "Dissica" haver seguido e tocaiado Corrêa, significa que ele, "Dissica", premeditara tudo em seu gabinete, naturalmente recebendo as orientações prévias de seu sogro, Umberto Calderaro Filho. Tudo isso, entretanto, será esclarecido no decorrer do inquérito em trâmite.

Aos leitores

Atendendo a apelos do ministro da Justiça, Ibrahim Abi Ackel, do governador José Lindoso e do secretário de Segurança Pública em exercício, Orlando dos Santos Santiago este jornal suspende, pela segunda vez, a campanha em que foi levado a envolver-se. Desde já, porém, deixamos bem claro que, se formos novamente agredidos, voltaremos ao revide, no mesmo ritmo da agressão, como temos agido em legítima defesa de nossa e da honra do povo amazonense.

Assembleia rejeitou proposta de Samuel
(Caderno de Política, p.06)

O requerimento em que o deputado Samuel Peixoto pedia ao governo do Estado e outras entidades de assistência que interferissem no assunto da venda das terras onde funcionou o Instituto Montessoriano foi rejeitado ontem na Assembleia Legislativa, após as vigorosas intervenções dos deputados Josué Filho e Damião Ribeiro.

Nos bastidores e depois na tribuna, o vice-líder do PDS tentou convencer Samuel Peixoto, "com um pedido de amigo", a que não insistisse na maneira errada como estava encarando o problema dos excepcionais que ele defendia: já se tornara sufi cientemente público que o criador e defensor do Instituto Montessoriano "Álvaro Maia" era proprietário do terreno da Rua Paraíba onde se instalara e funcionara a entidade assistencial.

O pedido de Josué Filho não foi atendido e o parlamentar voltou a usar a tribuna posicionando-se contra o requerimento. Por sua vez, o deputado Damião Ribeiro foi didático ao tentar convencer Samuel Peixoto.

Primeiro ele estranhou que o deputado se obstinasse a reativar o instituto exatamente no local onde sempre funcionara, mas, que já fora vendido. Depois, Damião explicou que uma entidade considerada de utilidade pública não pertence necessariamente ao governo que não pode interferir na propriedade privada como o deputado pretendia em seu requerimento.

Damião Ribeiro logo passou a lição prática: explicou que o Clube Sul América, tomado como exemplo, era considerado de utilidade pública, mas, não pertencia ao governo. Esta era a situação do Instituto Montessoriano.

Samuel Peixoto não se convenceu com os pedidos do amigo de Josué Filho nem com o didatismo de Damião Ribeiro. Colocado em votação o requerimento foi rejeitado.

Diretor de A Crítica reagiu ao ser agredido
(Caderno Policial, p.08)

Francisco Valério Tomaz, diretor-superintendente de A CRÍTICA, ao retornar à sua casa por volta de 21h30 de domingo, teve seu carro cercado pelo repórter Antônio Corrêa, de A Notícia, que se fazia acompanhar de Marilu Archer Pinto que dirigia o carro. Ao descer para conversar, foi agredido, reagindo de imediato.

A perseguição a Francisco Valério começou ainda cedo da manhã, quando o carro dirigido por Marilu Archer Pinto, tendo ao lado Antônio Corrêa, foi visto passando em frente A CRÍTICA. Devidamente informado pelo porteiro de que Antônio Corrêa chegou inclusive a mostrar uma arma, Francisco Valério tomou precauções.

No trajeto para sua casa, já nas proximidades do pronto-socorro São José, o Diretor de A CRÍTICA se viu impedido de prosseguir caminho, pois o carro de Antônio Corrêa, que estava acompanhado de Marilu Archer Pinto, bloqueava a passagem. Ao descer para tentar conversar, foi agredido com palavrões pelo repórter de A Notícia, que quis logo partir para uma briga. Nenhum dos dois estava armado e abriga foi sem armas. Por ter levado a pior, Antônio Corrêa prestou queixa ontem pela manhã no 1.º Distrito Policial.

Dia 02 de abril de 1980 (quarta-feira)

(Caderno Policial, p.03)

Depois da surra banca valentão

Acompanhado, dentro de um carro, de uma conhecida senhora, o indivíduo Antônio Corrêa, do jornal "A Notícia", levou, domingo de noite, uma surra do diretor-superintendente de A Crítica, Francisco Valério Tomaz, depois de ter subido por diversas vezes a Lobo D'Almada em atitudes de provocação aos funcionários que se encontravam nas calçadas deste matutino.

Francisco Valério Tomaz, a quem chamamos amigavelmente de Dissica, foi avisado da traquinagem dos dois (quando passavam pela porta de A CRÍTICA faziam gestos lançando impropérios obscenos), e resolveu parar com a trampolinagem. Saiu no encalço da dupla, fê-los parar o carro e advertiu Antônio. Este resolveu bancar o homenzinho, desafiando Dissica para o "pau".

Dissica limitou-se a desviar uma braçada de Antônio e deu-lhe vários tapas na cara e alguns pontapés nos fundilhos. O superintendente de A CRÍTICA não bateu mais em Antônio porque este começou a gritar e a pedir-lhe: "Seu Dissica, não me bata mais, o sr. quebrou meu braço". Avesso à covardia (não iria continuar batendo num pobre diabo que já estava no chão, todo quebrado), Dissica largou Antônio, que, a seguir, mal teve forças para entrar num pronto-socorro, onde foi todo remendado.

Conforme laudo do INSTITUTO MÉDICO LEGAL, Antônio Corrêa ficou da seguinte maneira depois da briga com Dissica:

Segundo publicação do jornal em que repórter "trabalha".

"Contusão com equimose na região frontal; contusão com edema na região superciliar esquerda; contusão com escoriações no terço superior do antebraço esquerdo; contusão com equimose na região axilar direita; contusão com exitemas na região posterior do tórax e escoriações no terço inferior do braço esquerdo".

ANEXO

CINCO DE SETEMBRO

ANNO V   NUMERO 5

Propriedade do Club União Typographica do Amazonas

Manáos, 5 de Setembro de 1896

Cheio de jubilo—n'um enthusiasmo delirante e justo—expontaneo festeja o Amazonas a data de sua emancipação política, commemorando os feitos de seus maiores, lembrando os nomes venerandos de um punhado de braços que se bateram pela liberdade, pela autonomia desta illustre e invejavel região banhada pelo maior rio do mundo.

Cinco de Setembro é uma sympathica e memoravel data na Historia do Amazonas, o inicio de uma era do progresso, de um passo avante no para o bem de todos os cultos—o aperfeiçoamento moral e intellectual em seu importante, em sua mais alta grandeza.

[texto ilegível]

[...] capacitamos sonhe-se conquistar louros virentes para depor aos pés do grande gigante do Norte!

O Club União Typographica do Amazonas, publicando a edição do "5 de Setembro", como tem feito nos demais annos, rende preito de homenagem ao Povo Amazonense, desejando-lhe prosperidades mumeras, fazendo votos ardentes, para que em breve augusto occupe no mundo o logar que lhe compete.

Salve data gloriosa

[texto ilegível]

Viva a patria Brazileira!
C. R. BITTENCOURT

5 de Setembro

Ah! Amazonas querido, que que vinhado da Lei de 5 de Setembro de 1850, encontrei o jugo da escravidão, a ti, ó terra de minh'alma, repleta de verdadeiro enthusiasmo, saudo com um vibrante
—Salve!—

Escripto por mim—INGLEZ

Salve!

Eia! Amazonenses!

Congracemo-nos todos em proveito do engrandecimento de nossa terra, e saibamos honrar as cinzas venerandas de nossos antepassados, trabalhando sem cessar para que o Amazonas continue a prosperar sempre e sempre, assim como fez essa legião de gigantes para levar a effeito o arrojado commettimento que teve logar em virtude da lei n. 582 de 5 de Setembro de 1850 de Setembro! Data memoravel entre as memoraveis datas da historia do Amazonas, será sempre festival e ridente á todos os rebentes da geração do Manáos, Bares e Passes, por que m'perpetuas brilhantemente o acontecimento mais notavel da vida de um povo—a conquista da sua liberdade!

Bento de Figueiredo Tenreiro Aranha, distincto Amazonense e cidadão perfeito,—o teu laureado nome ha de perdurar no coração de teus patricios, e os exemplos que deste de tuas virtudes civicas continuarão a encaminhar a briosa mocidade Amazonense no complemento de tua obra, que consiste na maior prosperidade deste magestoso torrão!

Amazonas—eu tenho saudade, terra dos meus, ó terra minha!
Viva o dia 5 de Setembro!
Viva o povo Amazonense!
RAYMUNDO PAES

Ao dia Cinco de Setembro um enthusiastico—Salve!
J. FILHO

NUMERO 73.   QUARTA-FEIRA 4 DE JANEIRO DE 1854.   7.º TRIMESTRE

ESTRELLA DO AMAZONAS.

A ESTRELLA DO AMAZONAS publica-se uma vez por semana, e para ella subscreve-se na sua typographia na rua de Manaus caza n.º — : o preço da assignatura he de 2$000 reis por trimestre, que conterá 12 numeros, pagos no recebimento do 1.º n.º de cada trimestre. As folhas avulsas custarão 200 réis. Os assignantes terão 20 linhas gratis, e d'ahi para cima pagarão 80 réis por cada uma.

CIDADE DA BARRA DO RIO NEGRO, NA TYP. DE M. DA S. RAMOS, RUA DE MANAUS N. — 185

O ANNO BOM.

O dia 1.º de Janeiro, o dia de anno bom, sempre festivo, sempre esperançoso, merece agora por mais de um titulo alegres saudações dos habitantes do Amazonas. É o segundo anniversario d'aquelle em que se investio das prerogativas de Provincia esta grandiosa porção do Imperio do Brasil, ingratos seriamos se não commemorassemos este acto como principal origem de varios beneficios que já gosamos, e de outros muitos ainda mais consideraveis que se nos antolhão no porvir.

Recordando os successos do biennio que hoje finda, só temos motivos para render graças a Divina Providencia pelos favores que Se Dignou dispensar-nos. Em todo esse periodo nenhum infortunio, nenhuma calamidade appareceo que affligisse a povo Amasonense, nenhuma emergencia que perturbasse a justa satisfação com que os Brasileiros contemplão o lisongeiro estado de tranquilidade em que se conserva a sua querida Patria.

Quanto aos melhoramentos que dependem dos esforços e da bôa vontade dos homens, cremos que tambem não temos razões de queixa. Ainda muito lenta é a nossa marcha na estrada que deve conduzir-nos á posição de verdadeira grandeza; mas pede a justiça que igualmente reconheçamos que todo o zelo, todo o patriotismo dos Poderes constituidos não podem ser por si só bastantes para transformar de repente as condições e circunstancias de um territorio vastissimo, pela maior parte inculto e despovoado, e para fazer entrar os seus habitantes no effectivo goso de todas aquellas vantagens, que cabem aos povos mais adiantados em civilisação. É empresa de muitos annos, e até de seculos; estando porem dados felizmente os primeiros passos, devem os seguintes tornar-se de dia em dia menos difficeis.

Se, como esperamos da protecção do Omnipotente, e do bom senso dos Brasileiros, continuar a ser mantida a ordem publica pela fiel observancia de nossas liberaes instituições; se os Amasonenses, reconhecendo o paternal desvelo com que o Governo do Senhor D. Pedro Segundo cura da sorte e dos interesses d'esta extremidade do Imperio, se empenharem em auxiliar a execução de suas patrioticas vistas; se as discordias civis não vierem desgraçadamente estorvar a marcha que temos encetado, bem proxima estará a epoca em que as artes e a industria comecem a fazer desenvolver de um modo admiravel os incalculaveis elementos de prosperidade que nos liberalisou a Natureza.

Congratulando-nos pois com os nossos leitores por havermos entrado sob tão felises auspicios o anno de 1854, e estimando muito que tenhão passado alegremente as festas do Natal, continuaremos contentes a tarefa de que nos achamos encarregado. Bem limitadas são as nossas forças mas ninguem nos excede no desejo de prestar algum serviço a esta abençoada terra que nos vio nascer.

Quartel do Commando Superior da Guarda Nacional da Provincia do Amazonas, na Cidade da Barra do Rio Negro 21 de Dezembro de 1853.

Ordem do Dia N.º 4.

O Coronel Commandante Superior da Guarda Nacional da Provincia manda publicar a proposta que por copia lhe foi dirigida por officio do Exmo. Snr. Conselheiro Presidente da Provincia em data de hoje, para conhecimento dos Senhores Officiaes promovidos; cujo theor he o seguinte:

Officio. — Transmitto a Vmc. para seu conhecimento a inclusa copia da Portaria d'esta data, pela qual resolvi nomear os Officiaes para o Batalhão de Infantaria de Guardas Nacionaes do Municipio d'esta Capital, cumprindo que Vmc. faça constar aos residentes na Capital que terão solicitar na Secretaria do Governo as suas

O AMAZONAS

EDITOR=ANTONIO DA CUNHA MENDES.

se uma vez por semana assigna-se na Typografia do Jornal —O AMAZONAS— rua 5 de Setembro; as assignaturas serão pagas adiantadas, bem co
os e outras publicações, vindo completamente egalizadas, artigos litterarios, noticiosos, industriaes, commerciaes nada pagão.

O AMAZONAS.

por Tapajós, entrado em nosso porto no dia
ale tivemos pelos jornaes recebidos noticias
es em lugar competente vão transcriptas.

que o Exm. sr. dr. Antonio Epaminondas
a seu digno secretario, ainda se achavão na
Pará a espera do vapor da companhia nor-
que devia chegar no dia 19 do corrente.
transcrevemos uma correspondencia que
gida a redacção do jornal do Pará em que
mesmo Exm. sr. os immensos binificios que
a provincia.

Snr. redactor

verdade a rogar a v. s. que em abono d
a publicar estas sinceras linhas em signal
se devem os amigos do verdadeiro progresso
eral do valle do Amazonas, a pessoa de que
cupar.

por Manáos, para essa capital, com des-
Janeiro o distincto presidente desta pro-
a. dr. Antonio Epaminondas de Mello,
ado de deputado á Assembléa Geral Le-
omar assento como representante pela pro-
bucco.

pois, dos habitantes desta provincia,
... se comprendia dar um publico tra-
a consideração devida ao illustrado pre-
aui bem soube desempenhar o impor-
o delegado do governo imperial, car-
atas recordações, pois que deseja em tu
modellar sua administração com aquelle
a ventura de possuir quando presiden
rincia, o actual presidente de Pernam
sr. dr. Manoel Clementino Carneiro d
a tambem tanto devemos pelos reaes ser
ectou.

issão teve o exm. sr. dr. Epaminond
s ti veo em vista fazer justiça a qualquer que fosse, sem olhar a esta ou-
os de politica, prodigando estes que seio
os por aquelles que tiverao occasião
acto, os quaes sendo solladas com tal
a reumisção, dizemos que fizeram gra
ria dos que sabem avaliar o verdad

ceito de coração o exm. sr. dr. ha-
mais sinceros votos de cordialidade fa-
ram a fortuna de ser governados p. s.
de apreciar as excellentes qualidade do
ario, de quem tambem nos despedimos,
os mares lhes sejão bonançosos, e os
so ao seu destino: E praza a Deus que
ao nosso seio o exm. sr. dr. Eami-
inuarmos a ... tão Insiflica
e por meio delle fazer reviver apros-
o invejada torrão afim de ser embeçado
cala como uma das principaes provin-
dus naturaes que em si encerra, que o
s sua mor parte para a riqueza o na-

se os destinos desta bella provincia
o do muito digno e prestimoso cura.
a qualidade de seu primeiro vice pre-
muito dayemos esperar excelente go-
s felecitamos, porque sem receio da
fazer tudo quanto estiver ao ser al-
ponder a plena confiança que em sua
seu sempre lembrado antecesor."

REFORMA JUDICIARIA

Continuação do antecedente.

CAPITULO VII.

Do jury correccional.

« Art. 7.º Fica estabelecido em cada termo o jur
correccional composto de seis jurados sorteados pelo ju-
ż municipal dentre os jurados qualificados no mesmo
ermo"

« § 1.º A sessão do jury correccional reunir-se-ha
ais vezes em cada anno, e durará quinze dias, salvo
sendo prorogada pelo voto dos jurados.

« § 2.º Compete a este jury o julgamento dos crimes que pelo art. 101 do codigo do processo, são afi-
ançaveis, exceptuados, porém, os que se comprehendem
na primeira e segunda parte de creditó criminal.

« § 3.º Accusará o promotor publico ou a pessoa
a quem elle conferir poderes para esse acto.

« § 4.º O julgamento do jury correccional não terá
effeito senão sendo homologado pelo juiz de direito.

« § 5.º Se o juiz de direito não se conformar com
o julgamento appellará para ... expondo os motivos em que se funda.

« § 6.º A relação julgando procedente os motivos da
appellação, mandará proceder á novo julgamento, o que
...

« § 7.º O accusador e o réo poderão recusar cada
um tres jurados.

« Para este fim e para outros impedimentos, além
dos seis jurados de que trata esse artigo, serão no mesmo acto sorteados seis jurados supplentes.

« § 8.º O governo regulará o processo do jury correccional que será summario, observadas todavia as for-
mulas essenciaes do jury criminal.

CAPITULO VIII.

Da jurisdição commercial.

« Art. 8.º Fica revogada a lei n. 799 de 16 de
setembro de 1851 e tambem o decreto n. 1.597 do 1.º
de maio de 1855 na parte em que revestem os tribu-
nares do commercio da jurisdição de 2.ª instancia, passando esta jurisdicção a ser exercida pela relação,
regulando o governo o exercicio das funcções administra-
vas dos mesmos tribunaes, e alternando como fór neces-
rio o seu regulamento actual.

CAPITULO IX.

Da policia.

« Art. 9.º Os chefes de policia, delegados e subdelegados conservarão as attribuições seguintes:

« § 1.º Prendem em flagrante e auxiliam á prisão
feita em flagrante por qualquer pessoa do povo.

« § 2.º Prendem a requisição das autoridades ju-
diciarias.

« § 3.º Concedem ou denegão a fiança.

« § 4.º Exercem a policia administrativa definida no
art. 2.º do regulamento n. 120 de 1842.

« § 5.º Feitas as necessarias deligencias, investiga-
ção e interrogatorio para obter os vestigios e provas do
crime, remetendo o resultado de tudo com o corpo de
delicto e rol de testemunhas á autoridade competente
para parecer em fôro de direito.

« § 6.º Não podem os delegados e subdelegados
ser juizes de paz e os juizes municipaes.

« § 7.º Porem ser chefes de policia os doutores
e bachareis em direito, ainda que não sejam magistrados.

CAPITULO X.

Das honras, vencimentos, e aposentação do
magistrados.

« Art. 10. Os vencimentos dos magistrados se
fixados nos paragraphos seguintes:

« § 1.º Os ministros do supremo tribunal
de justiça vencerão ordenado de 6:000$000
e a gratificação de 3:600$000 .... 9:6

« § 2.º Os desembargadores das relações
ordenado de 4:200$ e a gratificação de
3:000$ 7:2

« § 3.º Os juizes de direito o ordenado de 2:400$ e a gratificação de
1:600$000 .... 4:0

« § 4.º Os juizes municipaes o ordenado de 1:000$ e a gratificação de
60$ 1:6

« § 5.º Os chefes de policia da côrte
o ordenado de 2:400$ e a gratificação de
2:600$000 .... 6:0

« § 6.º Os chefes de policia da Bahia, Pernambuco, Rio-Grande do Sul, Rio
de Janeiro, Minas e S. Paulo o ordenado de 2:400$ e a gratificação de
2:400$ 4:8

« § 7.º Os chefes de policia das
outras provincias o ordenado de 2:400$
e a gratificação de 1:600$ 4:0

« § 8.º Só depois de tres annos da execu
ta será contado para aposentação o accrescimo
cimentos.

« § 9.º As gratificações marcadas nos par
antecedentes dependem de effectivo exercicio.

« § 10 Os desembargadores e juizes de di
completarem vinte e cinco annos de serviço effe
rão direito a uma gratificação por cada cinc
completos de exercicio, além dos vinte e cinc
sendo a gratificação na razão de 10 o/, dos
tos, computando-se no ordenado para a apo
sentação sómente metade de cada gratificação.

« § 11 Os desembargadores que completar
ta annos de serviço effectivo terão as honras
tra do supremo tribunal

« § 12 Os juizes de direito que completar
e cinco annos de serviço effectivo terão as h
desembargador.

« § 13 Os juizes de direito, desembargad
nistros do supremo tribunal que contarem tri
de serviço effectivo poderão ser aposentados co
denado por inteiro se o requererem e se ach
possibilitados.

« § 14 Os que tiverem mais de dez anno
viço e ficarem phisica ou moralmente impo
de servir poderão ser aposentados com o orde
porcial.

« § 15 Aquelles que achando-se em algun
sos dos paragraphos antecedentes, não requere
sentação depois de intimados para solicital-as,
lo governo aposentados precatando-se consult
de justiça do conselho d'estado, e procedend
viamente uma diligencia necessaria a co
o magistrado por si, ou por um curador no
impossibilitado moral.

« § 16 O effectivo exercicio dos desemb
será regulado pelas mesmas leis que regula
exercicio do juiz de direito.

« § 17 O desembargador ou juiz de di
fôr eleito senador ou deputado, se accoitar, pre
presume-se que renuncia a magistratura, e n
mais volter a ella.

A IMPRENSA DO AMAZONAS UNIDA

IMPRENSA DO BRAZIL SEM ESCRAVOS

A IMPRENSA CONGRAÇADA
SAUDANDO A NAÇÃO BRAZILEIRA

A Imprensa Amazonense, inflammada pelo mais nobre ardor patriotico, enthusiasmada pela promulgação da Lei aurea n. 3353 de 13 de Maio de 1888, que extinguio de uma vez e para sempre a maldita instituição da escravidão, que lavou o solo sagrado da Patria de uma mancha que nos envergonhava perante o mundo, perante a civilisação moderna, na sua legitima expansão jubilosa, pelo triumpho da idéa abolicionista, da aspiração liberal de nosso paiz, para o que concorreram todos os partidos, todas as classes sociaes, saúda, cheia de confiança no futuro da patria inteiramente livre, a Nação Brazileira, a Sua Magestade o Imperador, dignamente representado por S. Serenissima Princeza Imperial Regente, aos Quatro Grandes Poderes Constitucionaes do Imperio, pelo Grande facto que motiva o jubilo nacional.

Abolir as leis de excepção, igualando assim todos os habitantes deste futuroso imperio, elevar o nivel moral e intellectual do povo, reivindicar para uma raça opprimida pela barbaria um direito natural do qual ha tres seculos estava privada, dignificar o homem pela liberdade tornando-o pela sua elevação moral, pela igualdade de direitos e pela fraternidade humana, o collaborador effectivo de nossa grandeza moral e intellectual, como o tem sido da nossa riqueza material, elevar pela liberdade o homem decahido pela escravidão á altura do seu nobre destino, eis o effeito da Lei de 13 de Maio de 1888, que importa na mais esplendorosa, mais sublime, que se tem praticado no Brazil depois que se constituio nação independente.

Esse acto christão, civilisador, progressista, caracterisa a Nação Brazileira e significa que nós somos um povo que caminha firme, sem hesitação, para os seus auspiciosos destinos.

A vastidão de nosso territorio, a sua liberdade, os grandes thesouros dos tres remos da natureza, que elle encerra, os nossos extensissimos rios navegaveis, a nossa vastissima costa marinha, com numerosos e seguros portos, o nosso clima benigno, a indole pacifica e laboriosa de nossas populações, o seu espirito progressista, a sua aspiração de grandeza, sem intenção de conquistas, o seu amor á paz, á ordem, ao direito, á liberdade, são sem duvida penhores de segurança e felicidade para toda a fraternidade.

Apenas contamos 67 annos de emancipação politica e já nos podemos orgulhar de ter honrosamente correspondido á expectativa do mundo civilisado.

O africano e seus descendentes, que recebemos com a nossa emancipação politica, avidados e reduzidos á ignobil condição de cousa, acabamos de elevar ao seu estado natural de homens dignificados pela liberdade.

Nenhum povo do Universo praticou um acto semelhante ao que traduz a Lei aurea de 13 de maio.

Esta lei, que sobre muita nos honra, e nos eleva aos olhos do mundo civilisado, representa o esforço nascido de uma geração inteira; ella é a mais brilhante revelação do ardor liberal do povo brazileiro; o triumpho mais rutilante do espirito christão, e rutisador do nosso seculo.

A Realeza, O Parlamento, O Povo e Ministerio 10 de Março, congraçados no elevado pensamento de nobilitar a patria brazileira, deram batalha decisiva á maldita instituição, a esse resto de barbaria, que só existia por um mal entendido receio, e fizeram desapparecer com ella tudo quanto deshonrava a nossa civilisação.

A escravidão em todo os tempos, onde fôra tolerada, foi a origem de desordens, anarchia, luctas sanguinolentas, para a sua extinção. O Brazil é o unico Estado d'onde ella desapparece não pela força do direito, mas pela força do direito!

A propaganda na imprensa, na tribuna parlamentar, nos comicios populares, na tribuna sagrada, conseguio converter á idéa abolicionista a propria lavoura

o commercio, que se diziam aludados em seus fundamentos, e com a religião christã, quando conquistava o mundo para a civilisação moderna, arrancando-o da barbaria antiga, das trevas do paganismo, entrou nos paços reaes, converteu em seu favor quantos Santos encontrara, os quaes, no mesmo fervor dos mais antigos enthusiastas, pela grande idéa, concorreram para a grande obra, que é o complemento de nossa emancipação politica, a glorificação da Nação Brazileira.

Neste momento em que o povo, todos os brazileiros, se unem em um só pensamento, em um só esforço, enobrecidos pela contemplação do grande facto, da obra civilisadora, christã, saída de suas mãos, gerada em sua alma, a imprensa amazonense com abundancia de coração, obedecendo aos seus nobres intuitos, á sua missão na sociedade, levanta um brado unisono de:

Honra e gloria a S. M. O Imperador D. Pedro II.
A Serenissima Princeza Imperial Regente.
A Constituição do Imperio.
A Nação Brazileira.
Ás duas casas do Parlamento Nacional.
Ao Ministerio 10 de Março.
A memoria de José Bonifacio.
A memoria do Visconde do Rio-Branco.
A Magistratura Brazileira.
Aos conselheiros Dantas e Ruy Barbosa.
Ao Exercito e Marinha nacionaes.
Aos deputados Nabuco e Affonso Celso Junior.
A José do Patrocinio.

Os representantes da imprensa,
FRANCISCO JOAQUIM F. DE CARVALHO.
THEODOSIO P. CANSANÇÃO DE TROIE.
DR. JULIO MARIA DA SILVA FREIRE.
ANTONIO ARTHUR.
JOSÉ SOARES SOBRINHO.
Bacharel A. M. A. O'CONNELL JERSEY.
ANTONIO RIBEIRO SOARES.
FELISMINO COIMBRA.

SAUDEMOS A PATRIA

Não se traçam limites á realisação de qualquer idéa grande e humanitaria.

Os palliativos da politica, alimentados pelas tendencias retardatarias de alguns, pelos interesses illegitimos de outros tantos e pela irresolução, pelo temor e pelas apprehensões de muitos, palliativos, que no entanto não torcem a convicção, nem abrandam os impetos patrioticos de grande numero, não são obstaculos que effectivamente impeçam o caminhar dos povos, uma que fixem a meta das aspirações.

Ao contrario disto, quasi sempre taes meios produzem effeitos negativos, e ao envez de annullarem a idéa, multiplicam no espirito publico adhesões fervorosas, geram incitamentos novos, irresistiveis forças e aprofundam convicções para realisal-a.

E é nos tempos modernos principalmente, que estas verdades se traduzem em factos precisos e eloquentes sob a influencia da imprensa, a cuja voz vibrante, imperiosa, vehemente e convencida não se antepõem, senão para serem arrastadas, na arena da discussão, as resistencias mais atrevidas, as mais injustificaveis ambições.

A escravidão no Brazil assolhava-se a uma enorme jaca de um immenso vensalhe.

Para apagar-se deste inestimavel, brilhante Brazil — esta engravescida jaca — a escravidão — cumpria-se a força prodigiosa de um forte processo moral de eliminação.

Em tal situação, ante essa tremenda exigencia, o povo brazileiro transfurmou-se num sublime clamoroso e o exemplo dado pelas provincias do Ceará e Amazonas, e o movimento operado pelo benemerito sr. conselheiro Dantas, em arroubos de sincero patriotismo, no seio do governo, do qual na occasião era o representante e a propaganda energica, activa commammante; benefica, promovida na imprensa e nos mecenismos pelo conselheiro Ruy Barbosa, pelo dr. Joaquim

Nabuco, por José do Patrocinio e outros, pelas sociedades abolicionistas e pela iniciativa particular, e o aproveitamento decidido, opportuno, seguro e certamente patriotico de taes trabalhados elementos, pelo sr. conselheiro João Alfredo; finalmente o amor á humanidade e á patria, os principios religiosos, que tanto distinguem o caracter moral da gentil Princeza Imperial Regente, juntos ao interesse que S. Alteza nutria de firmar o seu augusto nome na lei que completasse a grande obra que iniciára, sanccionando a de 28 de Setembro de 1871, foram o efficaz e desejado processo que abolio a escravidão, illuminando de um brilho perenne, deslumbrante e sem mancha o nome do grande de imperio sul-americano.

O povo que aspirava por tão salutar e civilisadora reforma qual-a um dia d'veras.

A lei N.º 3353 é a expressão da vontade do povo brazileiro.

Saudemos a patria.
Dr. AFRIGIO M. DE MENEZES.

Pela voz da Biblia o guerreiro Deus de Moysés amaldiçoou os filhos de Cham, provadores da Africa; pelo grito da philosophia a consciencia nacional acaba de abençoal-os, de declaral-os nossos irmãos, nossos eguaes.

O fanatismo dos crentes biblicos que a guerra tinham gerado a escravidão, esse crime que o direito da força mantinha; mas a verdade philosophica, a força do direito accusarando o medonho delicto perante o tribunal da consciencia humana é este decretou-lhe a pena de morte.

O gabinete patriotico João Alfredo executou-a no Brazil gigante de abnegações!

Abençoado carrasco!
A liberdade te corôa!
CUNHA MELLO SOBRINHO.

Ha datas na vida dos povos que lhes assignalão uma nova era de existencia.

Para a Nação Brazileira o dia 13 de Maio de 1888 recordará o maior acontecimento sociologico, a mais esplendida victoria alcançada na gigante lucta da liberdade contra o despotismo, do abolicionismo sincero e desinteressado contra a fatal instituição que durante tres longos seculos foi a maior vergonha da nossa raça.

O feito estrondoso que acaba de se operar no nosso paiz, do Amazonas ao Prata, enche-nos o coração de jubilo e patriotismo.

Enviamos destas columnas uma saudação a todos os que concorrerão para o triumpho da grandiosa idéa que se chama — a emancipação total e immediata da escravidão no solo brazileiro.

RAYMUNDO AGOSTINHO NERY.
Dr. DOMINGOS T. CARVALHO LEAL.

JUSTA HOMENAGEM

Em todas estas festas que unisono se mostra o povo Amazonense para commemorar o Humanitario feito da abolição do elemento servil no Brazil, não temos o dever imperioso de lembrar o nome cheio de benemerencias e de bençãos do Doutor Theodoreto Carlos de Faria Souto.

Foi este probo e honrado cidadão que, presidindo o governo do Amazonas, declarou em 10 de Julho de 1884, que no solo das florestas virgens e dos gigantes não existia mais um só escravo.

A historia patria, no assignalar da sua justiça nacional, incluindo ha de o nome de Theodoreto Souto a par dos Eusebios de Queiroz, Viscondes do Rio Branco, Dantas, Nabuco e João Alfredo.

Espectadores e na mesma tempo cooperadores da emancipação do escravo no Amazonas, reivindicamos para Theodoreto Souto a merecida recompensa e o agradecimento da Nação.

SILVANO JOSÉ NERY.
JOAQUIM ROCHA DOS SANTOS.

JORNAL DO COMMERCIO

Fundador J. Rocha dos Santos

nos—Anno 6—Numero 1717

Sabbado, 2 de Janeiro de 19

HORRIVEL INCENDIO

O DEPOSITO DO ANDRESEN

Onde foi o sinistro—A que se attribu verão—Os bombeiros—O fiasco da náos Improvements"—Os prejuiso timas notas.

Expediente

NAVEGAÇÃO

Um vapor cargueiro

BELEM, 9—Sáhe hoje o vapor Epi.

Um gaiola

BELEM, 1—Parte para ahi a sahir dos navio patro e vapor Clara

Um vapor do Lloyd

BELEM, 1o—Deixou hoje, a sahir da costa norte, o vapor Clara

Um navio fluvial

BELEM, 1o—Segue para Manáos o vapor São Francisco.

O dia de hoje

Theatro Amazonas

Cinematographo

Varias

SALTAS E SALÕES

Gazetilha

Tradições monarchicas

MORTALHA

Direção de AQUINALDO ARCHER PINTO
Gerência de ALOYSIO ARCHER PINTO
Fundação de HENRIQUE ARCHER PINTO

O JORNAL

ANO XIX — NUMERO 7864

Segunda-feira, 30 de outubro de 1950

MANAUS — AMAZONAS — BRASIL

MATUTINO DE MAIOR CIRCULAÇÃO EM TODO O ESTADO DO AMAZONAS

Vinte anos de labor
em pról da gléba verde

O Snr. Henrique Archer Pinto, em sua mesa de trabalho, no Rio de Janeiro, onde continua infatigavelmente se esforçando pelo engrandecimento cada vez maior desta Empresa, que é um verdadeiro pa trimônio do povo amazonense.

Completa hoje "O JORNAL" o vigésimo aniversário da sua fundação.

No rodar vertiginoso da vida contemporânea, essas duas décadas transcorridas são um pequeno lapso de tempo, que as atividades gerais, as agitadas preocupações de cada um e de todos, mal deixam perceber e acentuar. Nós mesmos, evocando essa efeméride pura nós gratissima, temos como que, apenas, a memória vaga de que foi êsse empreendimento de há quatro lustros, do homem de fibra viril que soube querer e soube realizar, com heróica tenacidade e robusta fé, aquilo que para muitos se figurava empresa utópica e imprópria aos aspectos. Esse homem foi Henrique Archer Pinto e êsse comentemente do artigo é "O JORNAL".

Enfrentando com destemor o pessimismo dos céticos, fechando os ouvidos às predições de riscos e fracassos, aplainando óbices e dificuldades que lhe surgiam de todo o porte, lutando contra a corrente, com o costume dizer em situações de êxito problemático, Henrique Archer Pinto, escudado no seu forte otimismo, levou-afinal avante seu acalentado sonho de um diário de feição nitidamente moderna, com índole e características que refletissem o progresso do nosso tempo, inteiramente fora dos moldes da imprensa de antanho, a resumir em suas páginas o movimento do mundo e em particular a vida citadina em cada vinte e quatro horas, com suas continuas agitações, seus acontecimentos vulgares ou notáveis, tão como soe fluir essa vida manuarav no seu bulício cotidiano

Depoimento vivo de tudo isso está no farto arquivo de "O JORNAL", através dêsses vinte anos da sua trabalhosa existência. Incentivador principal de grande obra de Henrique Archer Pinto, sem sombra de dúvida e continua a ser o pavo amazonense na sua imensa alma generosa, de quel reclama o influxo que nos anima, para prosseguir na jornada sem nenhum desfalecimento. É porque jamais êsse influxo nos faltou, antes cresça a todo instante em provas de inequivoca confiança, é que correspondemos a tão amável atitude, fazendo de "O JORNAL" a verdadeira e sem variações, o respeito das ansias populares, das suas liberdades, das suas justas reivindicações.

Quebrando desde o seu início as arcaicas e cediças praxes, abolidas da imprensa moderna, ele erguer barreiras às campanhas meritorias, relegando-a à vala

comum das publicações retribuidas com o clássico titulo elucidante que as assinala, "O JORNAL" tem dêsse espaço mais condigno em suas próprias colunas editoriais, expressando tudo quanto mais importância e reflete, demando, entretanto, é claro, a quem as promove a responsabilidade integral dos escritos. Esse gesto de cortesia, não tão comum nos grandes orgãos da imprensa do país, quando se trata de pessoas gradas ou de entidades respeitáveis, jamais terá a significação do sentimento de solidariedade. Aos velhos jornais provincianos, conservadores e canhestros, eram certamente estranhos os métodos e processos do jornalismo hodierno. Mas "O JORNAL" nasceu precisamente por ser ao tempo progressista, dentro da condição inviolável que observa de perfeito independência.

Graças a ele a que, ganhando a consideração do público e a simpatia de tôdas as classes, conseguimos fazer do nosso diário o que ele realmente é o mais popular dos orgãos de imprensa regional e o de mais vasta circulação no território amazonense. Para a manter essa situação de preferência, que nos enobrece não seu superiores interêsses, não franqueamos desde o alvorecer de "O JORNAL" seu programa de isenção politico-partidária, resolução viril que não tem proporcionado alguns desgostos, inclusive estremecimento de amizades pessoais, inconformadas às vezes com a nossa indivisível orientação.

Compreendendo, por outro lado, que não é somente essa conduta inquebrantável que consolida a reputação de um jornal e lhe solidifica o prestígio no meio em que atua, não perdemos de vista que o cooperação dos intelectuais da gléba constitue elemento imperiteivel ao êxitos do nosso matutino. E continuamos a franquear nossas colunas para as manifestações da intelectualidade e da cultura, não somente aos nomes já firmados nos domínios das letras, mas também aos que vem surgindo como excelentes promessas nas lides do espírito

Eis aí, em síntese e sem jactância, a vida de "O JORNAL", neste vigésimo aniversário de sua fundação. Não é, pois, como se está a ver, uma data somente nossa e de hoje, mas igualmente do povo do Amazonas que nos aponto com o seu apoio, e com o que se congratula tam todos os que aqui labutam, prestando-nos o seu concurso abnegado e eficiente

---

A Suecia cobriu-se de luto

— Faleceu, aos 92 anos de idade, o rei Gustavo V —

Edição extr

ESTOCOLMO, 29 (U. P.) — Tôda a nação está de luto pela vida, vendo-se no falecimento do rei Gustavo V, de 92 anos de idade, numa frase corrida dentro no Paço, de Estocolmo.

Gustavo era um dos monarcas mais populares que se conheciam. Todo o povo soluça a ele se referia familiarmente.

—ESTOCOLMO, 29 (U. P.) — A corte da Suécia referiu ao falecimento do rei Gustavo V (idade de ...

o extinto rei Gustavo V, está transformado na Suécia. O gabinete se reuniu, manda à corte. A notícia do falecimento do rei Gustavo V causou profunda consternação no bem à Suécia, onde ...

enfermidade de rei Gustavo V, foi revelada sexta-feira, quando o soberanos tera que desmaiou. Mesmo assim não sosgaqu, as últimas ainda enfermidade. Mas a sua ocasião, o rei Gustavo V...

ESTOCOLMO, 29 (U. P.) — A

tiou-se para seus aposentos. Ontem, o rei Gustavo V recebeu os membros de sua família, entre eles o seu filho, que hoje é o rei, Gustavo-Adolph VI. O príncipe herdeiro permaneceu junto ao leito desde o da noite em seguida, as outras ajudantes e, em seguida, recomeçaram a assistência...

declarou que a saúde do rei foi piorando continuamente. O contato, o monarca faleceu tranquilamente, sem dores e sem falar. A Suécia, Gustavo-Adolph VI, se jornalistas e telégrafos comparecem, em seguida, se encarregar...

O DIARIO DA TARDE não circulará

Chegaram a um acordo os países signa do pacto do Atlantico

WASHINGTON, 29 (U. P.) — Os ministros de Defesa dos países signatários do Pacto do Atlantico indicaram que chegaram a um acôrdo no ocidental no o-premo de Eisenhower...

...giram 84 criminosos do presidio da Ilha das Pedras

SAN JUAN DE PORTO RICO, 29 (U. P.) — O superintendente do presidio da Ilha das Pedras, sr. Rivera, anunciou que 84 detentos participaram da sensacional fuga ontem efetuada, sendo capturados apenas 16, até agora, um dos quais em estado grave em...

dos ferimentos recebidos. Após varias horas de confusão, numerosos investigadores e as autoridades puderam determinar com exatidão o número preso que conseguiram fugir e o total dos re...

capturados. Um dos fugitivos atreveu-se à ir na residência de Rivera e dar à esposa do superintendente a notícia da meta-lo, fugindo em seguida.

SAN JUAN DO PORTO RICO, 29 (U. P.) — A polícia continua, dia e noite, as sua buscas em torno da crise.

minosos que fugiram do presidio da Ilha das Pedras. Os fugitivos eram no total 150. Mas 48 já foram recapturados. A fuga do presidiario que foi verdadeiramente inacreditável, ocorreu durante as horas de visitas. Os fugitivos mataram e feriram vários guardas do presidio.

O presidente Dutra sancionará a ...que reestruturou os quadros do D. C. T.

RIO, 29 (Asapress) — A portaria presente à visita ao presidente da República ao Ministério da Fazenda apreendeu o acordo para saber se a essa ... sancional que o cel Dutra informado que ainda não ...

via havia recebido os autografos da portaria, por seu o presume que Dutra in...

Importante convite da EE. UU. à União Sovietic...

LAKE SUCCESS, 29 (U.P.) — A delegação norte americana convidou a União Soviética a usar no seus Estados na reconstrução da Coréia, que submite o afixal comitê para com o Japão, sem que com a Comissão siga para...

gou a Malik não fez qualquer objeção, mas, segundo as informações de... do Japão, nas segundo pessoas bem informadas Dulles as as pôde ser no Japão para que conte com alguma forca que não tenha sem contribuir a ser uma carga permanente dos Estados Unidos e da nações aquéles. Supre, ainda, que a situação de anti-invictória de uma hora... americano Foster Dulles e a ... pano Jacob Malik. A exposição oferta que Dulles outro ...

...né Pleven teme que uma ...emanha rearmada provo-...uma guerra de vingança

29 (U. P.) — O premier afirmou que somente será o controlo exercido asseguraria que uma Alemanha rearmada não provocaria uma guerra de vingança. A dos seus esposta à vizinhança norte-americana se baseia na questão de que a estratégia anglo-norte-americana se baseia na questão de que a estratégia anglo-norte-americana se baseia na...

FERIADO DE HOJE

O dia de hoje, dedicado ao COMER... RIO, é feriado municipal, não funcio... em, em consequência, o comércio, os ... es e as repartições públicas.

...a atualidade do mundo, em que o tempo é ver... assim prepondera. Assim o explica o ... cada vez maior de jornal, e a síntese dos ... conhecimentos necessários ao homem

Aprestam-se as hordas vermelhas
para a resistência final

TOQUIO, 29 (U. P.) — As forças chinesas comunistas estão refugiando com tropas comunistas chinêsas, preparam-se para a resistência final nas aliados, ao longo do Rio Yalu. Informou-se que já foram capturados 5 soldados comunistas chineses que lutavam ao lado das tropas...

à maior central hidro-elétrica do Oriente. Essa tôrre fornece corrente à Siberia e à China comunista.

— SEOUL, 29 (U. P.) — Observadores foram informar que o 24.º Divisão de infantaria norte-americana atingiu um posto situado a 11 milhas à nordeste de Sunchon, 35 milhas antes da Manchuria. As tropas de vanguarda se... acham a noroeste de Sunchon...

TOQUIO, 29 (U. P.) — A 24.º Divisão de infantaria norte-americana avança, chegando a um ponto de 50 a 90 quilômetros, e antes ...

desmentiu que o exercito dos Estados Unidos tenha forças japonesas na campanha da Coréia. Disse que foram utilizados soldados norte-americanos de descendência japonesa em Unidos de forças não tenham soldados de origem japonesa no Extremo Orien...

A PERGUN... DO DI...

DIÁRIO DA TARDE

VESPERTINO DE MAIOR CIRCULAÇÃO NO AMAZONAS

Manaus — Terça-feira, 5 de Outubro de 1948   NUMERO 3964

PARIS, 5 (UP) — Um porta-voz da G.N.U. norte-americano declarou:
«Não cremos que os russos se retirem. Não podemos acreditar numa politica ba-
seada em ameaças e bluffs como a que a Russia vem adotando desde o fim da guerra.
Virão outras ameaças e não cumpriram».

Proclamação da Republica Portuguesa

General Carmena, presidente da Republica portuguesa

Os comunistas
provocam disturbios em Londres

PARIS, 5 (U P.) — A
inauguração da campanha de
recrutamento em Londres foi
marcada por um incidente,
quando manifestantes comunistas tentaram perturbar as
cerimonias. Dois homem subi-
ram a plataforma onde ia falar o marechal de Defesa Sr.
Alexander, e agitaram uma

A bandeira com a inscrição
«Nada de guerra pelos dolares
vangues» Os dois homens foram levados pela Policia. Ao
mesmo tempo, era distribuido
entre a multidão boletins contra a séde da celula comunista local, trazendo as dizeres «aba-
xo com Wall Street»

E' indiscutivel
a vitoria de «Volta Redonda»

SÃO PAULO, 5 (U P.) —
O diretor da Usina de Volta Re-
donda, general Silvio Paulino
de Oliveira, concedeu uma entrevista a imprensa local e

clarou que a Siderurgia Nacional funciona a cem 70 %
de sua capacidade total, sendo esperada em breve a sua
ocupação em sua totalidade.

O problema de Berlim

PARIS, 5 (UP) — Um porta-
voz breves britanico confirmou
a Grã-Bretanha participará desta
reunião dos ministros do Exterior
sobre o problema alemão, «a
blioqueio de Berlim for incendiado
norte-americano». Altas fontes

norte-americana dizem que «nossa
posição foi sempre de que vamos
nos aproximar a uma reunião dos
«4 grandes» para tratar sobre o
problema alemão e o blioqueio sóe
suspenso»

Fala á imprensa o presidente do C.N.P.

RIO, 5 (Asapresl) — Volten-
do a falar novamente á reportagem o general João Carlos
Barreto, presidente do C.N.P.,
a quem compete determinar o
preço dos combustiveis, escla-
receu hoje que os fatos as razões

para a compra das refinarias foram um constituir objetivo e
atinge o preço dos produtos
nacionais, brasileiros para
poderem ser superiores aos simila-
res sobre o assunto.

Acusações sovieticas contra as
potencias aliadas

LONDRES, 5 (U P.) — A
Russia acusou os Estados Unidos, a Grã-Bretanha e a França
como unicos responsaveis pela
crise de Berlim. Esta acusação
está contida numa carta, divulgada hoje, á potencia pelo sr. Mo-
lotov, dirigida a hoje pelo ra-
dio de Moscou. Afirma o chan-
celer russo que o problema de
Berlim não existe, ele que as
potencias aliadas realizaram a
reforma monetaria separado no
setor de Alemanha á
nas 3 zonas de Berlim. Ao mesmo tempo, acrescenta a nota, o

bom saldo que a reforma monetaria constituo apenas uma
das medidas para a divisão da
Alemanha, pelos quais coloca-
ram as zonas ocidentais sou do
controle das 4 potencias.

Suspensos os trabalhos da Camara Federal
homenagem á memoria do deputado Floriano Pei
falecido em São Paulo

RIO, 5 (Asapresl) — Sob a pre-
sidencia do sr. Nereu Ramos,
á tarde de ontem foi suspendida
os sr. Plinio Barreto revira o se-
no projeto resolução alterando
varios dispositivos do regimento da
Camara. O projeto, segun-
do o que adianta, tem por
objeto ampliar as medidas das comissões aproximam suas percep-
ções de prazos e prazos peranda-
se nas normas, sem deixa pronta e
se a renda o projeto peranda-se

tabuleiros, perdera o seu lugar na
comissão, devendo o presidente
dessa comunicar ao presidente nos
termos do regimento que o deputado de faltou com o seu dever [...]
impedir que o deputado trate da
nos reais as noções de assuntos estranhos a materia em discussão [...]
pemete pedido de verificação [...]
quando apoiado por 15 representantes. A materia anterior dispunha-
se «fiscalizar suas reuniões alcançado
tabelo como abdicar na sr. Segundo

A febre de "records"
norte-americanos

WASHINGTON, 5 (U P.) —
A historia na historia apost tantos automoveis, caminhões e
ônibus nos Estados Unidos, seria agora. E' o que informa a
Administração dos Estados de
Rodagem. Segundo os dados
lançados daros repartição, até
o fim do ano o total de veiculos
no motor licenciado na America
do Norte ultrapassará os
41.000.000.

Relatorio
de Truman sobre as operações da
ACE no seu primeiro trimestre
de vida

WASHINGTON, 5 (U P.) —
Truman enviou ao Congresso o
relatorio sobre operações da
Administração de Cooperação
Economica durante o primeiro
trimestre de sua existencia, em
que revela que a A. C. E. realizou o dispensado 88,38 do
Junho, ontem o valor de
dolares para a reabilitação
Europa e da China.

gora a execução frequentemente
a aprovação dos comunistas no
plano Marshall.

«A Russia e seus satelites na
Europa orienta foram primeiramente a evitar a nações da cidade europeu no programa
constituindo», — disse Truman
revelando A Russia não
somente recusou, mas tomou
também medidas para evitar que
outras nações participaram [...]
a intervenção do Cominform,
a instrumento da Russia para
impedir que o reergua fosse o
projeto de reabilitação.

O relatorio apela de 6 %
dos artigos comprados para a
Europa em 3 de Abril, impor-
tar a execução propriamente
do dia 30 de Junho a entrega
de artigos adquiridos em principios de 3 de Agosto classifi-
cados. Mas o relatorio [...]
a Latina foram [...]
multiplas relações

AMAZONAS — MISS BRASIL — MISS UNIVERSO

No domingo a terceira apuração do sensacional certame — Mandem seus votos o quan[to]
— Grande espectativa em torno de mais interessante pronunciamento das urnas — Outras notas

Como se processa, ao menos Distrito, transmitem a familia bras
das Manaus afirmam comprimento; por mais cita da cópia parte Por-
tigal, dirigido, neste instante, pelas inteligencias patrioticas de Car-
mona e Salazar.

SOLANGE PARANHOS DE ALBUQUERQUE, co-
... de Copacabana, candidata ao mais lindo
... mundo ao titulo de Miss Distrito Federal — Miss
... Brasil. Beleza autêntica, queimada no sol

Neste domingo, próximo vindouro, brilhante esforço jornalistico, com
mesmo critério de colocação dos diversos candidatos inscritos foi [...]
que afirmam que sim, mas também há os que entendem que não. S
todas últimas se baseiam para assim pensar, no resultado verificado
em se vem verificando em torno das simbolicas Tida Zaldenado,
Maria Eleonora Nascimento, Helena Gabriel Marques, Anita Pacheco,
Maria Alencar dos Neves, Aldinha Andrade Walkiria Bacto, Maria
Angela Neles, etc, etc. Quarto à senhorinha Maria Amalia Ferreira,
consta-se, ainda desta feita, está apresentavel consignada de vitos
dados pelos quidsantos que são, além, o mais farta reduto eleitoral
graciosa lute inscrita pelo ideal Clube

INTERESSADA A COLÔNIA AMAZONENSE

RIO, 4 (Asapresl) Continua sempre maior o interesse da part
amazonas residentes no Rio de Janeiro pela resultado do concurso que
do diários Archer Pinto está patrocinando em Manaus. E' de notar-se
amazonas, aqui residentes, apresentados os compões dos jornais amazonenses
afinal todo o vindos para a metropole, tão cedo amazonenses, dos
candidatos inscritos.

Ainda moureiam á margem dos rios, pontilhando
rvas de barrancos e pontas de enseadas, á maneira
idolos bronzeos, velhos caboclos pensativos, cujos
hares se quebram, enfumaçados, nas ondas verdes
e cananéas. Caboclos serenos, que o banzeirão
pestea em canôas esguias, cortando o panorama
cima, indiferentes ás crises e ás mutações politico-
iais.

Mas os olhos e os ouvidos, que se embriagaram
distancia e silencio, percebem outros cenarios,
ros ruidos: não mais as aguas chiando ás prôas ou
pános avermelhados, nem o recorte das ubás cima
s cananéas. A' infancia
rindia das ubás sucede a juventude dos batelões
ela, a maturidade dos gaiolas e transatlanticos, a
realizadora dos aviões. Tudo se processou no
o de uma vida: é uma prova edificante, uma taça
oragem e crença aos que dórmem e vaticinam para
mazonia um destino de dispensa de casa rica, um
ir de reservas para daqui a cem annos. A certesa
e futuro tomba das nuvens em asas de aluminio,
jada pelos motores, que ligam as terras e as ci-

. . .

Escrevendo, ha tres annos, sobre este immenso
gar", que é o Amazonas, procurei demonstrar a
bilidade de uma alvorada economica: pela explo-
de outras fontes de renda; pela iniciativa da

nova geração de comerciantes, de trabalhadores, de intelectuais; pela padronização de productos nativos;
pela abertura de comunicações, além da navegação
fluvial. Referi-me, então, ás "tres ferrovias, envolvendo interesses internacionaes — Bolivia Central —
Guajará Mirim, Iquitos — Pacifico, Manaus — George-
town, que abririam realidades do mediterraneo equa-
torial para dois oceanos". Referi-me, outrossim, á
"ligação ferroviaria Rio — Manáos, entroncando á futura grande estrada pan-americana, através da Colombia".

Os estudos dos technicos, em paízes visinhos, e os
planos centro-ferroviarios do Ministro Mendonça Lima, traçados na recente aéroviagem ao sertão brasileiro, cimentaram a razão daquellas assertivas. . .

Os aviões são, entretanto, a força immediata e necessaria para o desbravamento do Amazonas, para o
socorro e transporte de sua resistente população. "As
correntes naturaes, descendo de cinco fronteiras, tor-
narão Manáus o entreposto forçado de mercadorias, á
escala de aviões que hão de demandar as cidades ma-
nufatureiras do norte e oéste".

A Panair irradiou suas linhas a Porto-Velho e
Rio-Branco; estuda a ligação a Iquitos; tentará, possivelmente, a rota de Lindbergh, pelo vále Negro-Bran-
co, em direção a Nova-York. Manaus terá de ser o
pernoite, a base de distribuição para os aparelhos me-

nores, — meio de regularizar e pontualizar os vi
com o Sul e Belém, sem receio ás trovoadas qu
rem o sul e o norte do Estado.

O avião conduz, na musica dos motores, o an
mento das coletividades, que lutam no isolame
hinterlandia; o comercio fronteiriço da Venezu
Colombia, do Perú e da Bolivia, centuplicará em
vidade, em transporte pelo Brasil, seguindo o
dos rios. As asas dos hidros antecipárão os nav
cárga. E ficará assegurada, em todos esses paíse
gos, uma grande zona de influencia brasileir
mercado para os nossos productos industriaes. Não tem
vindicações a pleitear; nossas commissões prossé
em harmonia como as demais, a delimitação das
teiras, fincando festivamente todos os marcos,
hosánas partidos de dois idiomas irmãos.

Temos necessidade de comprehensão mút
entendimentos para melhor padrão de vida,
plano americano forte, em beneficio da paz e da
qualidade geral. E a ação que devemos pensar co
nias agricolas, sob vigilancia militar nos nucle
maior densidade de população.

Assegurando religiosamente principios tr
naes, tal qual a 1891, as constituições de

(Conclúe na 2.ª pa

UM VESPERTINO QUE 'SERÁ' SEMPRE O ARAUTO DAS ASPIRAÇÕES POPULARES

A TARDE

1938 FEVEREIRO
5o S. Conz.º 835
Quarto ming. a 21

19
sabbado

Propriedade e direcção de Aristophano Antony — NUMERO 307

anniversario de um grande governo

azonas vé transcorrer, a medida exacta do seu senti-
la, o terceiro anniver- mento de brasilidade, da sua
governo Alvaro Maia capacidade de esforço e de sa-
do a exercer a supre- crificio, da sua visão larga dos
l do Estado por força problemas e dos destinos de
rativo categorico da sua terra.
sua.
E a administração que o
l individualidade illustre amazonense vem rea-
nava todas as mais ve- lizando, em meio ás vicissitu-
aspirações collecti- des de uma hora dificil, não
esurgimento de e res- só para o Amazonas como para
nte alvoro Alvaro o Brasil inteiro, como reflexo,
he deparou a opor- em definitiva, das inquietações
necessaria para dar que assoberbam o mundo, cor-

responde, sob todos os aspectos, ás melhores e ás mais
altas expectativas.

Adoptando normas dynami-
cas de trabalho, embora em
multiplos obstaculos, por
vezes descon-
certantes, de nossa situação
economico-financeira, admi-
nistrando ás claras, com probidade inalacavel, de modo a
que os seus actos possam ser
objecto do mais rigoroso exame e da mais livre critica,
collocando-se num terreno de

absoluta serenidade, a in-
da quando mais rudes era
entrechoques dos interesses e
ambições partidarias; agui-
do com equanimidade e justiça
na solução de todas as questões
da alçada do governo, — o sr.
Alvaro Maia depréza sonhe
grangear a confiança integral
do Amazonas, affirmando-se
no apreço da multidão como
o homem credenciado dos ti-
tulos e requisitos indispensa-

(Conclúe na 2.ª pag)

A PRIMEIRA ETAPA

A TARDE vence hoje a pri-
meira etapa do seu itinerario jornalistico. Bem lançadas as contas,
tendo-se em vista as dificuldades
e multiplos obstaculos que se anté-
põem, de regra, ao nosso meio, ás
iniciativas desta ordem, o facto re-
veste uma significação particular-
mente expressiva para quantos mourejam no periodismo amazonense.

É' existente que não nos cabe fazer o elogio do nosso proprio esforço, um auto-envaidecimento de
uma conquista que, embora de re-
levancia indiscutivel, reputamos antes nossa do que de todos, a que

servimos, da collectividade, a cujos
problemas e aspirações trouxemos,
tão só, o concurso desvalioso mas
sincero do nosso pensamento sincero. Mas todos nos testemunhas
da elevação, da coherencia e do des-
assombro, com que temos sabido
cumprir o nosso dever, scientes e
conscios das responsabilidades
que nos incumbem na hora que passou.

Folha vespertina, idéa, dynamica,
vertiginosa, jámais pretendeu A
TARDE assumir encargos de maior
transcendencia jornalistica na noss
trinaria, até porque para isso nos
(Conclúe na 2.ª pag.)

Entre as illusões de que se nutre a alma de
Aristophano Antony, vibra esta, quasi dithyram-
bica para a minha vaidade ; a de que duas palavras minhas são necessarias á edição de anniversario d'A TARDE. Não o desilludo; antes o en-
corajo nesta concepção mythologica, porque, ma-
terialmente impossibilitado de escrever pelo im-
perativo precario da minha saúde, transijo em
dictar esta saudação ao grande vespertino: Deus
auxilie e cubra de bençams o brilhante commettimento que se resume e se synthetiza n'A TARDE.

ADRIANO JORGE
Presidente da Academia Amazo-
zonense de Letras

Edição de hoje: — 6
paginas. Custo : 600 r

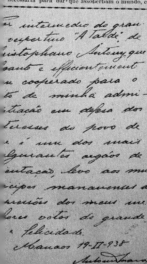

Escrever um artigo para jornal
não me parece que se torne um
bicho de sete cabeças : basta que
camarada possua um pouco de bom
senso, não seja inimigo da gram-
matica e tenha alguma leitura.

Mas — fazer jornal ? "Hoc opus
hic labor est"; á tarefa dificil, que
não está ao alcance de toda mundo.
A prova é que, ahi, está sempre a
gazeta com uma figura de vulto á
prea, no corpo redaccional um han-
do de individuos arrotando sapien-
cia, e, dentro em breve, fracassa,
dando com os burros nagua.

Por isso mesmo, para a função
jornalistica nada mais certo do que
a dedicação, a abnegação e o des-
interesse com que o homem público
trabalha, ou, se o tenaz saldão
cumprir o seu dever, sciente
da própria fortuna.

Assim sendo, o verdadeiro jornalista vale ouro, como profissional
um officio, aliás arduo e ingrato
Neste numero acha-se incluido, sem

ADEIA PARA OS LADROES DO POVO

EDIÇÃO DAS

ANO IV   Quarta-feira, 20 de Abril de 1949   N.º 13

DE MÃOS DADAS COM O POVO

a Crítica

DIREÇÃO DE UMBERTO CALDERARO FILHO

...ntinua a população defrauda'a pelos "Tubarões" — As providencias da C. E. P.

Não Haverá Golpe de Estad

Avanço comunista sobre Changai

Renunciará o PRESIDENTE INTERINO

A Russia Contra o Vaticano

O Julgamento do Cardeal Mindszenty na O. N. U.

LAKE SUCESS, 19 (A. P.) — A Russia opôs-se hoje a uma medida destinada a convidar os representantes do Vaticano e de outras igrejas a participarem dos debates que terão lugar aqui a respeito dos julgamentos do cardeal Mindszenty e dos pastores protestantes búlgaros.

A medida foi proposta pela Bolivia na Comissão Política da Assembleia Geral das O. N. U., onde concordou tambem em convidar os representantes da Hungria e da Bulgaria. O delegado russo, Jacob Malik, opondo-se a iniciativa boliviana, declarou que a medida não era uma sugerido por uma nação que pouco respeito tem pela Carta das Nações Unidas. A proposta para mandar representantes foi formulada pela Assembleia. O delegado boliviano propoz que os delegados da Santa Sé, do Estado de Israel e de todas as igrejas cristãs de todas as nações interessadas fossem convidadas a ouvir a discussão. Depois de longas discussões, concordou-se em retirar a proposta, temporariamente, reservando-se o direito de apresenta-la outra vez mais tarde.

O cumulo da cortezia

...ONDRES, 19. (A. Um avião de car... ...British Overseas ...ays, da linha Su... ...a... ...sportou recente... ...e dois orangotan... ...go para o Jardim Zoológico daquela cidade americana. Ao tocar ao aeroporto de Londres, um funcionario da Companhia notou que um dos animais não estava ...se sentiu muito bem e como havia uma espera de algumas horas antes da decolagem, resolveu que devia dispensar todos os cuidados ao estranho passageiro, e levou-o a uma loja de cães, onde pudesse ser tratado por especialis... ...tas. Quando os funcionarios do aeroporto procuraram o animal, foram encontrá-lo completamente restabelecido, reclinado numa poltrona com um cobertor nos hombros e muito distraído com um programa de televisão.

VA 2ª PAGINA

Moscou desmente a informação

Ultima hora

RIO, 20 (Asapress) — Urgente — Espera-se hoje, uma grande bomba politica. Jornais dizem que, o brigadeiro Eduardo Gomes, conferenciará com o presidente Gaspar Dutra, a cerca da sucessão pre...

Declara o Gal. Gois Monte
DEW PEARSON E' UM EMER
BOATEIRO

NANQUIM, 19 (A. P.) — Esta unidade, apesar dos boatos que surgem em cada canto a respeito do avanço das tropas comunistas, está calma e com todas as suas atividades normais. Os rumores de que o governo havia mudado para Changai não tiveram confirmação. Fontes geralmente bem informadas adiantam em retirar as conversações de paz fracassaram ou, o presidente interino renunciará e regresará à sua residencia particular na provincia de Changai, no sul da China.

Informações chegadas de Changai hoje dizem que a abolição de todos os tratados assinados pela China com os Estados Unidos desde 1936 e o retrocesso de todos os "interesses" dos Estados Unidos na China, figuram entre os 24 pontos do programa de paz apresentado como ultimatum pelos comunistas ao governo de Nanquim.

GOIS MONTEIRO —— O MILIONAR DAS ENTREVISTAS

RIO, 20 (Asapress) — Há vários di... comentarista americano Drew Pearson mentou que a viagem do presidente par Dutra aos Estados Unidos, viria recer um golpe de Estado. Entrevista General Gois Monteiro, a cerca do refe... comentário, disse: "Mais uma vez de que não acredito em golpes. O sr. Pearson já é bastante conhecido como emerito boateiro".

4 PAGS. 70 CTS.

EXGOTOU-S

ontem, a edição d'ACRITICA

Embora um desarranjo de nossa maquina impresso retardasse a hora da saida desta folha, logo que começou sua circulação às onze e meia horas, rapidamente esgoto se a avultada tiragem de quatro mil exemplares que lança mos à publicidade.

O fato, merecendo especial registro de nossa par... assinala, de modo inequivoco, que o público de nossa ca... tal sabe compreender e estimular aqueles que lutam sin... ramente pela concretização dos anseios da coletividade, e... entando a opinião pública e robustecendo a crença de que o governo deve ser do povo, pelo povo e para o povo.

...smo povo, mais uma vez, os agrad...

FERE-SE A BATALHA FINAL PELA CONQUISTA DA CHINA

s comunistas estão prestes a tomar o domínio completo do país --- Chega a Nanquin arechal Li Chi Sen --- Levas de refugiados abandonam Pequim em trens sucessivos

IRMA-SE QUE CHIANG KAI SHEK FIXARÁ RESIDENCIA NA ILHA FORMO

APITAL CHINE- MARECHAL I SEN

NQUIN, 25 (AFP) a primeira vez a a r a comunista u, hoje a chega marechal Li Chi efe do «Comité cionário Comu- O marechal che- ompanhado dos le 9 outros par- óstis a Chiang ek; os quais se avam no exílio.

ADA PEQUIM

IM, 25 (AFP) n-se nos arra- orientais desta ropas comunis- 5.º exército na- comandado eral Lin Hiu cusava a aban- posições antes Verificou-se a o total desta elas tropas na- s, sendo entre- iga capital, an- ser terminada, ente, a sua eva- pelos naciona- rotados, inclu- emplo Yunan, residência habitual do marechal Chiang Kai Shek, quando aqui permanecia. O general Yen Chien Chien Yng, diretor comunista da comissão Militar de controle da região de Pequim, deverá entrar na cidade simultaneamente com o primeiro contingente de tropas.

PRIMEIRO TREM DE REFUGIADOS

— PEQUIM, 25 (AFP) — Pela primeira vez, depois de 40 dias, o primeiro trem saiu hoje daqui, com destino a Kalgan, transportando refugiados, sendo logo seguido de outro trem, igualmente carregado de pessoas que se retiram à chegada das tropas vermelhas vitoriosas e que desejam regressar aos seus lares.

VÃO NEGOCIAR O ARMISTICIO

— NANQUIM, 25 (AFP) — Os delegados governamentais para as negociações do armistício deixaram hoje Nanquim, por via férrea, para efetuar uma breve visita a Chiang Kai Shek, onde tambem entender-se-ão com os chefes dos partidos minoritários membros da chamada Liga Democrática.

REFÚGIO DE CHIANG KAI CHEK NOS ESTADOS UNIDOS

— WASHINGTON, 25 (AFP) — Não foram confirmados oficialmente os boatos de que Chiang Kai Chek viria procurar refúgio nos Estados Unidos. Um porta-voz do Departamento de Estado declarou: «Nenhuma comunicação foi trocada entre o marechal Chiang e os Estados Unidos, a respeito de seus futuros planos». Como se sabe, a senhora Chiang Kai Shek veio aos Estados Unidos, há várias semanas solicitar auxilio e ainda continúa no território americano.

O CHEFE NACIONALISTA CHINÊS RESIDIRÁ NA ILHA FORMOSA

— LONDRES, 25 (AFP) — Chiang Kai Shek prepara-se para residir na ilha Formosa, com toda a sua elite, no caso dos comunistas se recusarem a aceitar as condições de paz razoaveis, diz o correspondente Dial Hertz, em Nanquim.

ESFORÇOS PARA ALCANÇAR A PAZ

— CHANGAI, 24 (AFP) — «O resultado das minhas conversações com os líderes da Liga Democrática socialista e com a senhora Sun Yat Sen, encorajou o presidente Li Tsing Yen em prosseguir em seus esforços para a consecução de uma paz com os comunistas», declarou, no decorrer de uma entrevista à imprensa, o antigo vice-ministro dos estrangeiros, Kan Chin Hou, enviado especial a Li Yun Tsen, que foi convidar os chefes dos partidos minoritários para uma conferência em Nanquim. Kan Chim se recusou, contudo, a declar se essas personalidades tinham aceito o convite.

— NANQUIM, 25 (AFP) — Informam de Pequim, pelo telefone internacional, que a ex-capital imperial deu ordens aos seus funcionários para ultimarem os preparativos e entregarem o gôverno local às novas autoridades do govêrno da maioria comunista. Houve, hoje, cedo, novos tiros, mas acredita-se que foram incidentes sem importância entre elementos nacionalistas dissidentes e comunistas. Em muitas esquinas apareceram hoje boletins e placardes afixados pelos comunistas, declarando que os [illegible]

neses e estrange Pequim serão re dos. Voltaram a normalmente, os Os jornais perte ao Kuomitang, o dos à essa orgai foram intimados sob a nova adm ção comunista.

ORDEM DE I TAÇÃO PARA (MIGOS DE KAI

— NANQUI (AFP) — O pre da República, i Li Tsun Yen uma ordem ma libertar o antigo marechal «Tcha Liang, bem con neral Yang Shu ambos presos des por terem «seque o marechal Chi Shek, por oca famoso incide Siam, em 1937, rechal está na i mosa, mas i onde se acha Como se sabe, fessores da Univ de Pequim d uma nota ao pr interino pedindo tação do «jove chal» e sugeri esse antigo e chefe chinês se zado como med [illegible]

A GAZETA

VESPERTINO NOTICIOSO E INDEPENDENTE

ANO I — Manaus, 25 de Janeiro de 1949 — NÚMERO 2

GANHAM TERRENO OS COMUNISTAS JAPONESES

O resultado das recentes eleições trarão dificuldades às relações entre Japão e Estados Unidos --- O novo governo opor-se-á rigidamente aos controles americanos ---

A SITUAÇÃO ATUAL [illegible] DA CHINA DE ANOS ATRAZ

TOQUIO, 25 (AFP) — Num comentario assinado, Leon, Prou, da A. F. P., comenta os resultados das eleições, que os observadores frisam a esmagadora vitória dos conservadores, o aniquilamento dos moderados e socialistas e a acentuada [illegible] dos comunistas. Os observadores consideram que o triunfo dos conservadores, reunidos em torno do presidente do Conselho, Shingeru Yoshida significa a intolerancia do Japão depois de três anos e meios de ocupação porque falta a [illegible] de Yoshida, em suas relações com as autoridades de ocupação, o que constitue a sua principal popularidade. Preveem, por isso, certa dificuldade nas futuras relações do govêrno japonês com as autoridades de ocupação. Embora haja entre eles um ponto em comum, que é a luta contra o comunismo e o reerguimento econômico do país o govêrno que Yoshida vai reconstituir, apoiado em maioria parlamentar absoluta, opor-se-á regidamente aos controles americanos, especialmente aos controles econômicos e insistirá muito mais do que hoje, para obter sua autonômia proviosoria, enquanto espera sua completa autonômia, após os tratados de paz. Por outro lado, o novo govêrno de Yoshida, que pretende aplicar severas medidas operárias, enrijará a oposição nos sindicados e consequentemente na extrema esquerda. O aniquilamento dos moderados e socialistas explica-se pelos escandalos financeiros da Dieta precedente e tambem pelo carater colaboracionistas do govêrno Katayawa Ashida O antigo presidente do Conselho Socialista, Ashida, não foi siquer reeleito. Reconhecem unanimamente os observadores que os recentes acontecimentos da China favoreceram os sucessos comunistas japonêses e consideram que os socessos atuais, aqui verificados, são apenas os primeiros reflexos da vitória dos vermelhos chinêses reflexos que têm tendencia a ampliar-se. Os comunistas japonêses consideram que o Japão atual se assemelha extraordinariamente á China de anos atrás. Esquecem, sem dúvida, a presença dos americanos.

INFUNDADOS OS BOATOS DE NOVA REVOLUÇÃO NO PARAGUAI

ASSUNÇÃO, 25 (AFP) — Foram desmentidos oficialmente certos boatos, de fonte estrangeira, segundo os quais havia irrompido uma nova revolução no Paraguai.

Está na Jamaica o snr. Romulo Betancourt, ex-presidente da Venezuela

Miami, 25 (AFP) Romulo Betancourt, ex-presidente da Venezuela, desterrado do seu país, está atualmente em Jamaica, onde espera um viso norte-americano para o seu passaporte, afim de vir para os Estados Unidos.

O Novo Gabinete Boliviano

LA PAZ 25 (AFP) — Anuncia-se extra-oficialmente a constituição do novo gabinete, que terá a forma seguinte: Exterior, Armando Alba; Interior, Alfredo Mollinedo; Fazenda, Oscar Mantezinos; Agricultura, Gilfredo Gandia; Economia, Vicente Leiton; Defesa, Valdo Pool; Saude, Juan Balsazar; Educação, Antonio Ricotorei; Obras Públicas, Alberto Sandi; Trabalho, Lucas Beltran.

Convocada a nova Dieta

— TOQUIO — 25 (AFP) O Novo Conselho do Gabinete presidido pelo primeiro Ministro Yoshida decidiu hoje convocar a nova Dieta para o dia 11 de Fevereiro próximo. Yoshida anunciará tambem, dentro em breve, a nomeação de Kathsio Okasaki para o cargo de Ministro do Exterior. Yoshida ficará tão somente na presidência do Conselho.

Eletro-Ferro, Construções, S.A.

A ELETRO-FERRO, S. A., completamente transformada nas suas instalações, ressalta das suas amplas vitrines um conjunto de novidades em louças, cristais, prateados e galvanoplastia, que induz e incita à compra, pela sua variedade e modicidade de preços.

ELETRO-FERRO, CONSTRUÇÕES, S. A., fica situada na rua Marechal Deodoro, esquina da Teodoreto Souto.

JORNALISTA ARISTOFANO ANTONY

Foi deveras satisfatória, para os que mourejam nesta casa, a presença, hoje, em nossa redação, do jornalista Aristofano Antony, diretor-proprietário do vespertino "A Tarde" e ilustre presidente da Associação Amazonense de Imprensa.

Aristofano Antony, que é elemento exponencial do jornalismo amazonense, veiu apresentar, em seu nome e no da A. A. I., cumprimentos pelo nosso aparecimento.

Somos gratos ao brilhante confrade.

Assinaturas

Estão abertas as inscrições para assinaturas, na gerência deste vespertino.

vogado o decreto 21.843 de 12 de embro de 1946

gado o decreto 21843 de 12 Setembro de 1946

a apreço regulava os dispositivos necessarios ão de oficiais da Aeronauticas, sem possuirem curso de Estado Maior

(AN.)—O Snr. pre- Republica assinou, r ato revogando o mero 21.843, de 12 ro de 1946. Fixava decreto, que vem gado, o prazo para ão de exigencia, no ntido, pelos oficiais da Aeronautica, s em virtudes de ições, embora sem possuirem o curso do Estado Maior. O ato ora assinado prorroga até 31 de Dezembro de 1949 o prazo estabelecido no antigo 1.º paragrafo unico, do decreto numero 21843, bem como dispôs que os referidos oficiais continuarão a situação em que se encontrão, até que cêsse o motivo de sua agregação.

CADENCIA

reio da Manhã", o dia 20 dêste mês, em tópico subordi- titulo acima, co- alguns dados esta- re a região amazôni- s abaixo a referida reservando os os sôbre a mesma a oportunidade.

El-Dorado. Ainda do seculo, ta-se mo outróra os aven- de todo o mundo se para a Califórnia. Amazônia, explorada ica voraz, entrou a de- a uma região que sem- quase que do impôsto o, a situação triste ai ser resumida com os que a estatística

portação, que se ele- 72.800 toneladas em insignificante para um milhão de pessoas, a 41.810 toneladas, em A importação, entretan- e mesmo periodo, pas- 44.920 a 69.100 tone-

rodução de bananas 1.387.000 cachos para 00. A de feijão desceu 9 toneladas a 2.699, a milho, de 22.380 a 17.153 e a de cacau, de 4.733 a 2.672. São reduções impressionantes. A situação, porém, se agrava ainda mais no Amazonas, cuja área de plantação atingiu de 14.191 hectares — uma miséria! — para 7.475 — miséria maior!

As Associações Comerciais do Pará e do Amazonas acreditam que o prejuizo das quatro safras atingiu os 700 milhões de cruzeiros, o que é muito para uma zona imensa despovoada e pouco produtiva.

Em 1948, as áreas cultivadas ainda eram extraordinariamente reduzidas: Guaporé, 500 hectares; Acre, 8.993; Amazonas, 9.143; Pará 119.333 e Amapá, 970.

Com tão escasso cultivo, e com a borracha em decadência, não é para admirar-se a crise econômica em que se debate o ex-El-Dorado. E no entanto, paradoxalmente, não lhe faltam os recursos. Suas florestas, racionalmente exploradas, numa época em que a madeira escasseia por tôda parte, muito poderiam contribuir para melhorar a sorte da Amazônia cheia de possibilidades.»

Como foi receb A GAZETA

A proposito do nosso aparecimento, damos abaixo o registro da imprensa local, cujas honrosas referencias muito agradecemos:

"FOLHA DO POVO"

Circulará, hoje, nesta capital, mais um importante orgão da imprensa amazonense — A GAZETA que a presentará completo noticiario, alem de selecionados e oportunos assuntos relacionados com a vida tanto regional como brasileira.

"DIARIO DA TARDE"

Circulará, hoje, em seu primeiro número o novo orgão da imprensa amazonense A GAZETA, que obedece à direção do dr. Avelino Pereira, antigo jornalista e profundo conhecedor dos segredos de jornal.

Orgão noticioso, A GAZETA circulará como vespertino diário, propondo-se a entrar na arena jornalística planiciária como defensor da coletividade amazonense, afastada das compleições politico-partidaria. O seu corpo redacional compõe-se de velhos lidadores do jornalismo brasileiro, o que lhe garante, sem duvida alguma, a conquista de uma posição de real destaque no seio da opinião publica glebária.

À novel confreira o "Diario da Tarde" augura uma longa vida reperta de vitoria fess do povo d zonas.

"JORNAL COMÉRCI

Circulou, ônt sua primeira edi recendo cuidado sentação gráfica pertino A GAZE surge nas esferas prensa manauer um alto progr reinvidicação pc cumprir, afastac pletamente das partidarias como ma em seu edit lançamento.

De propriedad ciedade A GAZE mitada, está sob petente e brilh reção do nosso c dr. Avelino Pere gura prestigiosa nalismo brasileir, seu diretor gerên Alvaro Bandei Melo, expoente d sas classes cons ras e dos meios amazonenses.

A GAZETA interessante ma distribuida em p bem cuidadas, q velam elogiaveis p pações de ordem t É um diário mov tado, dinâmico, no des dos mais mo veiculos da imp tudo recomendar novo vespertino à tação das camad pulares.

Saudando a nov freira, desejam vida longa e fecun

O TRABALHISTA

MANAUS — AM — ANO I — JUNHO DE 1982 Nº 1

Diretor Responsável **Plínio Coêlho** Cr$ 80

FLAGELO DA CHEIA

Triste o quadro do nosso interior — Fome e desabrigados em todos
os municípios do Estado. Governo cruza os braços página 8

A Volta de O Trabalhi

MENSAGEM DE PLÍNIO

A mocidade amazonense conhecerá nesta edição , a mensagem enviada
pelo governador eleito, Plínio Coêlho, em 1955 à Assembléia Legis
lativa. Leia páginas 3 e 4

EDIÇÃO DE
HOJE
12 PÁGINAS

A NOTÍCIA

EDIÇÃO PROMOCIONAL
DISTRIBUIÇÃO GRATUITA

"Criei um jornal para que a humildade também possa ter o direito de se defender". — FELIX FINK

Praça Tenreiro Aranha, 33   Quarta-feira, 16 de Abril de 1969   N.º 1 — An

Coréia do Norte derrubou um avião norte-americano

WASHINGTON, 16 (AFP) — O Departamento de Defesa norte-americano anunciou, hoje, à tarde, que a Coréia do Norte abateu, hoje, um avião norte-americano de reconhecimento, sem armas...

Costa e Silva dará os paramentos do cardeal

PORTO ALEGRE, 15 (AJB) — O presidente Costa e Silva dará os paramentos...

Marcelo Caetano em Londres

LISBOA, 15 (AFP) —

Prelados argentinos querem solidariedade aos pobres

B. AIRES, 15 (AFP) — Trinta e quatro conciliados da província de Tucuman...

Ballet JOK interditado

RIO, 15 (AJB) — O diretor do Serviço Nacional de...

Franco trocou gentilezas e cordialidades com Mendez

MADRID, 15 (AFP) —

Aviões a jato chegam a Antártida

Lin Piao é um dos cérebros militares da China Vermelha

PEQUIM, 15 (AFP) —

...ael comemorou a morte ...seis milhões de judeus

...VIV, 15 (AFP) — O Estado de Israel...

...sília experimenta a ...dicina integralizada

...IA J. B. CONGRATULA-SE COM ...EIRO NÚMERO DE A NOTICIA

France Presse saúda A NOTICIA

DIÁRIO
DO AMAZONAS
A verdade do povo

ANO III — Nº 1.544 — Manaus (Am), quarta-feira, 15 de março de 1989 — NCZ$ 0.20

Rio, São Paulo, Brasília e Interior do Estado NCZ$ 0.25. Domingos e feriados NCZ$ 0.35

PMM dá aumento de 10%

O salário do servidor municipal será reajustado em 10%, este mês, segundo informou o prefeito em exercício Fe Valois.

otacão

anco Central cotou o p... hoje a NC$... compra a NC$... para venda. Paralelo NC$ 1.65 Taxa do ...migh. 29.09 Salario ...nimo - NC$ 63.90

Motoras usados como isca

BADERNAS SINDICAIS

Três aspectos da cidade no dia de ontem em função da greve que paralisou vários setores da vida manauara

1 A greve em Manaus foi marcada por uma passeata dos operários. As vias de acesso ao Distrito Industrial foram fechadas pelo comando de greve. O presidente da FIEAM lamentou a baderna de líderes sindicais. O policiamento não fez qualquer intervenção contra os abusos. (Cidade)

2 Os presidentes das Centrais Sindicais, Jair Meneguelli (CUT) e Joaquinzão (CGT) ficaram satisfeitos com os resultados obtidos ontem no primeiro dia da greve geral. No balanço realizado na CGT, a adesão havia sido de 70% no País. Pág. 7 do 1º

3 Várias Ca... do País vi... ontem no p... ro dia de ... geral, um ... de feriado ... número m... de depreda... de ônibus... gumas cidades, não co... meteram o movimento gr... considerado de todo pac... Pág. 7 do 1º

nvidados no DA
anos com a verdade

LUGAR EM VENDAS ENTRE 6 JORNAIS FONTE PESQUISA CODEAMA

AMAZONINO FALA SOBRE O ESTADO

...dia de festa no Diário ...azonas. Seus quatro ...serão comemorados ...a grande recepção to... à noite, com a pre... autoridades, empre... políticos e amigos. A ...dia-a-dia na redação, ...partamentos especiais ...alegria das crianças

pelo Diarinho, a vitória do segundo lugar em poucos meses de circulação, o empenho e dedicação do nosso Diretor-Presidente Cassiano Cirilo Anunciação e de seus demais diretores são fatos que atestam o nosso crescimento. Página 2 do Caderno de Polícia.

Comemoração
Arthur elogia o Diário

Liberdade de imprensa e Democracia. Mais do que um sonho a necessidade real para a construção de um novo País. A todos os companheiros que constroem no dia-a-dia o Diário do Amazonas, os nossos parabéns, Arthur Virgílio Neto Prefeito de Manaus.

Artur parabeniza

Amazonino: 2 anos de gover J

Ao completar dois an... mandato o governador ...zonino Mendes anunc... modelo de desenvolvi... voltado para o interior ...permita o crescimento ...mico e a elevação do p... de vida de todos. (P-8)

Greve atinge comérc

O comércio quase pa... dia de ontem, com parte ...jas fechadas devido a ...da de seus funcionários ...volta de muita gente. (C

lassificados ...quim Sarmento, 173

Classitel ...-6...

OSCILOSCOPIOS ROUBADOS — Gráfica-se com NC$ 500,00 (quinhentos cruzados novos), quem localizar os Aparelhos acima, marca KENWOOD Modelos CS-2150, CS-1065 e CS-1621 informações para o telefone. 234-068...

VENDE-SE — uma lancha Tycon 23 pés cabinada, fbca fita, com pia, geladeira ou troca-se por carro, casa ou transferência Tratar 232-6301 hor coml Sabados e Domingos, qualquer hora 244-1118.

CASA — VENDE-SE — uma casa à rua 23 de junho, 229 de alvenaria c/2 quartos, sala, copa-cozinha, banheiro, área de serviço, aceita-se permuta por caminhão M. Benz — 15-13 ou 20-13 trucado. A tratar na mesma rua Nº 248. Fone: 233-3322

80 PLACAS — * Placas p/veículos. * luminação de acrílico * adesivos * indicativas * Palmito etc. * Chaves em geral, av Djalma Batista 110...

ATI — ASSESSORIA TECNICA DE INFORMAÇÕES INTEGRADAS LTDA — Reforma Tributária informatizada — Estamos oferecendo serviços técnicos fisco tributário, totalmente informatizado: ICM-ISS-IRPJ-IRPF-IVV e outros encargos sociais) Técnicos especializados esperam por você para lhes dar outras informações. Consultas fones: 232-8581 e 232-8038 Manaus.

TUDO SOBRE ALUGUEIS DE IMOVEIS ...denciais, não residenciais e comerciais ...de despejo purgação da mora ação de co... nação em pagamento, cobrança de alug... execução de contrato, ação revisional ... quel, retomada do imóvel e ação rem... Falar c/ Dr. Lacerda, na Av. Eduardo Ribe... 639, 2º andar, s/206 Centro — 233-7556

AMAZONAS

Em Tempo

Amazonas Em Tempo
Ano 1 - Nº 13 – Manaus, 22 de setembro de 1987 –
Superintendente Hermengarda Junqueira – Preço Cz$ 10.00

Brossard: "Este é um caso do passado"

RIOCENTRO

CARTA DE GOLBERY PODE REABRIR IPM

Página 5 do 1.º Caderno

Teatro parado e sem verba

O Teatro Amazonas (foto) está fechado para reforma. Só que as obras estão parcialmente paradas. Motivo: falta de verbas. **Página 1 do 3.º Caderno.**

Mãe de menor que sumiu acusa a polícia e se diz ameaçada

"Prefiro nem falar no assunto, pois minha família está sendo ameaçada e coagida" O desabafo é da doméstica Janize Pereira Neves, 31 anos, mãe do menor Gerson Pereira Neves, 13 anos, que desapareceu no dia 30 de agosto. Há suspeitas de que ele tenha sido sequestrado e executado, mas ainda não existem provas.
Página 5 do 2.º Caderno.

Governo libera preços

O Ministro Bresser Pereira baixou portaria liberando os preços de 54 produtos, que vão de brinquedos até aguardente e licores. Mais detalhes na **Página 7 do 1.º Caderno.**

Violência contra as mulheres

A Delegacia de Crimes contra a Mulher já registrou, desde o dia 9 de julho último, 838 casos de violência contra mulheres. **Página 5 do 2.º Caderno.**

Previdenciários param por melhores salários

Os previdenciários de Manaus paralisam suas atividades hoje, dando acompanhamento ao movimento nacional da categoria. A Associação dos Servidores da Previdência acredita que 80% dos servidores deverão aderir à greve, decidida na última quinta-feira. **Página 3 do 2.º Caderno.**

Dívida externa

Bresser vai tentar nova negociação

O Ministro da Fazenda, Bresser Pereira, viaja amanhã para os Estados Unidos, onde vai tentar uma negociação diferenciada para a dívida externa, além de propor a conversão de parte do débito em investimentos no Brasil. Ontem, Bresset teve apoio de políticos. **Página 1**

Sul-Americano

Amazonense bate recorde em natação

Eduardo Piccinini, 14 anos, atleta do Clube de Natação Manauara, é o novo recordista Sul-Americano dos 100 metros borboleta. A equipe amazonense conseguiu 6 medalhas de ouro no campeonato Norte-Nordeste, disputado na Bahia. **Página 7 do 2.º**

Prédio onde funcionou O Jornal e Diário da Tarde
Fonte: A Crítica de 08 de dezembro de 1977

REFERÊNCIAS BIBLIOGRÁFICAS

REFERÊNCIAS BIBLIOGRÁFICAS

LIVROS:

ANTONACCIO, Gaitano Laerte Pereira. **Políticos influentes no Amazonas (1889-2005)**. Manaus: Imprensa Oficial do Amazonas, 2006;

BITTENCOURT, Agnello. **Dicionário Amazonense de Biografias: vultos do passado.** Rio de Janeiro, Conquista, 1973;

FAUSTO, Boris. **História do Brasil**. 14ª ed. Atual e ampl. — São Paulo: Editora da Universidade de São Paulo, 2012;

FIGUEIREDO, Paulo. **O Golpe Militar no Amazonas: crônicas e relatos.** Manaus: Governo do Estado do Amazonas-Secretaria de Estado de Cultura, 2013;

SANTOS, Francisco Jorge dos (org.). **Cem anos de Imprensa no Amazonas (1851-1950)**. Manaus: Umberto Calderaro LTDA, 1990;

SOUSA, João Batista de Faria. **A Imprensa no Amazonas**. Manaus: Tipologia da Imprensa Oficial do Amazonas, 1908;

JORNAIS:

A Crítica
A Crítica, Manaus, de 04 de dezembro de 1958, p.01
A Crítica, Manaus, de 09 de dezembro de 1958, p.01
A Crítica, Manaus, de 06 de janeiro de 1959, p.01
A Crítica, Manaus, de 16 de janeiro de 1959, p.01
A Crítica, Manaus, de 17 de janeiro de 1959, p.01
A Crítica, Manaus, de 19 de janeiro de 1959, p.01
A Crítica, Manaus, de 22 de janeiro de 1959, p.01
A Crítica, Manaus, de 24 de janeiro de 1959, p.01
A Crítica, Manaus, de 26 de janeiro de 1959, p.01
A Crítica, Manaus, de 27 de janeiro de 1959, p.01
A Crítica, Manaus, de 28 de janeiro de 1959, p.01
A Crítica, Manaus, de 31 de janeiro de 1959, p.01
A Crítica, Manaus, de 02 de fevereiro de 1959, p.01
A Crítica, Manaus, de 02 de janeiro de 1970, p.03
A Crítica, Manaus, de 19 de abril de 1974

A Crítica, Manaus, de 05 de janeiro de 1975, p.01
A Crítica, Manaus, de 06 de janeiro de 1975, p.01
A Crítica, Manaus, de 07 de janeiro de 1975, p.01
A Crítica, Manaus, de 08 de janeiro de 1975, p.01
A Crítica, Manaus, de 21 de janeiro de 1975, p.04
A Crítica, Manaus, de 16 de fevereiro de 1975, p.01
A Crítica, Manaus, de 17 de fevereiro de 1975, p.01, 02, 04 e 08
A Crítica, Manaus, de 18 de fevereiro de 1975, p.01, 04 e 08
A Crítica, Manaus, de 19 de fevereiro de 1975, p.01 e 09
A Crítica, Manaus, de 20 de fevereiro de 1975, p.01, 04 e 09
A Crítica, Manaus, de 21 de fevereiro de 1975, p.01
A Crítica, Manaus, de 22 de fevereiro de 1975, p.09
A Crítica, Manaus, de 23 de fevereiro de 1975, p.01
A Crítica, Manaus, de 03 de outubro de 1976, p.04
A Crítica, Manaus, de 06 de outubro de 1976, p.05
A Crítica, Manaus, de 01 de novembro de 1976, p.01
A Crítica, Manaus, de 08 de novembro de 1976, p.01
A Crítica, Manaus, de 23 de novembro de 1976, p.03
A Crítica, Manaus, de 28 de novembro de 1976, p.05
A Crítica, Manaus, de 01 de dezembro de 1976, p.03
A Crítica, Manaus, de 26 de novembro de 1977, p.11
A Crítica, Manaus, de 27 de novembro de 1977, p.01 e 11
A Crítica, Manaus, de 29 de novembro de 1977, p.11
A Crítica, Manaus, de 08 de setembro de 1979, p.01
A Crítica, Manaus, de 12 de novembro de 1979, p.03
A Crítica, Manaus, de 13 de novembro de 1979, p.01
A Crítica, Manaus, de 16 de março de 1980, p. 06
A Crítica, Manaus, de 19 de março de 1980, p. 06
A Crítica, Manaus, de 20 de março de 1980, p. 01
A Crítica, Manaus, de 23 de março de 1980, p. 01
A Crítica, Manaus, de 24 de março de 1980, p. 01
A Crítica, Manaus, de 25 de março de 1980, p. 01
A Crítica, Manaus, de 28 de março de 1980, p. 01
A Crítica, Manaus, de 29 de março de 1980
A Crítica, Manaus, de 30 de março de 1980, p. 01
A Crítica, Manaus, de 31 de março de 1980
A Crítica, Manaus, de 01 de abril de 1980, p. 01

A Crítica, Manaus, de 02 de abril de 1980, p. 03
A Crítica, Manaus, de 19 de abril de 1984, p.01
A Crítica, Manaus, de 14 de agosto de 1992

A Gazeta
A Gazeta, Manaus, de 04 de dezembro de 1958, p.01
A Gazeta, Manaus, de 03 de setembro de 1964, p.01

Amazonas em Tempo
Amazonas em Tempo, Manaus, de 06 de setembro de 1988
Amazonas em Tempo, Manaus, de 06 de setembro de 1989

A Notícia
A Notícia, Manaus, de 18 de março de 1971, p.01
A Notícia, Manaus, de 07 de janeiro de 1975, p.01 e 04
A Notícia, Manaus, de 18 de fevereiro de 1975, p.01
A Notícia, Manaus, de 19 de fevereiro de 1975, p.01
A Notícia, Manaus, de 15 de maio de 1975, p.09
A Notícia, Manaus, de 31 de outubro de 1976, p.11
A Notícia, Manaus, de 31 de outubro de 1976,p.11
A Notícia, Manaus, de 02 de novembro de 1976
A Notícia, Manaus, de 04 de novembro de 1976, p.11
A Notícia, Manaus, de 07 de novembro de 1976, p.11
A Notícia, Manaus, de 09 de novembro de 1976, p.12
A Notícia, Manaus, de 10 de novembro de 1976, p.11
A Notícia, Manaus, de 14 de novembro de 1976, p.07
A Notícia, Manaus, de 25 de novembro de 1976
A Notícia, Manaus, de 26 de novembro de 1976, p.12
A Notícia, Manaus, de 08 de janeiro de 1977
A Notícia, Manaus, de 27 de janeiro de 1977
A Notícia, Manaus, de 23 de novembro de 1977, p.12
A Notícia, Manaus, de 24 de novembro de 1977, p.12
A Notícia, Manaus, de 25 de novembro de 1977, p.12
A Notícia, Manaus, de 27 de novembro de 1977, p.12
A Notícia, Manaus, de 29 de novembro de 1977, p.12
A Notícia, Manaus, de 27 de dezembro de 1977, p.12
A Notícia, Manaus, de 31 de dezembro de 1977, p.08

A Notícia, Manaus, de 16 de abril de 1978, p.01
A Notícia, Manaus, de 09 de setembro de 1979, p.01
A Notícia, Manaus, de 13 de novembro de 1979, p.01
A Notícia, Manaus, de 01 de dezembro de 1979, p.01
A Notícia, Manaus, de 19 de março de 1980, p. 01 e 07
A Notícia, Manaus, de 21 de março de 1980, p. 07
A Notícia, Manaus, de 22 de março de 1980, p. 07
A Notícia, Manaus, de 23 de março de 1980, p. 09
A Notícia, Manaus, de 25 de março de 1980, p. 06
A Notícia, Manaus, de 26 de março de 1980, p. 11
A Notícia, Manaus, de 27 de março de 1980, p. 07
A Notícia, Manaus, de 29 de março de 1980, p. 01
A Notícia, Manaus, de 16 de março de 1980, p. 01
A Notícia, Manaus, de 01 de abril de 1980, p. 01
A Notícia, Manaus, de 16 de abril de 1983, p.06
A Notícia, Manaus, de 17 de junho de 1990

A Tarde
A Tarde, Manaus, de 09 de maio de 1946, p.01
A Tarde, Manaus, de 01 de dezembro de 1958, p.01 e 04
A Tarde, Manaus, de 04 de dezembro de 1958, p.01
A Tarde, Manaus, de 09 de dezembro de 1958, p.01
A Tarde, Manaus, de 21 de janeiro de 1959, p.01
A Tarde, Manaus, de 29 de janeiro de 1959, p.04
A Tarde, Manaus, de 26 de fevereiro de 1959, p.01
A Tarde, Manaus, de 19 de fevereiro de 1962, p.01

Correio Amazonense
Correio Amazonense, Manaus, de 05 de junho de 2005
Correio Amazonense, Manaus, de 05 de junho de 2006
Correio Amazonense, Manaus, de 05 de junho de 2007

Diário da Tarde
Diário da Tarde, Manaus, de 04 de dezembro de 1958, p.01
Diário da Tarde, Manaus, de 5 de outubro de 1948
Diário da Tarde, Manaus, de 5 de outubro de 1955
Diário da Tarde, Manaus, de 9 de outubro de 1955, p.01

Diário do Amazonas
Diário do Amazonas, Manaus, de 15 de março de 1985
Diário do Amazonas, Manaus, de 15 de março de 1986

Jornal do Commercio
Jornal do Commercio, Manaus, de 02 de janeiro de 1913, p.01
Jornal do Commercio, Manaus, de 03 de janeiro de 1946, p.02
Jornal do Commercio, Manaus, de 04 de dezembro de 1958, p.01
Jornal do Commercio, Manaus, de 16 de janeiro de 1959, p.01
Jornal do Commercio, Manaus, de 16 de julho de 1964, p.01
Jornal do Commercio, Manaus, de 17 de julho de 1964, p.06
Jornal do Commercio, Manaus, de 21 de janeiro de 1968
Jornal do Commercio, Manaus, de 17 de fevereiro de 1975, p.01
Jornal do Commercio, Manaus, de 18 de fevereiro de 1975, p.09
Jornal do Commercio, Manaus, de 19 de fevereiro de 1975, p.09
Jornal do Commercio, Manaus, de 22 de fevereiro de 1975, p.09
Jornal do Commercio, Manaus, de 30 de novembro de 1975, p.05

Jornal do Brasil
Jornal do Brasil, Rio de Janeiro, de 13 de janeiro de 1977

Jornal do Norte
Jornal do Norte, Manaus, de 21 de janeiro de 1996
Jornal do Norte, Manaus, de 21 de janeiro de 1997

O Estado de São Paulo
O Estado de São Paulo, São Paulo, de 05 de dezembro de 1958, p.06
O Estado de São Paulo, São Paulo, de 18 de fevereiro de 1975, p.05
O Estado de São Paulo, São Paulo, de 27 de novembro de 1977, p.08
O Estado de São Paulo, São Paulo, de 01 de dezembro de 1979, p.02

O Estado do Amazonas
O Estado do Amazonas, Manaus, de 24 de outubro de 2003
O Estado do Amazonas, Manaus, de 24 de outubro de 2004
O Estado do Amazonas, Manaus, de 24 de outubro de 2005

O Globo

O Globo, Rio de Janeiro, de 23 de janeiro de 1959, p.10
O Globo, Rio de Janeiro, de 5 de janeiro de 1977
O Globo, Rio de Janeiro, de 13 de janeiro de 1977

O Jornal

O Jornal, Manaus, de 30 de outubro de 1954
O Jornal, Manaus, de 04 de dezembro de 1958, p.01
O Jornal, Manaus, de 30 de outubro de 1973
O Jornal, Manaus, de 18 de fevereiro de 1975, p.01
O Jornal, Manaus, de 30 de outubro de 1975
O Jornal, Manaus, de 04 de janeiro de 1977
O Jornal, Manaus, de 08 de dezembro de 1977, p.10

O Povo do Amazonas

O Povo do Amazonas, Manaus, de 13 de março de 1988, p.01
O Povo do Amazonas, Manaus, de 13 de março de 1989, p.01
O Povo do Amazonas, Manaus, de 13 de março de 1990, p.01

Diários oficiais

Diário Oficial. Manaus, 04 de dezembro de 1958, p.01
Diário Oficial. Manaus, 05 de dezembro de 1958, p.01 e 05
Diário Oficial. Manaus, 06 de dezembro de 1958, p.05 e 08
Diário Oficial. Manaus, 08 de dezembro de 1958, p.07
Diário Oficial. Manaus, 11 de dezembro de 1958, p.05
Diário Oficial. Manaus, 15 de dezembro de 1958, p.05 e 08
Diário Oficial. Manaus, 17 de dezembro de 1958, p.03

TESES:

PINHEIRO, Maria Luiza Ugarte. **Folhas do Norte: letramento e periodismo no Amazonas (1880-1920)**. São Paulo: PUC (tese de Doutorado), 2001.

SITES:

SOUSA, Leno José Barata. **Cultura impressa no Amazonas e a trajetória de um jornal centenário**. Disponível em: file:///C:/Users/reserva/Downloads/4861-17762-1-PB.pdf. Acesso em: 29 de outubro de 2014.

Autor desconhecido. **Correio Amazonense fecha as portas**. Disponível em:http://www2.metodista.br/unesco/jbcc/jbcc_mensal/jbcc287/jbcc_corporacoes_pagina_3.htm. Acesso em: 26 de novembro de 2014.

264